DU MÊME AUTEUR

ÉLOGES, *recueil d'articles*, *Gallimard*, 1986.

LOUÉS SOIENT NOS SEIGNEURS. Une éducation politique, *trilogie* « Le temps d'apprendre à vivre », II, *Gallimard*, 1996 (« *Folio* », *n° 3051*, *2000*).

PAR AMOUR DE L'ART. Une éducation intellectuelle, *trilogie* « Le temps d'apprendre à vivre », III, *Gallimard*, 1998 (« *Folio* », *n° 3352*, *2000*).

CONTRETEMPS. Éloges des idéaux perdus, *Gallimard*, 1992 (« *Folio Actuel* », *n° 31*).

CROIRE, VOIR, FAIRE, *recueil d'articles*, *Odile Jacob*, 1999.

SHANGHAI, DERNIÈRES NOUVELLES. La mort d'Albert Londres, *Arléa*, 1999.

L'ÉDIT DE CARACALLA OU PLAIDOYER POUR DES ÉTATS-UNIS D'OCCIDENT, par Xavier de C***, *Fayard*, 2002.

LE SIÈCLE ET LA RÈGLE. Une correspondance avec le frère Gilles-Dominique, o.p., *Fayard*, 2004 (prix François Mauriac).

SUR LE PONT D'AVIGNON, *Flammarion*, « *Café Voltaire* », 2005.

AVEUGLANTES LUMIÈRES. Journal en clair-obscur, *Gallimard*, 2006.

UN CANDIDE EN TERRE SAINTE, *Gallimard*, 2008.

DÉGAGEMENTS, *Gallimard*, 2010.

MODERNES CATACOMBES

Tombeau de Chateaubriand sur l'île du Grand-Bé
(*L'illustration*, juillet 1848)

RÉGIS DEBRAY
de l'Académie Goncourt

MODERNES CATACOMBES

GALLIMARD

Pourquoi ai-je survécu au siècle et aux hommes à qui j'appartenais par la date de ma vie ? Pourquoi ne suis-je pas tombé avec mes contemporains, les derniers d'une race épuisée ? Pourquoi suis-je demeuré seul à chercher leurs os dans les ténèbres et la poussière d'une catacombe remplie ? Je me décourage de durer.

CHATEAUBRIAND,
Mémoires d'outre-tombe.

Parmi toutes les questions aussi saugrenues qu'inévitables auxquelles un écrivain, fût-il d'occasion, se voit tenu de répondre au débotté, la plus cocasse est sans doute « à quoi sert la littérature ? ». Elle m'a toujours laissé sans voix. Servir à quoi ? À décrypter l'actualité ? Les sciences humaines seraient de meilleur recours. À nous expliquer le monde ? Mieux vaut se tourner vers les sciences dures. À redonner de la profondeur au présent ? Les historiens sont mieux placés. À faire parler les morts ? C'est le rôle des quimboiseurs, sorciers et conteurs de la tradition orale, grâce à qui il y a, comme dit le proverbe africain, plus de bavards dans les cimetières que dans les salles de classe. Pas plus qu'un chef d'orchestre ne met fin à une guerre de cent ans avec la Neuvième Symphonie *— Barenboïm lui-même s'en défend — ou qu'un peintre ne change le monde avec une nature morte, admettons gaiement le fait que la lutte avec et pour les mots ne sert pas plus la vérité que la justice. L'empire du Bien aurait même intérêt à s'en passer, tant le roman comme la poésie excellent à* *brouiller les cartes, et nos certitudes. Ce sont les machines qui servent à quelque chose. Et si la joie silencieuse que procure un ouvrage qu'on peut qualifier de littéraire a une valeur, c'est bien de nous offrir, comme disait Gracq, « un refuge contre tout le machinal du monde ». Les mystérieux et tant vantés « pouvoirs de la littérature » ne seraient-ils pas tout simplement ceux du réveille-matin ? N'est-ce pas le libre jeu d'une écriture à la première personne qui, parfois, nous tire de l'assoupissement grégaire — somnolence intérieure affectant en particulier les énervés et les hyperactifs —, vers quoi nous font glisser les « éléments de langage » droit sortis des gaufriers du jour (politique, morale, économie, publicité) ? Là serait peut-être la seule fonction de quelque utilité imputable au dépaysement affectif, asocial, clandestin, sinon scabreux qui nous saisit dès qu'un message écrit nous communique une émotion indépendante de l'idée ou de l'info par lui véhiculées, assimilable par là même à l'émotion musicale. À quoi tient l'excitant « musique » ? Sans doute à l'impondérable d'un ébranlement sous-cutané. Ce qui, en définitive, fait frontière entre le domaine intellectuel, où le déodorant incite au poncif, où les mots ne touchent aucun système nerveux, et le domaine littéraire, où le corps et le sang d'un auteur font acte de présence, plus qu'une manière de connaître, c'est une manière d'être. L'intellectuel explique, l'écrivain incarne.*

C'est de cette souveraine faculté qu'a l'art littéraire de court-circuiter bienséances et partis pris que traitent, par divers biais, polémiques ou louangeurs, les articles, préfaces, interventions et conférences rassemblés dans ce recueil. La cueillette n'est pas le fruit du hasard. Pourquoi interpeller ces écrivains-ci plutôt que d'autres ? D'où vient leur air de famille ? Certes pas de leurs idées ou de leurs engagements. En littérature, l'opinion ne fait pas critère. Ni d'on ne sait quelle école ou chapelle. Mais peut-être de l'accolade que fait une même époque, comme une grande ombre projetée sur la nôtre. Si ce dialogue critique porte les marques d'une génération française, la mienne, il témoigne plus sûrement d'une curiosité infinie pour celle qui l'a précédée. Quel autre point commun entre Gary, Gracq, Mauriac, Malraux, Cordier, Sartre... et de Gaulle — pourraient s'ajouter à la liste Aragon, Vailland et d'autres — sinon la guerre de 39-45, qu'ils l'aient faite, pressentie, vue, dirigée ou subie ? La clé générationnelle n'est pas un passe-partout, et toutes les générations se sentent déclassées, mais on admettra que ceux qui ont vécu la débâcle, l'exode, l'Occupation, les camps de prisonniers et les camps de concentration, la Résistance (et la tentative ensuite de remonter la pente à coups de beaux mensonges) forment une classe substantiellement à part. Avoir pu, chance ou malchance, travailler sur le sujet, et creuser l'os humain jusqu'à la moelle ne fait pas de tous ses membres des personnages hors-série, ni ne leur confère automatiquement un magistère intellectuel ou moral. Mais quand on a le sentiment que les années noires sont plus à même que d'autres de faire la lumière sur le plus intime du singe nu, on attend des témoins d'un sombre temps, plus vrai que nature, quelque chose comme un écho, une haleine, un reflet d'incendie. Ce on*, soyons clair, c'est nous, le parti des plus de soixante ans. Nous n'avons pas été soldats (sauf, pour quelques-uns d'entre nous, en Algérie), ni connu de désastres collectifs,* *mais nous sommes encore assez jeunes pour avoir pu monter dans le wagon de queue du train de l'histoire, avec une folle envie : interroger nos aînés, qui, par la force des choses, se tenaient sur les sièges avant. Pour savoir* comment c'était, *Goering dans les jardins du Luxembourg et Cocteau dans ceux de l'Institut allemand. La sélection à Dora et l'imprimerie clandestine des* Lettres françaises. *La capsule de cyanure des parachutés de 1942 et la tonte des femmes en 1944. Ceux et celles qui sont nés trop tard pour avoir souffert dans leur chair les tragédies du XXe siècle, mais encore assez tôt pour vivre à l'ombre du mancenillier, forment une intergénération. Ce n'est pas notre faute si un sentiment saugrenu nous visite plus que de raison : celui du débiteur indélicat qui ne se pardonne pas de n'avoir pas payé sa dette. À tort ou à raison, beaucoup ressentent ce qu'il y a d'injuste ou de frivole ou de fallacieux ou d'insipide, bref d'inexcusable dans le fait d'avoir poussé, roses et grassouillets, dans la serre des Trente Glorieuses. On a beau faire des efforts pour se mettre à jour et en conformité avec le dernier cri, on se sent un peu frustré avec le genre d'écriture qui se dit elle-même au lieu de dire le monde, les autoportraits habillés en romans, et tant d'autres acrobaties verbales avec filet. Qu'on ne s'étonne pas si ces exilés de l'intérieur se tournent d'instinct vers un passé littéraire qui, pour eux du moins, ne passe pas, vers des fantômes peut-être démodés, mais dont je ne peux m'empêcher de penser qu'ils en savaient sur nous-mêmes plus que nous.*

Le simple lecteur que je suis, qui aime vagabonder chez les grands auteurs, a remisé depuis longtemps toute ambition théorisante et prétention critique. Je ne puis nier, cela dit, que je me sens lié à eux par un courant souterrain et profond, qu'on aurait pu appeler, jusqu'à ce matin, un caractère national. J'entends par là un monde en voie de disparition, celui des humanités où s'abreuvait la culture générale d'antan, et qui faisait comme un sang commun. Parmi les auteurs qui m'ont interpellé par-dessus les années, comme on se hèle d'une rive à l'autre quand la brume qui monte va rendre le passage difficile, bien peu ont mis formellement le feu au lac. Ce sont les plus classiques d'entre nos modernes, et non les plus avant-gardistes. Ils viennent d'un temps d'outre-tombe, d'avant les linguisteries et les sociologismes, où la musique importait, où écrire n'était pas rédiger. Celui qu'a envoyé aux catacombes d'un revers de main, avec La Princesse de Clèves, *un* young leader *devenu ce président de la République joggant fièrement à Central Park, avec son* tee-shirt *« New York Police Department ». Celui où la Rue d'Ulm de Charles Péguy et le Sciences-Po d'André Siegfried n'avaient pas encore la* business-school *en point de mire. Mes haleurs furent ou sont, chacun à sa manière, des héritiers, et ce n'était pas à leurs yeux un gros mot. S'ils n'ont pas eu à composer, adolescents, des milliers de vers latins, comme Rimbaud, ils ont entendu parler, à l'école, des dactyles et des spondées. Ils ont récité sur l'estrade la* Tristesse d'Olympio. *Ils ont sagement disserté sur les* Pensées *de Pascal et sur* L'Idiot *de Dostoïevski. Ils étaient chez eux dans les pages roses du* Petit Larousse. *Certains en ont gardé l'indélébile estampille du ternaire, du drapé et d'un certain ronflant — par quoi André Breton rejoint Charles de Gaulle. Et tel autodidacte, tel prof d'histoire-géo. D'autres ont brisé le moule antique avec succès, mais en connaissance de cause. Pour le dire d'un mot : les écrivains de cette espèce fort compromise peuvent s'opposer en tout, mais ils ont en commun de savoir que Chateaubriand a existé, au point, pour l'un d'entre eux, Sartre, d'aller compisser sa tombe au Grand-Bé. Où le jet, aujourd'hui, ne frôlera plus la dalle que par inadvertance, faute de toilettes à proximité. Là, côté miction, est la vraie ligne de partage des eaux, entre les derniers des Abencérage et nos premiers Américains. Les temps nouveaux ne sont pas nuls, ils sont autres. Facebook, Google, grandes surfaces,* Morituri te salutant. *Les hommes de Cro-Magnon, hélas pour eux, ne meurent pas en un clin d'œil. Si j'étais entré plus avant dans le contemporain, j'aurais pris le temps et plaisir à évoquer un Pierre Michon ou un Jean Rouaud, sans oublier, pardon pour ce grand écart, Antoine Blondin et Michel Tournier, et je me suis étendu ailleurs sur le maître de ma jeunesse, Claude Simon. Autant dire qu'il restera aux Indiens survivants, en dehors de mon Panthéon, bien des mots à humer et des corps à flairer.*

Nul n'est modeste de naissance. Se réjouir, cela s'apprend. On entre dans le théâtre de la vie en conspuant les comédiens, avec un brin de prétention, parce que siffler, c'est toujours se vanter. On en sort en les applaudissant parce qu'on a eu le temps d'explorer ses limites. Le jeune homme est en colère, le vieux dit merci. Si cette promenade à travers nos lettres modernes ne suit pas strictement l'ordre chronologique des parutions, qu'on ne s'étonne pas de nous la voir commencer par des ingratitudes et finir en actions de grâce. Les deux sont des hommages.

SOMMAIRE

COUTEAUX

JOURNAUX

TRÉTEAUX

COUTEAUX

Sollers, le bel air du temps

La polémique ad hominem *n'est pas mon fort, et on ne doit sortir son canif qu'à la dernière extrémité. Philippe Sollers, écrivain du premier rayon et critique d'exception, ayant tenu des propos fort peu amènes sur mon compte, je crus devoir monter sur mes grands chevaux, cédant ainsi à un malin génie corporatif. Depuis* Le Lutrin *de Boileau, la querelle héroïcomique entre gribouilleurs fait partie des rituels du métier. Il va de soi que nous avons repris depuis les meilleures relations. Son talent et sa personne l'exigent. Ainsi va et se perpétue la République des lettres.*

« La médiologie, est-ce bien sérieux ? » demande Philippe Sollers, sans cacher la « commisération » que lui inspire, chez le soussigné, tant de tâtonnante médiocrité, de vie et de pensée. Question cruelle (ça s'appelle *L'Année du Tigre*), de la part d'un as du bref. D'autant que le médiocre a du goût pour le Sollers. Son côté

Marianne, 5-11 avril 1999.

lapin agile, jubilatoire et bon enfant ; la faconde du polisson à sarbacane, plus doué que la moyenne ; sa vivacité chuchoteuse et fureteuse, apte à trancher de tout, au culot, généreusement. On n'en a guère, en revanche, pour la querelle d'auteurs, brouhaha volatil et sans âge. Se voler dans les plumes fait partie des divertissements de la vie à la ferme, et nous sommes, vus de loin, la même volaille. De plus, la littérature à l'esbroufe (celle à l'estomac tenait encore un peu au ventre) a ses règles du jeu, qu'on n'enfreint pas impunément. Impossible d'argumenter sans aggraver son cas — le balourd s'attirant au finish l'uppercut du danseur sur le ring. Car le bon mot en retour est toujours le meilleur. Tout finir en chansons est plus qu'un art : une stratégie.

Quel labeur résiste aux *lazzi* ? Le romancier de *Notre-Dame de Paris* avait prévu la difficulté dans son fameux *Ceci tuera cela* : « Les petites choses viennent à bout des grandes, une dent triomphe d'une masse, le rat du Nil tue le crocodile » —, et la « petite phrase », la grosse thèse. C'est l'avantage de l'amuseur, dans la foire sur la place : virevolter sans produire ses raisons. On frappe mieux les esprits en deux mots qu'en cent, et le *less is more* est la loi de la polémique maximale comme de l'architecture minimale : idéal pour mettre les rieurs et les voyeurs de son côté. Faire long revient à faire le jeu du joueur, mais il se trouve que l'insubmersible bête médiatique intéresse ès qualités le médiologue. Et pas seulement pour son ubiquité dans les canaux et sa *maestria* en cuisine (provoc, zapping, tuning, et toutes les recettes maison). Si l'article défini est permis (« sur le Racine mort, le Campistron pullule »), *le* Sollers est pour l'historien un cas d'école, c'est *notre* cas Hockney, si l'on admet que l'un est à la peinture ce que l'autre est à la littérature. Notre *much ado about nothing* à nous, beaucoup de bruit pour peu de chose. Mais c'est là l'intéressant, justement ! Quoique d'intérêt local et non international (handicap du verbe sur l'image), l'homme de lettres français exige, pour comprendre comment c'est fait, aujourd'hui, un littérateur dans le vent, comment ça tourne, cette affaire, plus de soins et de mots que le décorateur britannique. L'industrie du génial s'est emparée du dehors de ce dernier, qui s'y est nonchalamment prêté, alors que l'industrieux du terroir (sens latin du *sollers*) s'y consacre chaque jour en personne, à compte d'auteur et d'acteur.

Ce qui ajoute au respect professionnel, c'est, au-delà de la compétence technique du communicant, sa représentativité. Sous l'expert, l'étalon, non le mâle dominant, mais le prototype du genre « brillant esprit ». Cet invariant domestique aux patronymes interchangeables est connu sous le terme, classique et non péjoratif, de « bel air ». « Cynique, n'ayant foi qu'en son intérêt, insensible aux valeurs, dispensé de sentiments et coiffé de modes » : ainsi Jean-Paul Aron décrivait-il notre sémillant, dans son ultime revue de la scène parisienne. Mais, outre l'éternel échantillon aux effervescences attendues (le « gendelettre ») que Pierre Bourdieu, non sans quelque abstraction, — la généralité étant le péché mignon des sociologues —, a rangé récemment dans la catégorie « simili et pseudo », cette figure récurrente du paysage parisien présente pour nous un intérêt plus singulier, qu'on dira barométrique. Derrière le microcosme « rive gauche » et la fausse désinvolture, immuable toile de fond, se tient le traceur de l'air du temps, le nôtre en général, qu'on soit provincial ou parigot, moisi ou frais. Mais avec un curseur aussi symptomal, doté d'un tel flair, précurseur en effet (mieux que visionnaire : prévoyant), le *ad hominem* a au moins cette excuse qu'il peut espérer faire d'une pierre deux coups : l'anatomie d'un petit génie et la physionomie d'un petit temps. Le Sollers : un certain génie du temps, à saisir *in vivo*.

Encore faut-il, pour bien faire, surmonter sa distraction ou sa paresse (« à quoi bon, ça tombe des mains »), l'éloignement astronomique des sphères (entre le torchecul scolaire et le papier glacé esthète, planètes tournant dans le système libraire à distance respectueuse), les préjugés ambiants (« le préjugé veut sans cesse trouver un homme derrière un auteur. Dans mon cas, il faudra s'habituer au contraire », signale-t-il, bon prince), et la confusion entretenue par une cabriolante frivolité, mais qui n'en est pas une. Car, à le lire de près, on découvre vite le pontifiant sous le sautillant. Le ludion du bocal, chansonneur et speedé, nous joue en fait la comédie de la comédie. Car l'incroyant s'y croit, et *se* croit, dur comme fer, sans sourire un instant de ses propres sourires. Un arlequin est sans mépris pour l'humanité. Or le mépris, c'est le sentiment que le facétieux économise le moins (les fortes natures ne lésinent pas). On se gardera ici de plaider pour notre camp, à savoir cette piétaille de ratés ruminants, jaloux dépités, salariés franchouillards, nationalistes rances, piètres écrivains et républicains lourdauds au milieu de quoi l'étriqué des lieux l'oblige à survivre, Gulliver alerte et lucide. Mais enfin, comment ne pas prendre au sérieux un géant si sérieux, si appliqué dans sa prétention au magistère ? Sans y toucher, ce guérillero du goût est notre vérificateur de poids et mesures.

Passons vite sur l'étalonnage citoyen et la *glisse* comme relation idéale et désormais recommandée aux circonstances. L'actualité est mousseuse, mais porteuse, comme l'eau, la neige, l'air ; et l'adhésion à l'événement, autrefois gluante ou poisseuse, prendra désormais la forme du coulé, du frôlé, de l'enchaîné, sur le modèle onirique et tactile des sports dans le vent — monoski, surf, deltaplane. Ce qui eût été, hier, acrobatie, ou périlleux jeté-battu, devient gracieux frôlement de parquet, câlinerie en passant, et la ligne brisée, le slalom d'un pro. Favori de Giscard, invité de Mitterrand, commensal de Chirac, admirateur de Balladur, copain de Jospin : en bonne place, toujours. Jadis, les sectaires de la graphosphère croyaient devoir choisir cette table-ci plutôt que celle-là, un Prince *contre* l'autre. La soif de nouveau fait foin du révolu, on empoche le bristol en vrac et *a priori*, à tu et à toi avec tout ce qui se présente. Accorte disponibilité au majoritaire (si l'on en juge d'après le *Journal de l'année* où vont et viennent Jospin, Sylviane, Védrine, Martine, etc.), dont il convient d'apprécier le subversif (l'ex-commode). Goguenard et mécréant, certes, mais pas au point de se priver. L'époque n'a pas de goût pour les sacrifices, la onzième heure est plus amène. Ce qui conduit l'avant-gardiste soucieux de ne rater aucun train à monter, pour chaque nouveau départ, dans le fourgon de queue. Algérie française en 1960 (quand les tâcherons portaient les valises du FLN), communiste stalinien en 1965 (quand le menu fretin rentrait dans l'opposition au Parti), maoïste ultra en 1970 (les « Chinois » de la première heure prenant alors leurs distances), on le retrouve néolibéral et proaméricain en 1976 (quand le giscardien commence à taper sur les nerfs), avant de dédicacer cordialement ses chefs-d'œuvre au président Mitterrand. Le voilà maintenant avec Cohn-Bendit pour une Europe rieuse et verte (certains en reviennent déjà, mais cela ne se sait pas encore). Toujours dans le mouvement, en somme. Là où les voiles gonflent toutes seules. Là où notre milieu se tient, reprise assurée, risques minimaux. Faire chorus, mais en coda. Avec Dany, notre héros générationnel, le joueur jouait sur du velours, les faiseurs d'opinions lui tressent couronne. On le vit bien quand Chevènement eut le tort de s'attaquer à beaucoup plus fort que lui. Le ressuscité, sorti d'un long sommeil, ne se souvenait pas qu'il est des mots imprononçables : État, nation, République — dont la traduction officielle sera désormais « étatisme », « nationalisme », et « ringardise ». Il avait oublié que l'officialité s'est réfugiée dans la société civile, que le *Journal officiel* n'est plus qu'un samizdat sans le prestige, et qu'il revient au « premier pouvoir », le seul qui n'ait aucun contre-pouvoir à craindre, de définir la vérité des choses et des noms. Qui a le droit de titraille a le dernier mot, et qui a le dernier mot, par position ou statut, a pouvoir régalien. Le Sollers a mis la touche finale à cette lapidation mimétique de notre inconscient ministre, mais un ton au-dessus. Au centre, mais avec insolence : réception cinq sur cinq. Donner du panache aux moutons : le vieil emploi des littérateurs, ces rossignols du grégaire. Dangereux, pour un dissident, d'être toujours *in*, les stridences de l'*out* en prime ? Le suiviste en casse-cou ? Panurge aventurier ? En période d'amnésie, le comique de répétition n'est plus rédhibitoire. Le parterre peut prendre de bonne foi un suradapté pour un dandy.

Glissons nous-même sur ces poncifs, aussi fastidieux qu'inessentiels. Notre champion en aurait autant au service du pitoyable (pour être passé lui-même « de Guevara à de Gaulle »). Chacun sait que la gent intellectuelle n'aura guère brillé en ce siècle par le discernement (deux tests infaillibles pour évaluer la justesse d'un projet de loi : si le Sénat est contre, et l'intelligentsia aussi, on peut y aller gaiement). D'où l'habitude, avec l'âge et les coups, de mettre la sourdine, soupeser les attendus, comparer les inconvénients, avant de risquer un parti pris. Le Sollers, infatigable jouvenceau, continue de dégainer illico et repart, flamberge au vent, sans regarder une fois par-dessus son épaule. Certains font la pause entre deux coups de sifflet. Pas lui.

Musique ! Musique ! Notre homme est le premier à ricaner de ses pitreries, à se parodier, à en rajouter, clin d'œil et sourire en coin. L'époque change de chemise, lui aussi, quelle importance ? Laissons l'écume aux cuistres et aux idéologues. Ce qui compte, et a bon dos, c'est l'écriture. On l'y croit au comble de l'audace. Il y poursuit la sage aventure d'un bourgeois séculaire. Il s'imagine incarner *la* littérature, convaincu d'en avoir le monopole, qui tient l'affiche tient la corde. Il prolonge *une* littérature. Rien là que de normal, chacun sa filière. Nous relayons tous un long cortège d'errants, une théorie séculaire d'authentiques faussaires, d'audacieux suiveurs qui ont cru dire le vrai, sincèrement, dans une juste colère. D'où l'intérêt, de loin en loin, de relire *nos* bourdes, de revoir *nos* vies antérieures, pour ne pas rechuter dans *nos* panneaux. Tant se croient vedettes américaines qui font les doublures dans une tournée Baret. C'est notre lot commun. Reste à choisir sa chambre d'écho. Nos devanciers sont d'ordinaire ceux dont nous mettons un point d'honneur à nous distinguer, car la meilleure façon d'hériter est encore de renier. Les Sollers aînés étaient à la droite de la droite. Le cadet ne parlait-il pas récemment de la France avec la même voix que les maurrassiens d'antan de l'anti-France ? Même frappe, même retape. Le Rebatet des *Décombres* se disait lui aussi « wagnérien, nietzschéen, anticlérical ». Il ajoutait : « antisémite », ce qui ne se dit plus. Convenances. Le vent d'Amérique a remplacé le vent d'Allemagne ; la cause a changé, et le système des forces ; pas les métaphores, ni l'amour du plus fort. La notation ordurière, pour blesser, et de hautaines cautions, pour snober. La ligne « pour le haut par le bas ». Brasillach, Massis, Céline se sentaient, eux aussi, persécutés par le moisi, le ranci, le borné. Drieu avait même pour ennemis personnels les buveurs de Pernod, les joueurs de belote et les pêcheurs à la ligne obèses. En 1939, l'air vif de la campagne devait régénérer la capitale de la « démocrasouille ». En 1999, l'air vif de la capitale doit régénérer nos « paysans croupis ». Inversion des signes, même algèbre ; le crado et le propret, le moche et le chic ont échangé leur place. Il n'y a que le prof qui n'en a pas changé. Lui, c'est le repoussoir héréditaire, une valeur sûre. Il est un trait immanquable qui distingue droite et gauche, en deçà même du mépris consubstantiel pour le minus et le crevard, le fatigué et le taré, et c'est l'allure physique imputée au moral. Le faciès pour stigmate. Le corps pour destin. C'est le pli de famille. La grâce innée. L'origine déniée qui vous rattrape par le paletot. Le dédain de la souffrance sociale, le Sollers n'en fait pas comme d'autres une économie politique ou un programme de gouvernement ; l'écrivain vit sa vie et celle des autres au singulier ; le coup d'œil suffit. Le nez crochu, la bosse dans le dos, le pied-bot, le cheveu gras, le zézaiement : son compère Jean-Edern Hallier avait exploité non sans succès cette veine dynastique, avec les alibis du contestataire soixante-huitard. Ç'aura été une propriété du gauchisme, trop peu saluée, que de recycler les réflexes de l'extrême droite la plus gominée dans les circuits de la contre-culture la plus décoiffante. Le drapeau rouge envolé, restent les tics. Quand on lit au détour de *Casanova* : « Ces universitaires médiocres, on ne voudrait pas les avoir comme partenaires dans une orgie, *il suffit de regarder leur allure* », on retrouve sa lignée, son terroir. Là où l'universitaire et le médiocre s'accouplent, de toute éternité. Sang pauvre, malingre, mal fagoté, blafard, bigleux et pour sûr aigri : physionomie statutaire, « il suffit de regarder ». On aura garde de confondre le crack et le voyou de la famille, mais l'air de famille stipule, outre la laideur méchamment croquée, le sarcasme au diplômé, à l'agrégé, à la sacristie sorbonnarde, au régent de collège. Et tant pis pour Lévi-Strauss, Derrida ou Deguy. Pour Mallarmé, prof d'anglais, ou Julien Gracq, prof d'histoire-géo. La haine du grand littérateur pour le petit professeur, c'est une rhétorique immémoriale : Barrès, Drieu, Montherlant, pour s'en tenir aux meilleurs, en ont fait ritournelle. Paul Bourget et René Doumic aussi. Jacques Laurent, écrivain juteux et sans frime, largua après guerre un pamphlet intitulé *Jean-Paul*. Sartre y était déjà condamné pour dogmatisme et lourdeur d'écriture, au nom des valeurs de légèreté, de sensibilité et d'irrespect, bien sûr. Le franc-tireur contre l'institution. Le Sollers refait le coup au Bourdieu, mot pour mot. Sans citer les Hussards, qui avaient le mérite, eux, de se rendre vraiment antipathiques et franchement minoritaires. On ne plagie personne. La haine de l'école et le dégoût des pedzouilles, c'est un *topos* de caste et de classe, insistant comme un lapsus. L'anti-intellectualisme de nos petits maîtres fait la paire, inusable tandem, avec le mépris du populacier et du jacobin, du vulgaire et de l'ordinaire — en particulier du « peuple le plus abominable de tous, le français » (Voltaire, notre auteur connaît). La racaille, ce ne sont plus les harengères, les crocheteurs, les manants, mais « les commerçants, les fonctionnaires, les policiers », abjecte trinité qui hante l'artiste isolé en proie à la hargne d'un peuple dont il se demande, comme tous ses prédécesseurs depuis quatre ou cinq siècles, « s'il est bête parce qu'il est méchant ou s'il est méchant parce qu'il est bête ».

À chaque couche sociale sa démagogie ; à chaque démagogie, sa demande sociale. Sur un marché assez encombré s'esquisse ainsi, à traits vifs et secs, champagne, très « souper aux chandelles », un poujadisme à l'envers. Le poujadisme des nantis, non des rustres. Légitime et légitimante opération qui apporte aux acheteurs de livres d'art, aux collectionneurs, aux gens de goût, ce qu'ils sont en droit d'attendre de leurs auteurs préférés : la confirmation qu'ils sont eux-mêmes d'une autre essence, évidemment supérieure à la nôtre. Ainsi la dérision populiste des élites se voit-elle opposer son double exact, la dérision élitiste du populaire. Ce faisant, le Sollers se croit sulfureux, encombrant, voire original.

Oubliant que l'insolence des riches est une vertu socialement bien rémunérée — et de tout repos. L'innovation c'est le cumul chronologique des morgues. À l'acquis patrimonial — la haine des arts libéraux pour le matériel, du château pour l'école primaire, du gandin pour les pions, du bourgeois pour le bouseux, de l'héritier pour le boursier — le néo ajoute le mépris du nomade branché réseaux pour le goitreux des Alpes, et du yuppie pour le scrogneugneu. Dans le tableau à deux colonnes, chaque époque coche les cases avec les mots du jour. Cette physique sociale, et sa fantasmatique en partie double, a dix générations de réflexes en dépôt-garantie. Le talent consiste à faire danser la bourrée (deux temps, simplet) sur un rythme de menuet (trois temps, coquin et vif). Détesterait-il autant la sociologie, le Sollers, s'il n'était aussi médullairement socialisé ? Autant la nation et ses traditions, s'il n'était aussi compulsivement national et traditionaliste, criblé de rengaines et stéréotypes ?

Et serait-il, à l'inverse, aussi soucieux de déranger et de détonner s'il n'était aussi parfaitement dans le ton ? Déflagrer, désintégrer les préjugés serait son rocher, son mandat, sa distinction. Ne devrait-on pas plutôt lui décerner la palme quasi académique de l'*intégrateur* méritant — à la nouvelle règle du jeu qui en retour l'accrédite ? À l'air porteur : néopragmatisme, danse du marché, *anything goes*, jeux de langage, vérité égale dogme, communication en place de connaissance, profs déqualifiés, école disqualifiée, l'enfant au centre, plus d'exigences, des aménités, à bas l'ennui, droits toujours, devoirs jamais, et à mort les archaïsmes, rébarbatif l'archaïsme, innovez, amusez, vendez, il en restera toujours quelque chose. La vraie vie, enfin. Rose aux lutins, grise aux grincheux. (Lesquels ne demandent qu'une chose, au fond : appeler un chat un chat, la fête des individus une débâcle des personnes, et des peuples, et cette décoiffante modernisation, une Restauration bon genre.) « Le social » dégoûte le Sollers (vieux refrain que rien ne démode, heureusement). Et la littérature, il est vrai, n'a de comptes à rendre à personne, sinon à elle-même, le bon plaisir du créateur y faisant loi. Soit. Il n'en reste pas moins que la fonction sociale du littérateur à succès (qui n'est pas la première, ni la seule, par chance) est d'exprimer à la cantonade (sous forme de boutades, incises, historiettes, jeux de mots) l'inconscient refoulé de la bonne société. À savoir : plus de profs, des moniteurs. Et, l'école finie, des saltimbanques pour boucher les trous dans l'âme. La Culture subventionnera, puis le mécénat prendra le relais. Comme en Amérique. La vie en rose, allègre et XXIe siècle. Le Sollers y pousse bravement, mais on y allait tout droit.

Il faut se méfier de ses rognes, quand on vieillit. Le désir de nuire pousse à mettre le disque, suivant la pente du moindre effort. L'âge colle un masque de théâtre sur le visage des écrivains publics, qui bientôt parle à leur place. Et c'est un automate à saccades, comme le canard sur ressorts qu'inventa Vaucanson au XVIIIe, qui se met à danser la gigue sous nos yeux, à la demande. L'envie de toujours chevaucher la vague, capter le scandale qui passe, l'auteur en vogue, la rumeur reconduit aussitôt à sa petite manie le branché aux aguets. Celui-ci ne devrait pas trop demander qu'on le lise et relise, tant la première impression, avec lui, est toujours la meilleure. Il s'est bricolé avec trois fois rien un petit système portatif, qui, d'organique, est devenu machinal à la longue, théâtre d'ombres programmées où n'importe qui — peintre, cavalier ou musicien — peut venir se faufiler en faire-valoir passe-partout. Ce script increvable met en scène le vif contre le mort, l'original contre la copie, l'exil intérieur contre la Sécurité sociale. Côté cour, les risque-tout, subversifs et marginaux, les grands isolés, surveillés de partout, les inclassables qui paient comptant (la liberté coûte cher). Côté jardin, les officiels, les assis, les puritains, les classés/classeurs. Côté vie, l'art qui brave tous les interdits ; côté mort, les clergés censeurs. Les libertaires contre les dévots (la pruderie laïcarde des mal-baisants, la scolarité trouillarde du XIXe). Ceux qui s'impliquent personnellement dans leur chair, et, en face, ceux qui se contentent de tartiner sur, ou de bavarder autour. Ceux qui fulgurent et ceux qui ratiocinent. Les demi-dieux et les semi-cloportes. Le Sollers depuis longtemps ne parle plus en son nom, mais au nom des crucifiés de l'art, qui nous donnent de l'air à titre posthume. Casanova ? « Simple, direct, courageux, cultivé, séduisant, drôle. Un philosophe en action. » Pour ceux qui n'ont pas compris, la photo de l'auteur en quatrième de couverture. Le roi Voltaire ? « Quel roman fabuleux, risqué, sinueux, nerveux. » Le roi Sollers en essuie une larme. Les grands critiques (on pense à Sartre) se coulent dans les autres ; ils tempèrent la projection par l'abnégation ; le vaniteux les moule carrément sur son moi. Chaque piédestal, c'est sa statue vivante, à chaque chronique refondue. Non que les génies lui aient donné mandat de faire leurs commissions auprès des clampins ; foin des vieilles médiations de politesse ; le Sollers nous raconte en direct ce qu'on vit quand on est soi-même, rue Sébastien-Bottin, entre un plateau télé et un souper chez Crésus — Kafka, Artaud, Sade, Genet, Claudel, Joyce, Ezra Pound. Au moins, avec lui, c'est gratis : les avantages du surhumain sans les inconvénients. Le signataire n'est pas un familier de l'Olympe, mais il incline à croire, sans pour autant faire sienne la Rédemption chrétienne par la douleur, que tous ces demi-dieux n'ont pas peu souffert avant de gagner les hauteurs. Qu'il y a sous ces œuvres-là, de la prison, de l'exil, de l'opprobre, de la persécution, de l'angoisse, du sang. Et la douleur, qu'est-ce qu'il en fait, le Sollers ? Et la disgrâce ? Et le dénuement ? Il en fait du plaisir, soit. Mais du plaisir *illico*, sans marchandage, sans monnayage, de l'aérien, du *pizzicato*, de la dentelle sans coup férir ? Il n'est pas sûr que Nietzsche acquiesce, mais on trouvera une citation.

Comment s'imposer, quand on n'a ni divisions ni dollars ? Par les mots et par les mythes. Férule du grand genre, magistère sans réplique. Certains scribes, hier, incarnaient le juste, le bien, en sorte qu'on ne pouvait leur faire une remarque de grammaire sans gifler les millions de martyrs qui parlaient par leur bouche. Passés les temps de l'intimidation par la misère, voici la terreur par le style : c'est qu'on régente aussi bien par l'immoralisme. Sur le Camus mort, le Sollers pullule ? Au racisme de la belle âme, qui dérivait d'une supériorité morale par délégation, succède, quand les temps se croient incrédules, le racisme du bel esprit, dérivant d'une supériorité esthétique par transmission à distance. On a les papes qu'on mérite, même si les mystères de l'autorité restent affaire de foi, aujourd'hui comme hier. La divine Providence, c'est Dieu gouvernant la Création, mais on peut la fléchir. Le Sollers ventriloque, c'est la

Création gouvernant les hommes, par son bras séculier, et ses arrêts sont inflexibles. Sans rire.

Non, il ne faut pas en rire. Car il y a du désespoir chez ce pas-dupe. Vivre au champagne, faire des bulles ne l'abuse qu'à moitié. Effets d'annonce, rideau de fumée. Moins on porte de musique en soi, plus on cherche à faire du bruit. L'occupation du terrain médiatique lui donne une grande présence, mais l'œuvre, où est-elle passée ? Des livres en série, qui ne sont plus des livres ; des articles bien troussés — à moi Bossuet, à moi saint Augustin, à moi Mallarmé —, mais savoir parler de la littérature (ce qu'il fait avec talent) n'est pas exactement faire œuvre de créateur. Au départ, on avait une grande ambition, et des moyens. À l'arrivée, satisfait d'éblouir, on a une forte position, et les médias. Alors, pour sauver la face, on endosse les haillons du paria, du bâillonné, ne devant sa survie qu'à sa vaillance. Trait d'époque : le séditieux *up to date* est couronné, encensé, choyé, invité, affiché, enregistré (les producteurs de radio-télévision ne distinguent-ils pas entre eux les 26 et 52 minutes, le magnétique et le celluloïd, le avec ou sans Sollers ?). L'importance sociale, c'est la petite monnaie de l'absolu, le prix de consolation. Pour absoudre l'abdication, on pathétise son rôle. On se valorise. On rêve aux temps héroïques où Arouet se voyait rossé, exilé, humilié, embastillé. Lettres de cachet ? Bretteurs à gages ? Bastonnades en public ? Autodafés ? Hélas : le métier des lettres s'est beaucoup adouci, à Paris. Impunité garantie. Quarante ans sans dételer, quadrillage assuré. Boulanger à son pétrin, berger à son troupeau, toujours au four et au moulin. C'est d'ailleurs le meilleur côté du Sollers, cette assiduité. Une clientèle d'auteurs fidèles, et des meilleurs

— avantage d'une longue baronnie. Plusieurs juridictions en une : le choix privé des petits nouveaux, comme éditeur, et l'exaltation publique des grands ancêtres, comme éditorialiste. Grands auteurs, grands journaux, grands pays d'adoption, du grand toujours (la contagion des références). Aller là où ça pèse et où ça se voit. Fuir le marginal, le sans-grade. Éviter, dans le train-train du forum, les sujets qui brouillent pour de bon, les querelles à risques (Palestine, Irak, francophonie), s'en tenir à des héroïsmes consensuels (sauver Sade, Rushdie, et Houellebecq). Additionner les publics opposés, le b-a-ba du commerce, n'empêchant pas, honneur au kamikaze, de braver l'omniprésente oppression saint-sulpicienne, en brandissant le préservatif contre la chape de bigoterie qui pèse sur l'époque (écrasons l'infâme). En gestion de carrière donc, 20 sur 20. La preuve : excellent à l'oral, de plus en plus télégénique avec les ans, et de plus en plus médiocre à l'écrit, bâclé, banal, survolant. C'est que, pour le public, l'image conduit au livre, non l'inverse ; les prestiges du livre s'étiolent, et l'image décide. Peu importe le texte pourvu que l'auteur en parle bien. Le hâbleur a compris, dans la foulée de mai 1968, avec vingt ans d'avance sur le gros de la troupe, qu'un écrivain qui compte serait désormais un personnage public et qu'un homme public ne se juge pas seulement à ses actions, pas plus que l'écrivain à ses écrits, mais à l'image et au spectacle qu'il donnera de lui-même. D'où suivait une nouvelle hiérarchie des urgences : se faire vite une tête, un look en logo, et des amis. Flatter les mieux placés, un copain dans chaque case du jeu de l'oie. Esquiver les culs-de-sac. L'Académie française ? On laisse aux gagne-petit de la respectabilité, tout en surveillant de près. Sacrifier l'ouvrage au personnage, la mise sur la mire. Le bon choix. L'ancienne légitimité partant en quenouille, plus rien à attendre des « exténuations académiques », des « morosités scolaires ». La réussite dès lors, c'était marier l'incorporation au marketing attrape-tout avec le sombre et solitaire destin du libertin irréconcilié — disons, le tirage au sort du Loto, *La Société du spectacle* sur le cœur, en pare-balles. Prémonition stratégique, c'est devenu l'orthodoxie. « Lâchez tout » — et ne perdez rien. La position Sainte-Beuve plus l'aura Baudelaire : cette combinaison de rêve rendait jadis schizophrènes beaucoup d'auteurs avides de faire florès. L'addition écran/écrit et la une en affermage ont résolu l'antinomie. La meilleure façon de se protéger du bavardage social, dit le Sollers, c'est d'y participer à tout propos. Et derrière ce bouclier de paillettes, approfondir sa différence. Comme Mercure en Sosie, le poète irrécupérable désinforme et, pour sauver sa liberté intérieure, se déguise en anchorman. *Se non è vero, è bene trovato*. Entre s'exhiber pour mieux se cacher et s'exhiber pour mieux se vendre, quel dieu, même exhibitionniste, verrait la différence ?

Faire carrière dans les lettres n'a rien de honteux. C'est plus plaisant que dans la police nationale, la voirie parisienne, ou l'éducation, et finalement aussi utile à la société. Le métier a, comme tous, ses rites de passage, ses codes, signes et insignes. La concurrence y est rude, les embûches nombreuses. On ne respecte pas dans la profession la loi des trente-cinq heures, que l'inspection du travail nous pardonne. L'institution littéraire, nous devons y veiller tout autant qu'à nos institutions parlementaire, syndicale, judiciaire, médicale, scolaire, journalistique et autres, et d'autant plus si l'on veut aller contre. L'homme en général est un être d'institution (sans quoi il redevient l'animal qu'il est d'instinct, nonchalant, précaire, féroce, finalement non viable), et l'homme de lettres en particulier. Celui-là compte au nombre des féodaux qui font tourner la machine. Ses états de service le lui permettent : il n'a pas avancé au tour de bête. Il abat du boulot, le notable : manuscrits, entrevues, corrections, conseils, délibérations, recorrections, relectures, premières épreuves. N'importe qui ne peut pas devenir un bon auteur, un bon baron, un bon patron en tirant du matin au soir sur son fume-cigarette et en se regardant dans la glace du soir au matin, au bar du Pont-Royal. Il faut un certain altruisme. Ce point est acquis. Le nouveau, et qui fait norme à présent, c'est l'obligation où se trouve quiconque a grand métier, grande surface et grand réseau (on chasse en meute pour échapper aux chasseurs et aux meutes), de vitupérer la trivialité des meutes, du métier, et des supermarchés. Quiconque est au quartier général, et général soi-même, de crier chaque matin « feu sur le quartier général ». L'obligation faite au politiquement correct, ici incarné d'une façon qui eût ravi Hippolyte Taine et son « race-milieu-moment », de moquer en exergue le *politically correct*. Au récupérateur récupéré (comme il est peut-être bien de l'être, comme on ne peut pas ne pas l'être), de plaider à cor et à cri pour l'anormal et le sauvage. C'est ainsi que l'éditorialiste labélisé du quotidien labélisant *Le Monde,* le conseiller régnant de l'éditeur institutionnel Gallimard, siégeant dans les meilleurs comités, commissions, et hauts conseils, doit impérativement se camper en homme traqué, rasant les murs au crépuscule pour échapper à tous les pouvoirs, institutions, clergés, polices, censures, etc. L'absolue bien-pensance (comme on dit « l'oreille absolue ») doit se monter le coup en s'identifiant à des vies à haut risque, pleines d'intensités fatales. Ce dont le Sollers fera trace est l'impérieuse invention du jour : le *conformisme transgressif*. Conquérir et exercer le pouvoir en vitupérant le pouvoir ; se livrer à la publicité marchande en attaquant la marchandise publicitaire ; promouvoir le nouvel ordre moral contre l'ordre et la morale. Ces parodies à contre-emploi font régner à la longue un écœurement fade, nauséeuse sensation qui donne au fond de l'air son odeur *sui generis*. Traduction : « La société aboie, l'écrivain passe » — comme le note sans fausse modestie notre réglementaire, entre deux aboiements et trois raouts.

Proust aussi, dira-t-on, faisait une grande consommation de Bottin mondain ; mais sans publier ses carnets de bal. Il ne mettait pas de majuscule à social. Il travaillait la chose par le menu, sans assener au lecteur des entités grosses comme des dents creuses. À la ligne, le Spectacle. Le Social. Le Pouvoir. La Technique. Le Sollers aime ces points d'orgue majestueux pour clore un paragraphe. Cela classe. Cela claque. Quand on ne comprend pas au juste de quoi on parle, mettre une majuscule, et appeler Heidegger, Hölderlin ou Nietzsche. Les Penseurs. Verticalités vertigineuses : la foudre. Le verbe penser, le Sollers n'en a cure, a un complément d'objet, des subordonnées, un contexte. La citation ne suffit pas, ni la hauteur majusculaire. Il faut confronter, examiner, ressasser, revenir. Les lambins de la connaissance savent cela. Peut-être pas tous les journalistes ;

ce sont gens pressés, fixés à la proue et hors d'état de faire retour ; des zappeurs par défaut, qu'un « Relisons *Être et Temps*, livre capital pour le XXe siècle » — injonction faite au débotté, et hop ! on tourne — peut laisser bouche bée. À chaque milieu ses pontifes. On comprend que le Sollers dédaigne les universitaires (on aime qui vous aime, et qui raffole du journalisme a les journaux pour lui). Le ton grand seigneur n'épate guère les p'tits profs. Sur les sublimités métaphysiques qui font garniture au Sollers, ils ont eu le temps de se faire un p'tit avis (la Technique, par exemple, Heidegger, la grosse voix, le *Gestell*, bon, bon. Hélas, ils ont aussi lu, là-dessus, Leroi-Gourhan, Simondon, Dagognet, Stiegler. Alors, le roulement de tambour...). Mais ce qu'atteste ce cas, plus révélateur que d'autres, ne serait-ce pas finalement le manque d'imagination de nos préposés à l'imaginaire ? Nous avons en partage une France littéraire où l'auteur ne cherche plus à dépayser par le récit, mais par la référence, où le mignard doit faire pénitence dans le présocratique, et le surf se vendre sous l'étiquette « plongée ». Pataphysique de contrefaçon comme politique de contrebande, pour marquer le territoire, reproduire chefferie et mots de passe, lever cotisation. Faire parti — comme Mme Verdurin s'ingéniait à « faire clan ». Entre la matité littéraire de nos milieux politiques et le retournement politique de nos milieux littéraires, n'y aurait-il pas vases communicants ? Pas assez d'idée chez nos gérants et trop de gestion chez nos sorciers ?

Dommage. Le Sollers avait tout pour devenir un vrai bon, et non le faux grand qu'il a mis en circulation sous le masque. Que lui a-t-il manqué ? De savoir se quitter à temps, sans doute. Et de nous rendre à nos insignifiances : les altiers pour de bon ne secouent pas chaque semaine la poussière de leurs chausses. Ils coupent, indifférents et droit au but. Est-il trop tard ? Espérons que non. Mais alors, il lui faudrait décrocher vite. Ne plus être dans le coup, rendre son tablier — d'anémomètre à rotation —, et plonger pour de bon. Passer du direct au différé, du numéro gagnant d'avance au pari à risque. Les vrais pétards, qui ne le répète, sont à retardement. Et peu importe la rose des vents.

Se quitter ? Se laisser habiter par plus grand que soi. Rencontrer des orages qui démâtent, des causes qui emportent, déportent au loin (en avant, en arrière, peu importe). L'inhumain a un peu trop préservé nos élégants : bonheur et malheur d'une génération de paix. Et qui superpose naïvement sa crème à la pâte, son présent à notre passé. Le XVIIIe de l'esprit fort, par exemple, est postiche comme un âge d'or, sa légèreté tout alourdie de lieux communs. Volatilisés, les carnages — guerres de succession et guerre de Sept Ans, les naïvetés, les égouts, les dégoûts, et surtout le dénouement. Idylle bien fade. Le parfumé Fragonard et *Les Hasards heureux de l'escarpolette* cachent ici Watteau, qui, lui, a du musc parce que, outre les fêtes galantes, il a gravé et peint la guerre. Envolé Rousseau, rien que cela. Le Sollers répète Hemingway, à juste titre : « Il ne reste que la beauté, transmise par des artistes. » D'où ne se conclut pas que la beauté naît de la beauté, l'art, du musée, et la littérature, de la fréquentation des bons auteurs. Et si la beauté avait besoin de laideur, si elle n'était elle-même qu'une laideur traversée, travaillée, sublimée ? Et si l'art d'Hemingway avait été les obus de la Piave, les mois d'hôpital, la terre d'Espagne, la guerre aux Antilles, et les divorces, et les fiascos ? Et si la littérature venait en plus, comme la fleur à la jeunesse, récompenser ceux qui ne pensaient pas seulement à la littérature ? La petite monnaie, sur l'instant, des valeurs, lesquelles se racornissent sur le tard, nous laissant en dédommagement de grandes œuvres ? Les Sollers n'ont jamais senti sur eux le mufle de la bête, l'haleine lourde et brûlante de l'animal collectif. De n'être jamais rentré dans une grosse bagarre leur donne cette prestesse, cette alacrité, cet air dégagé et nerveux qui aident à se maintenir en vie, ou à faire semblant. Les grandes infusions de sens exigent plus d'âcreté. Des combats un peu plus désespérés. Se croiser pour le principe de plaisir ? Mais c'est, en société de consommation et de communication, la vulgate officielle. Notre quotidien devoir. Nos affiches, nos pages de pub. Qu'est-ce qui n'est pas référé aujourd'hui, pour conjurer nos peurs, à l'ordre du plaisir ? Sexe sur ordonnance, *infofun*, et jusqu'à l'éducation qui se veut désormais divertissement... Vaut-il vraiment la peine de revendre cette camelote en diamant ?

L'air du temps pousse la barque du talent. Et qu'en reste-t-il à la fin quand le vent retombe ou tourne ? On peut être un type bien sous tous rapports et un écrivain exécrable, et un salaud peut faire un écrivain considérable ? Le Sollers n'est pas un méchant bougre, mais enfin, le problème n'est pas, n'a jamais été type bien ou pas bien, ce catéchisme-ci ou celui-là. D'accord : on peut vivre souverainement et profondément sans et hors l'Histoire. Ce qui importe, c'est la fibre, et le voltage du courant qui passe ou non dans les fibres. Électricité spirituelle ou temporelle. Sur la terre comme au ciel rien de grand ne se fait sans mystique, et les petites passions font rarement de grandes œuvres. Faire entendre une voix, c'est plus que faire écouter des notes. Et la voix suppose un souffle, que la virtuosité ne remplace pas. Un souffle, ou une affaire, au sens Hugo (« J'ai eu deux affaires dans ma vie : Paris et l'Océan »). Ou bien au sens Calas, Dreyfus, ou Chatila. Une vraie ténacité, une lame de fond. Voltaire s'est quitté pour l'affaire Calas. Claudel, pour Dieu. Bernanos, pour le peuple. Péguy, pour la France. Genet, pour l'insoumission. Artaud, pour la folie. Et les Sollers, pour qui, pour quoi ? C'était quoi leur affaire, à ces jolis messieurs, demandera-t-on peut-être dans cent ans ? Le luth, les dés, la bagatelle ? La carrosserie est là. Et le moteur ? Ils auront beau convoquer dare-dare à la Fenice le divin Mozart et Zarathoustra qui danse entre les étoiles — pour ajouter du profond au carnaval —, ça ne donnera pas vraiment le change. Ou pas longtemps. Disons : dans les limites des complaisances disponibles. Il est vrai qu'elles sont, pour les scandaleux sans danger, les danseuses du système, pratiquement illimitées.

Ce qui est moins divertissant, c'est quand notre diablotin, dans le dernier numéro des *Temps modernes*, avec une légèreté légère (pas mozartienne, pas vénitienne, etc.), d'un chausson négligent, fait passer à la trappe Bernanos et Péguy. Hommes de droite ? L'un, oui ; l'autre, non. Et après ? Ils ne sont pas précisément de notre boutique, socialo et athée, mais enfin, voir un Sollers demander à un Péguy ses papiers d'identité — moisi, celui-là, un peu, beaucoup, pas du tout ? — ôte l'envie de se gondoler. Un maître de ballet le prend de haut avec des maîtres de vie. Une pile Mazda juge des centrales électriques. Des hommes qui n'ont pas eu la vie facile et qui ne se sont pas choisi des proies faciles, qui ont sacrifié la petite colère à la grande — et qui en sont morts, à la fin... Ici, le pékin se rembrunit et dit au faiseur de pointes : halte-là, Monsieur ! Restez sur le seuil. On ne danse plus le cotillon à l'étage du dessus. Ou alors, tirez votre chapeau de paille avant de faire du bruit avec la bouche.

Si loin de Foucault

Le vingtième anniversaire de la mort de Michel Foucault fut marqué par d'innombrables panégyriques et d'émouvantes cérémonies. Un magazine unanimiste qui recensait « les enfants de Michel Foucault » eut la malencontreuse idée de m'interroger à ce propos. Réponse intégrale, et vent debout, publiée en revue.

Malgré l'admiration qu'inspirent ses engagements et ses années de travail « sur le sujet » à la salle Labrouste, à la BN, je ne saurais sans tricher compter l'immense philosophe au nombre de mes géniteurs (pourtant pléthoriques). La relecture des quatre volumes posthumes de ses *Dits et écrits* (Gallimard, 1994) a achevé de m'en convaincre : notre grain de sable relève d'une tout autre chimie que cet Himalaya. « Autres temps, autres phrases, disait Flaubert — chaque siècle a son encre. » En dépit des fumées d'encens, le nôtre n'écrit plus sur la même page. Mais comment ne pas s'intéresser à la concélé-

---

Médium, n° 2, janvier-mars 2005.

bration nationale — droite et gauche en communion — du « héros des campus américains », du « prophète des radicalités contemporaines », de « l'homme de toutes les ruptures » ? Le passage d'un culte de dulie à un culte de latrie ou des rituels universitaires — les colloques d'hommages attendus et attendris des élèves, amis, coauteurs et confrères, avec serments de fidélité, écoute recueillie des paroles d'outre-tombe et exécration conjuratoire des infidèles — aux hommages émanant de toutes nos autorités morales, artistiques et médiatiques, constitue un sujet médiologique de plein droit. Le devenir-icône d'un auteur fait partie du devenir-force des idées, et rien de ce qui fait culte ne nous est étranger.

Rendons d'abord au contempteur des génuflexions humanistes ses durables mérites, qui feraient de nous, à tout prendre, des petits-cousins indignes.

Nous allons nous aussi, les médiologues, chercher la pensée en dehors des penseurs professionnels et des héros de l'histoire intellectuelle, mais sans nous référer au sujet parlant et écrivant, fût-il anonyme et populaire. Pour nous, les objets pensent et les prothèses programment. La bibliothèque n'est donc pas le lieu de travail du mécanicien des idées forcé de courir le monde, et ses *realia*. Encore nos banlieues ne bénéficient-elles pas de la frissonnante poésie des marges. Les exclus de Foucault — lépreux, criminels, meurtriers, invertis et fous — remuent de profonds courants émotionnels (angoisse, effroi, pitié). L'hôpital, la prison, le bagne, l'asile, sont plus exotiques ou envoûtants que l'automobile, la photo numérique ou les codes-barres. Cela dit, un médiologue et un foucaldien ont un adversaire en commun, l'intériorité. Mais le premier opérera sur un matériau trivial, aggravé par une institution médiatrice forcément vieillotte. L'optique Foucault, axée sur les subjectivations, ne fait pas le point sur l'objet. Elle focalise sur ce que leurs idées font aux hommes, et nous, sur ce que nos outils font à nos idées. Nous, nos leçons de ténèbres sont des *leçons de choses*.

Avec son goût du document, Foucault a courageusement su fouiller les dessous de l'histoire (règlements, lettres de cachet, libelles), plonger dans l'imbroglio des témoignages anonymes. Mais le chatoiement infini des signes lui a escamoté l'épaisseur du monde, son intendance, son cambouis, ses matériaux, ses lieux de production, ses moyens de transport. Comme cela se voit dans ce passage de *L'Archéologie du savoir* où, analysant l'objet-livre, il en évacue aussitôt les aspects matériels et formels qui font sa spécificité (le support souple, le pli, le dos, la couture, ainsi que ses modes de fabrication et de diffusion) pour l'insérer dans « un champ complexe de discours ». Le matiériste fait dans le médiocre et le minimal : il va du textuel au textile, des discours aux parcours, et pense épaisseur plus que profondeur.

Affaire de génération. Nul ne peut sauter par-dessus son temps — ni sa propre biographie. À l'âge où la linguistique devenait la reine des sciences humaines, à l'ère du soupçon et de l'interprétation, Foucault a grandi dans la sémantique et l'intertextuel. « Je suis un malade du langage », confessait-il lucidement. Les grands événements de sa jeunesse, qui fut préservée, ce furent des lectures à tête reposée — Blanchot, Char, Heidegger, Nietzsche. « Mon livre sur les signes » — c'est ainsi qu'il parlait des *Mots et les Choses*. Les énoncés du savoir éclipsant à ses yeux les agissements du croire, il a poursuivi sur sa lancée l'histoire des sciences et des doctrines. « Je ne suis pas arrivé dans le savoir, j'ai toujours été dedans ; j'y ai barboté. » Ou encore « mon thème général, ce n'est pas la société, c'est le discours vrai-faux ». De fait, c'est par ricochet, en remontant aux conditions d'apparition d'un domaine scientifique, comme la folie ou la maladie, qu'il aborde ou effleure une situation économique et sociale, et les institutions juridico-politiques l'intéressent avant tout en tant que matrices d'une formation discursive possible — psychiatrie ou anatomie pathologique.

Parenthèse personnelle. Le *point d'attaque* d'une démarche intellectuelle — *épistémè* ici, *praxis* là — ne se choisit pas sur catalogue. Les hasards de l'entrée en scène décident à notre place. Laissons l'outrecuidance de vies parallèles, mais ce qu'il dit de son travail — « chacun de mes livres représente une partie de mon histoire » — vaut pour tous. Je n'ai pas mûri avec l'affaire Lyssenko, mais avec la guerre d'Algérie. Mes expériences fondatrices, j'entends par là celles qui font sortir de l'adolescence, ne furent pas des lectures, mais des violences, exercées ou subies, et pas précisément entre les lignes. La cordillère des Andes a d'autres inconvénients que la fondation Thiers. Et « ma rencontre marquante », à vingt et un ans, ne fut pas Merleau-Ponty, mais un mineur d'étain de Bolivie. Je n'ai pas travaillé quelques mois dans un hôpital psychiatrique, mais chez les cultivateurs de café de la sierra Maestra. Quand, encore jeune, un savant veut réfléchir sur le savoir, son premier tremplin sera un éventail d'*énoncés*, et, *via* l'analyse de différentes formations discursives, il débouchera sur une *histoire de la raison*. Quand un militant, déjà un peu vieux, se met à réfléchir sur la militance (qu'est-ce qui fait courir les hommes d'action, et non qu'est-ce qui fait la discursivité des hommes de discours), son premier objet est un ensemble de *conduites*, et *via* l'analyse de différents groupes organisés, il débouchera sur une *histoire de la croyance*. Les règles de cohésion propres à ce que j'ai appelé la raison politique — à quelles conditions un groupe humain peut-il acquérir organicité et pérennité ? — sont une chose, les règles de formation d'énoncés jugés à un moment donné recevables et consistants en sont une autre. Et si le *faire* pouvait se déduire du *penser*, l'humanité aurait depuis longtemps rompu, après trois mille ans d'exercices logiques et scientifiques, avec le conte plein de bruit et de fureur récité par un idiot. Il n'y a pas apparence.

C'est un style que j'ai plaisir à saluer. Michel avait du chien, et je garde le meilleur souvenir de son accueillante gentillesse, dans les années 1970 et 1980. C'était quelqu'un de généreux, et de bonne humeur. Un lumineux, gestes vifs, regard clair, rire métallique, à l'agressivité joyeuse. On devinait l'ascèse sous le bronzage, et tout ce qu'un tel dégagé avait dû requérir d'efforts intimes et de sculpture de soi chez un tempérament plutôt sombre et dépressif. Car sa vie aussi fut stylée, non moins que son œuvre. Celle-ci demeure délectable, et son intelligence sensorielle des textes, quasi physique, communique un plaisir du même ordre. Saluons l'alliage du souple, du spiralant et du caressant avec le pointilleux, le capillaire et l'infinitésimal, métissage singulier auquel entraînent l'étude de cas et une certaine esthétisation des archives. Foucault, scrupuleux lyrique, est un fresquiste *et* un miniaturiste. Il décrit les enlacements du pouvoir et du savoir en conciliant largeur de vue et microscope. C'est insolite, et séduisant, le logicien musicien. Au contraire de Deleuze, adepte du gâteau sec, ce maillage serré ne l'a pas toujours exonéré des beurrades universitaires (l'écrivain contracte — l'exception Proust confirmant la règle —, le professeur délaye), prolixités précieuses et précautions oratoires (même s'il y a de l'ironie dans les longuets, précautionneux et sinueux préambules de ses conférences et entretiens destinés à montrer qu'il est un moins que rien, un tâtonnant apprenti, un analphabète ayant tout à apprendre du journaliste qui l'interviewe ou de l'assistance qui l'écoute). *Les Mots et les Choses* comme *L'Archéologie du savoir* allient une charpente osseuse à la Canguilhem et des terminaisons nerveuses à la Jankélévitch. Le style ne vaut pas preuve, et je résiste rarement à la tentation, dans cette rubrique et seulement là, de redouter les pensées trop belles pour être vraies. Mais comment résister à la serpentine flexibilité d'une description empathique qui soudain se dresse sur ses ergots ? Foucault aimait à dire qu'il était « un marchand d'instruments, un indicateur d'objectifs, un cartographe, un armurier… Tout sauf un écrivain. » Je dois avoir un poil dans la main : c'est le critique d'art et l'esthète que j'admire en lui. Il me semble à son meilleur devant un Vélasquez, une pièce de Boulez ou de Barraqué, un Wiaz, un Fromanger ou un Duras. « Michael Lonsdale a en lui une espèce d'épaisseur de brouillard. » Notation de romancier : comment mieux cerner le charme imprécis de cet acteur ?

Revenons au littéraire. Foucault, à distance, c'est un peu notre Bergson, le col dur en moins, révolution des mœurs oblige. Ce philosophe au grand style, nous l'avons oublié, reçut en 1928 le prix Nobel de *littérature*, que Foucault eût bien mérité. Les deux professeurs au Collège de France occupent une place assez voisine dans notre esprit public : à cheval entre la clôture universitaire et le beau monde, entre la thèse et l'essai, le savant et l'écrivain. Il y eut ici et là une œuvre, et autour, un air du temps ; une parole et une rumeur ; un chercheur et une coqueluche. Et la vogue déborda, vers 1920, sur les demoiselles, les colonels et les industriels, comme, aujourd'hui, cela déborde sur les communicants et les compétitifs. « Dans ma jeunesse, raconte Jacques Monod, on ne pouvait espérer réussir au bachot à moins d'avoir lu *L'Évolution créatrice*. Grâce à son style séduisant, une dialectique métaphysique dépourvue de logique, mais non de poésie, cette philosophie connaissait un immense succès. » Aujourd'hui, le « Que sais-je » sur Michel Foucault est le *vade-mecum* de l'étudiant aux normes, et la bousculade des colloques, tout aussi spontanée. Le phénomène de mode a intuitionné une prouesse. Comme Bergson, en son temps, a réconcilié le *spiritualisme*, courant social dominant, avec l'*évolutionnisme*, nouveauté scientifique dérangeante, on pourrait dire de Foucault qu'il a réconcilié l'*individualisme libertaire*, climat social dominant, avec le *structuralisme*, nouveauté intellectuelle dérangeante. Appellations par trop convenues et qu'il eût d'évidence récusées.

Soyons plus précis : il a fusionné l'huile et l'eau, soit l'éthique des plaisirs et une philosophie du concept. La construction de soi et la disparition du sujet. L'égotisme esthète et l'épistémologie. Ce qu'on fête est à chaque reprise une bonne surprise, une rencontre imprévue, à savoir une inversion des cartes déjà sur la table, mais qui n'oblige pas à changer de jeu, ni de table. Bergson donne ses titres darwiniens au *Sermon sur la montagne*, et réinscrit le vivant dans une mystique chrétienne. Foucault, sur la fin de sa vie, moyennant une réinterprétation des sagesses grecques, donne ses titres de créance historique à l'hédonisme ambiant. Source chrétienne contre source nietzschéenne. Ils ont chacun leur tête de Turc : Kant pour Bergson, Marx pour Foucault (dont on peut dire qu'il fonctionna vingt ans durant à la haine du marxisme, étendue par extrapolation à tous les discours de la totalité, de Hegel à Sartre). Conjurer l'abstraction, dit Bergson, par l'intuition, seule façon de ne pas manquer le réel. Conjurer la synthèse, dit Foucault, par la microphysique, seule façon de ne pas manquer le pouvoir. Le jeu des places est tête-bêche. Simplicité et totalité sont chez le premier des termes positifs, associés aux vertus de l'immédiat. Mais négatifs chez le second, associés qu'ils sont à l'oppressif. Foucault a positivé la notion de pouvoir en l'arrachant à la tradition (unité, centre, expansion), qui en fait le porteur de l'interdit et du négatif. Mais elle en devient du coup une notion buvard, qui boit l'ensemble du paysage. On pourrait parler, si l'on ne craignait le néologisme, d'une vision « pouvoiriste » du monde, comme on parle pour l'autre d'une vision vitaliste. Immédiate, illimitée, protéiforme, couvrant l'infini domaine des relations stratégiques visant à la conduite des autres, la catégorie ontologique de *pouvoir* revêt la fonction séminale et dévorante que Bergson accorde à la *durée*. Bergson *vitalise* la mémoire, la mystique, l'expérience, la société. L'évolution créatrice est chez lui au principe de tout, en lutte perpétuelle contre ce qui la nie, la matière.

Foucault *politise* le corps, le coït, la psychiatrie, l'internement, la délinquance — en jugeant les ouvriers « bourgeois » au vu de leur lamentable propension à condamner le viol, le vol et le meurtre. Tout est politique, dit le second, qui prête à la volonté de savoir les ruses perverses de la volonté de puissance. Il révèle ce qu'on ne savait pas encore (« c'est la politique qui est venue vers moi, ou plutôt qui a repris son bien là où elle ne savait pas qu'il était »). L'école, la caserne, l'usine, la prison, « c'est au fond la structure du pouvoir propre à ces institutions qui est exactement la même ». Qu'est-ce que le pouvoir, à ses yeux ? Tout ce qui normalise les individus. Pas de maison, à la limite, qui ne soit de correction, pas d'institution qui ne soit poseuse de savoir, peut-être, mais d'abord de contraintes (et non pas de repères ou de continuité). L'institution est chez lui le contraire de la liberté. C'en est à nos yeux le support. On comprend pourquoi la vogue néolibérale, qui remplace partout l'institution par l'entreprise, a fait de lui la Loi et les prophètes.

C'est justice, en un sens. Dans nos pays de prospérité, là où les métiers de la séduction ont éclipsé les anciennes productions matérielles, Foucault est fondé à devenir *le* philosophe officiel. En prendre acte n'a rien de désobligeant. D'abord, parce qu'il en faut bien un. Ensuite, parce que lui au moins n'a pas volé cette apothéose, il n'occupe pas le poste à la légère (le milieu agit en connaissance de cause). Increvable ironie de l'histoire. Comme on recrute les militaires dans le civil, on fabrique l'orthodoxie du jour avec les dissidents de la veille. La contre-culture des années 1960 nous sert désormais de mètre étalon. Le penseur des marges illumine les centres, droit et gauche. Celui qui dénonçait partout les relations de pouvoir occultées, qui rêvait d'inventer de nouvelles subjectivités résistantes pour faire pièce aux gouvernementalismes piégeurs et aux sociétés de contrôle, s'amuserait sans doute de voir à présent ses meilleurs disciples dans les ministères, au Medef, en entreprise, dans tous les postes de contrôle où se distribuent subventions, crédits, honneurs, prix, espaces et créneaux. Le tête-à-queue des académismes, c'est le vieux train du monde. Demain sans doute, les subversifs les plus soupçonneux se retrouveront membre de l'Institut. Les indociles qui ont de l'avance, comme Robbe-Grillet, aussi décalé par rapport à son bocal à quatre-vingts ans qu'à quarante, ne s'y trompent d'ailleurs pas : nos maîtres-censeurs pardonneront tout à un zigoto, sauf la Coupole, qui fait par trop désordre.

Qu'est-ce qu'un penseur officiel ? Ce n'est pas un songe-creux que les ministères imposent à coups de décrets et cérémonies (et moins encore quand l'État s'efface). C'est un opérateur *fonctionnel* qui, ayant codifié le programme de son époque, se trouve en mesure de répondre aux besoins de sens et de cohérence des voisins de palier. La tribu alors se mire dans son totem, qui lui renvoie le reflet intellectualisé, à la fois pathétisé et affiné, des questions que lui pose sa vie quotidienne. Il cartographie un climat, soulage une inquiétude. Dans une société médiévale qui marche au péché originel et serine chaque jour à ses membres « tu as une âme et tu dois la sauver », fonctionnel, utile, fêté sera l'évêque, le confesseur, quiconque a accès aux secrets de l'opération salut. Dans une société postindustrielle qui marche à la libido individuelle et affiche sur tous les murs et écrans quelque chose comme « tu as un corps et tu dois en jouir, pourvu que ta psyché se libère », fonctionnel, utile, fêté sera le thérapeute, le savant libéré qui connaît les secrets du jouir et de ses répressions (y compris freudiennes). Ce n'est plus dans les écoles cathédrales ni à l'Académie des sciences morales et politiques qu'on ira alors chercher nos sauveteurs attitrés. Mieux vaut être, en démocratie d'opinion, l'intellectuel organique de grands journaux d'opinion que de l'épiscopat ou du Commissariat au plan. Le support, en ce cas, est l'organisateur collectif de l'autorité symbolique, à condition, bien sûr, que le *consommateur s'y retrouve.*

Officiel est le non-dépaysant. Entrez dans une librairie anglo-saxonne : la « *me literature* » occupe la moitié des rayonnages. Notre culture met au pinacle le plaisir sexuel. Consacrez-vous à une histoire de la sexualité et à une remise en perspective des éthiques du savoir-jouir, en déclarant à un hebdo que le moins mauvais but pour un individu est de « majorer la quantité de plaisir dont il est capable dans son existence », vous augmenterez vos chances de ne pas passer à la trappe. Ajoutez qu'il est temps d'érotiser le savoir, on ne vous en voudra pas vraiment. Notre bonne société marchande abhorre l'apparatchik et le dogmatique, la réglementation et « les grands récits » messianiques. Faites une critique acerbe de l'État, des partis et des « vieux schémas sclérosés », cela ne fâchera pas la nouvelle société de concurrence. L'ordre moral d'aujourd'hui, c'est l'anti-institutionnel. Foucault fixait le rétroviseur : l'école, la prison, le tribunal, l'université, l'archevêché, les repoussoirs du libertaire de tradition. Pour forcer les verrous du moment actuel et de ses véritables centres d'aiguillage

— accéder aux méandres d'une rédaction en chef télévisuelle ou d'un comité international de normalisation numérique, par exemple —, il faut rafraîchir l'arsenal. À une époque où les pouvoirs effectifs s'appréhendent en anti- ou en contre-pouvoirs, où l'inculcation se faufile en information, la censure, en liberté d'expression, et la normalisation, en dérision, le théâtre étatique est devenu un leurre, et pour nos clercs en fonction, un alibi. « Nommer et révoquer » — la classique prérogative régalienne ne survit qu'à la condition de respecter les climatiseurs du temps d'antenne et des têtes de gondole.

Le protestataire de 68 se retrouve, trente ans après, du côté du manche, c'est-à-dire des grands médias — pouvoir sans contre-pouvoir, sans droit de réponse ni recours administratif possible. Maître du pensable, du dicible et de l'imaginable, l'autorité éditoriale, clergé patelin, mais féroce, sert sa propre cause en encensant l'intellectuel spécifique qui, pour traquer les ombres du passé, avait pris le nouveau premier pouvoir pour coéquipier politique et vecteur d'influence. Alliance peut-être salutaire, ou inévitable, puisque avec l'accélération et l'élargissement des circuits symboliques, jamais les chemins n'auront été plus courts entre l'inventeur et son singe. Nos snobismes de masse aidant, ne suffit-il pas d'une année ou deux pour qu'une hypothèse novatrice s'entropise en cliché (« le savoir, c'est le pouvoir ») ?

« Chaque époque a ses flatteurs, remarquait Bernanos. Elle les appelle en général ses maîtres. » Foucault, c'est sa vaillance et son originalité, n'a pas couru après cette maîtrise, en calculateur ou en cynique. Il avait l'oreille absolue. La mélodie du temps infusait en lui. Il ne marchait pas au pas. C'est l'époque qui l'a rattrapé, quand la marée antiautoritaire a tiré à la surface les objets incongrus et un peu glauques que le scaphandre sous sa cloche tentait d'éclairer, entre sable et rocher, à un moment où ils ne faisaient pas florès : la prison, la délinquance, l'asile, le fou. En quelque vingt ans — 1950-1970 —, les bas-fonds de l'enquête sociale furent érigés en hauts lieux philosophiques par une cléricature orpheline de ses anciens messies et pèlerinages. Par un contre-effet de bascule, replongèrent dans le noir — en même temps que la famille, l'atelier, l'usine, la ferme — les ci-devant « travailleurs des villes et des campagnes », assignés par le radical-chic à la condition de beauf (pour ne rien dire des malheureux « inspecteurs du travail », deux mots, deux offenses). Foucault, ouvert aux requêtes ambiantes et qui captait les ultrasons, a poussé l'osmose avec les minorités montantes et bientôt dominantes jusqu'à une forme d'exemplarité sacrificielle.

La France reste loin derrière l'Italie et l'Espagne pour la fourniture de bons dossiers à la Congrégation romaine des causes des saints : nous comptons trois fois moins de béatifiés que nos voisins catholiques. Le pays se rattrape sur les « intellectuels libres » (antonymes : « les intellectuels aux ordres »), ces figures tutélaires aptes à réconcilier à titre posthume les attardés du *in* avec le *off* d'hier. Le ton édifiant des suppléments spéciaux, la ferveur des hagiographies, la religiosité des *ipsissima verba* (bribes, boutades, lambeaux d'interview), le récit de l'agonie exemplaire, les témoignages des fidèles (hiérarchisés, conformément à la tradition, entre adoubés, entrevus ou simplement mentionnés) esquissent sous nos yeux la réplique postmoderne, pilosité en moins, d'un Padre Pio des officiers de la culture. Ces dévotions communautaires confirment qu'aucune catégorie sociale, pour affranchie qu'elle soit, n'échappe au besoin de grands intercesseurs : les cathos avaient l'abbé Pierre ; les bouddhistes, le dalaï-lama ; les Latinos, Che Guevara. Pourquoi se priver, à notre tour ?

L'adaptation a ses contraintes. Être à tu et à toi avec l'air du temps oblige à en assumer, avec le meilleur, le moins bon. Pour la période considérée : les hallucinations du maoïsme maison. C'est une fatalité. Tout se passe comme si un penseur, quel qu'il soit, dont les travaux ont fait date, était tenu de passer la seconde moitié de sa vie à répondre par la bande aux accusations suscitées par la première ; et souvent, par là même, à défaire ce qu'il a fait. Réputé structuraliste et renégat, apôtre du synchrone contre le diachronique, l'auteur dandy des *Mots et les Choses* avait été bientôt stigmatisé comme réactionnaire par tous les sartriens et marxistes du cru, détournant les jeunes de l'engagement politique, dernier rempart de la bourgeoisie, etc. Ces clichés, à distance, font sourire. Ils ont dû faire assez mal au jeune paria du Quartier latin marxisant pour qu'il en rajoute sur le rouge, après mai 1968. Pour qu'il en vienne, en pleine maturité, à discuter gravement avec Benny Lévy des « formes que doit prendre la justice sous la dictature du prolétariat » ; à opposer aux arguments sentis et pondérés de Chomsky sur la nécessité de la règle et le sentiment universel du juste et de l'injuste une apologie de Mao et des barbaries de classe, fussent-elles féroces ; à décrire les luttes de la Résistance et de la collaboration en termes de pouvoir et d'érotisme sans un mot sur le fait ni le sentiment national, qui, semble-t-il, sévissaient encore dans la France occupée. Telle était, à Paris, la lévitation ultragauche à un moment où le gouvernement Chaban-Delmas incarnait « un régime qui nous maintient tous dans un univers concentrationnaire » ; où la « répression » des autonomes italiens par la mairie communiste de Bologne se qualifiait de « fasciste » ; où une révolte de détenus à Fleury-Mérogis signalait une nouvelle zone des tempêtes ; une distribution de tracts boulevard des Capucines, un front rouge ouvert sur les arrières de l'ennemi ; et une nuit au poste, une traversée du Goulag. Se retournant sur ces effervescences héroïcomiques, dont Claude Mauriac se fit le Saint-Simon et Maurice Clavel le Pascal, tout porte à croire, s'il avait vécu plus longtemps, que notre ami les aurait évoquées sur ses vieux jours à la façon de Barrès le boulangisme de sa jeunesse. Le maoïsme intellectuellement terrorisant des années Pompidou n'est-il pas devenu à peu près aussi folklorique à nos yeux que les trois couleurs à la Déroulède du brav' général ? « Je ne vais pas raconter le boulangisme. Je me suis tant amusé ! Il y avait bien de la fantaisie, de la jeunesse, l'idée d'embêter le pion, le philistin, les grandes personnes. » Le peu que j'ai connu de ces sympathiques gamineries m'inspire, dois-je l'avouer, le sentiment légèrement honteux du soufflé ou du pastiche, comme lors de cet aller-retour en groupe Paris-Madrid, un jour de 1975, initiative modeste et fort louable transmuée par de récents hagiographes en « opération commando ». Le propos était de rendre public sur place un manifeste contre d'infâmes condamnations à mort prononcées par Franco. La rumeur auréola aussitôt les preux chevaliers des droits de l'homme : 20 sur 20 aux trompe-la-mort.

Giscard n'avait-il pas joué, peu avant, de l'accordéon à la télé pour se faire élire du bon peuple ? Ce poisson-pilote était dans le toc comme dans son élément. C'est le job du politique, illusionniste par obligation. Ce n'est pas celui du philosophe, briseur de rêves professionnel. À chacun son métier.

Foucault le passionné aurait-il été trop envahi par les spectres persécuteurs de Sartre et de Marx, au point de jeter le bébé matérialiste et matiériste avec l'eau du bain freudo-marxiste ? En donnant à la contre-révolution privatisante les prestiges du transgressif ? Prisonnier de ses phobies franco-françaises, otage-idole de l'effet-écho (« on en cause, donc c'est sérieux, donc il faut en causer »), il est à craindre qu'un certain appétit de revanche idéologique ne l'ait poussé à confondre les places du fort et du faible. Pas d'entrée Pinochet dans l'index des noms de *Dits et écrits*, mais une pour Jaruzelski. Dans l'échelle de la barbarie, le rapport fut pourtant d'un à mille. Concentrer ses coups sur l'Union soviétique moribonde, sans rien dire, ou presque, de l'Amérique, le seul empire montant : effet d'osmose avec l'intelligentsia locale. On se demandera aussi si l'idée de discontinuité dans l'histoire des idées ne lui a pas occulté les invariants de l'être-ensemble, dont la dénégation engendre beaucoup d'extrémismes inutiles et d'espérances déçues. « Toutes mes analyses, écrit-il, vont contre l'idée de nécessités universelles dans l'existence humaine. » C'est un grand privilège que de vivre et travailler dans les interstices libérés du G8, parmi les *happy few* pour qui le Sud c'est Tanger et Hammamet, plus un séminaire épisodique à l'université de São Paulo. Gardons-nous de trop abuser de ce cadeau des dieux. Il expose à prendre

Berkeley ou Vincennes pour l'axe du devenir humain, et l'agenda de San Francisco pour celui de cinq milliards d'individus. Peu prémonitoire pronostic, en 1967 : « L'humanité commence à découvrir qu'elle peut fonctionner sans mythes. » Où débute et finit cette humanité intégralement rationnelle ? Europe plus Québec ? Ce serait alors une variante continentale du « toutes les Anglaises sont rousses ». « J'écris pour des utilisateurs, non pour des lecteurs » ? Hélas, la boîte à outils qu'il nous a léguée semble proprement inutilisable pour démonter un univers extra-européen, nord-américain inclus, où la question du *nous* revient en force, et où flambent dans tous les azimuts les mythes de convocation religieux. Inactualité de Foucault.

Où bat le cœur des choses, par les temps qui courent ? Au carrefour intrigant des traditions et des innovations. Là où les biotechs rencontrent le Décalogue, où le cellulaire et le Dieu unique font court-circuit. Au croisement du techno et du sacré. Dans la reviviscence du local par le mondial. Dans « l'effet jogging » du progrès scientifique. Dans l'insurrection des archaïsmes suscitée et entretenue par l'arasement moderniste des marqueurs d'appartenance. L'espace-temps où nous sommes entrés, en dehors d'une petite portion du Vieux Monde peu représentative, semble façonné par deux séries de surprises : le grand bouleversement technique et le retour de flamme des mémoires. Inattendu, le monde où l'on peut se rendre physiquement de Hambourg à Boston en quelques heures et où Internet unit instantanément et quasi gratuitement New York à Shanghai. Inattendu, ce même monde hyperconnecté où l'on est d'abord, et de plus en plus, juif, breton, musulman, indien ou kabyle.

Le phénomène identitaire et religieux, Foucault ne l'aborde *in fine* que par le biais moralisant du christianisme dans ses rapports avec le sexe. Quant au fait technique, il est chez lui immatériel et non machinique, euphémisé en procédés d'interprétation des textes ou modalités du gouvernement de soi. S'il a négligé ces deux *trends* caractéristiques, *a fortiori* leur interaction ne pouvait le retenir. Résultat : le grand vent souffle par les trous de sa grille de lecture, même si le style fait paravent. Les zones névralgiques du XXIe siècle se sont installées dans les angles morts de ce très sage anticonformisme : croyance, biologie, *high-tech*, médias, télé, identité, religion, ethnies, communication. Toutes entrées absentes de l'index des *Dits et écrits*. Les rubriques les plus fournies — structure, sexualité, science, existence, discours, vérité — continueront d'alimenter nos diplômes, cours et thèses en vase clos, puisque tels sont nos cultes domestiques. Certes, aucun système de pensée, aucune société, aucune construction n'est panoptique. Chaque travail intellectuel a son cache, et sans sa moitié d'ombre ne pourrait éclairer son secteur propre. Éternel est ce jeu de cache-cache, entre une époque et la suivante, un continent et un autre. Ce qu'un certain habitat s'accorde, à tel instant, à tenir pour le plus réel, nourrira débats, articles, livres et conférences de ce même habitat : l'homoparentalité, le cannabis, la place de la psychanalyse dans les soins médicaux, la diététique et l'obésité, etc. Mais ce réel soie et cachemire, le nôtre, même s'il miroite aux quatre coins du monde développé, n'est pas *le* réel le plus probable. Pour l'heure, sur l'échiquier de nos études universitaires, un médiologue trouve plus de plaisir et de profit à travailler les cases faibles. Aux côtés et dans le sillage de maîtres qu'il vaut la peine de piller, détourner ou exploiter parce qu'ils peuvent servir de bouées dans la traversée du grand large : Michel Serres, Leroi-Gourhan et Pierre Legendre, Lévi-Strauss et Muglioni, Derrida et Dagognet — pour citer quelques-uns des moniteurs qui nous aident à nager loin des côtes. Nos pères appartiennent à différentes familles, parfois hostiles. Certains sont célèbres, d'autres moins. Mais qu'importe l'aura médiatique aux médiologues, s'ils savent bien qu'à vue humaine ils ne seront jamais dans le bain, pour avoir la chance de penser à côté — des bassines académiques, sinon du Bassin parisien.

André Breton : réponse à Jean Clair

Malgré le grand respect que j'ai pour le conservateur et le commissaire de mémorables expositions ainsi que pour ses écrits aussi incisifs que profonds, la publication par Jean Clair d'une véhémente mise en cause d'André Breton, intitulée Du surréalisme considéré dans ses rapports avec le totalitarisme et les tables tournantes, *m'a surpris au point d'oser lui adresser une réponse publique. En défense non d'un système d'idées, mais d'un frisson nouveau gravé dans le siècle en lettres de feu.*

« Un homme qui a du succès, ou simplement qui ne subit plus d'attaques, est un homme mort. » André Breton avait vu loin. Avec ce pamphlet injuste et aigre où tout n'est pas faux, certes, mais où la rage de dénigrer vous fait manquer le plus réel du surréalisme et qui n'a pas fini de « cogner à la vitre », vouliez-vous, cher Jean Clair, redonner le goût de vivre à l'embaumé national ? Une décharge de hargne galvanique pour éviter l'oxyda-

L'Échoppe, 2003.

tion ? La gifle aux momies, à toutes fins utiles... Votre souffre-douleur vous en saura gré, puisque « l'approbation du public, disait-il, est à fuir par-dessus tout ». Dangereusement proche du Panthéon — en la personne de qui fut son *âme* —, aux dernières extrémités de la célébration, il fallait bien que quelqu'un se dévoue, après les baisers Lamourette de la salle Drouot, pour lui tendre une perche, à ce mouvement par trop coté et encensé. L'attaque par le scientisme et le libéralement correct aura sans doute été votre contribution personnelle à cette « occultation profonde, véritable, du surréalisme » qu'appelait déjà de ses vœux, vers 1924, l'auteur de *Nadja*, face aux éclaboussures d'une publicité compromettante. Ceux qui tiennent le cordon du poêle devraient vous dire merci.

L'arrière-saison est rude, en effet. Pis que l'adjugé vendu d'une vente aux enchères triomphale — 46 millions d'euros, plus les frais — aura été le concert d'âneries tout alentour. Les gazettes ont réclamé un palais, un mémorial, un mausolée pour qui avait demandé « à être conduit au cimetière dans une voiture de déménagement ». Des sommités ont déploré l'éparpillement de cette mémoire, comme si la dispersion aux quatre vents, dans l'anonymat pluriel du *cadavre exquis*, n'avait pas été son vœu premier, et son défi le plus tenace. Des anarchistes ont exigé de l'État du classement, du muséal et du patrimonial pour le prospectif qui fuyait ministères et musées, adonné qu'il était au « vent de l'éventuel », et qui n'attendait rien de bon que de l'imprévu et de l'inclassable. Les marchands d'art ont mué en fourmi vétilleuse une cigale du hasard objectif qui chinait l'or du temps aux puces de Clignancourt ou sur les plages de galets, n'a même pas cru devoir coucher sa « collection » sur son testament, et n'attachait pas moins de prix à une agathe ou un lépidoptère qu'à un Picabia. La pulsion culturelle a rêvé d'ériger en trésor quasiment d'église les glanures de la rue Fontaine, entre objets trouvés et *private jokes*, bric-à-brac grappillé, exsudé plutôt, excrété telle une coquille, un milieu de vie, une enveloppe nutritive. Le tout échangé ou revendu au détail par celui qui s'en nourrissait à tous les sens du mot (Breton, jusqu'à l'héritage paternel de ses dernières années, a tiré le diable par la queue et raclé les fonds de tiroir). Petits cailloux du Lot à 400 euros le lot : quand l'ironie de l'histoire confine ainsi à l'humour noir, il est permis d'inscrire cette cocasserie de commissaire-priseur au nombre des *effets de révélation* dont l'époque peut créditer ce tournesol d'intérêt public. Plus-value, cartel et formol : l'air du temps a posé ses doigts gras sur le rétif qui avait tout fait pour ne pas en être. Lui qui aura, de son vivant, révélé à elles-mêmes tant de vocations rentrées, engagé tant de fidèles ou d'inconnus à quitter l'autoroute pour prendre le sentier qui monte — quitte à mordre la main qui les avait lâchés dans la nature, *leur* nature —, poursuit par-delà la mort son travail d'élucidation préemptive des dessous dérangeants du laisser-aller humain. Fût-ce à contre-emploi et par un biais assez comiquement dévot, qui élève l'usuel à la dignité de relique. Du surréalisme considéré dans ses rapports avec l'entrée en Bourse et la presse *people*... Ce coup de pied de l'âne postmoderne incite à nous regarder un peu dans la glace pour voir où nous en sommes avec notre jeunesse, preuve, tout décati soit-il, que le sachem indien n'est pas encore près de se laisser empailler sur l'étagère des arts premiers avec ses oiseaux de paradis et ses papillons géants. Réveille-matin, il reste. Combien d'ombres, dites-moi, peuvent encore tintinnabuler dans le vacarme ambiant, en sonnettes d'alarme ?

Vous nous aviez habitués à plus d'exigence — avec vos très belles études sur Duchamp, Mušič ou Cartier-Bresson. Vous qui tenez à honneur de camper en fieffé réac devant les têtes molles du jour — coquetterie prophylactique que nous sommes quelques-uns à cultiver —, on pouvait espérer que vous rendriez Breton au mauvais côté de la barricade, le seul qu'il mérite et qui vaille. Et dont on ait envie de s'approcher. Une vraie cause perdue, cet intraitable meneur de jeu. Un type impossible. Pas sortable. « Ennuyeux comme la pluie », disait-il de lui-même. Plus vieux jeu, plus collet monté, « tu meurs ». Un pudibond qui prêchait l'amour fou dans la langue de Bossuet, cartésien convulsif, médium détestant la confusion mentale, avec ce rejet du débraillé et du pagayeux qu'on retrouve chez maints révoltés au long cours. D'une courtoisie vieille France dans son intime, à cheval sur les principes comme pas un, abhorrant l'homosexualité, méprisant le libertinage, « frivolité irréparable », et qui voyait dans la promiscuité sexuelle une annonce certaine de compromission intellectuelle (Henry Miller reprochait aux surréalistes de ne pas mettre assez d'explosif dans leurs écrits). Un adepte du mandarin-curaçao et du verre de beaujolais, qui ne se cachait pas de préférer le cinéma muet au parlant et la lecture de Barbey d'Aurevilly à celle de Robbe-Grillet. Un austère oratoire, nombreux et solennel, joignant l'emphase à la nuance, le comble du mauvais client pour nos raouts téléradio — on comprend que l'emploi de journaliste ait été cause d'exclusion immédiate du groupe. Un érudit féru de généalogies et d'anthologies, anxieux de renouer le fil, toujours là à dresser des listes d'ancêtres — Héraclite, Scève, Swift, Rousseau... —, aux antipodes de nos iconoclastes monosyllabiques à qui personne n'ose dire que leur inévitable Rimbaud a passé son enfance en blouse grise à aligner des hexamètres latins. Arrêtons là. Devant un *look* aussi catastrophique, les *Inrocks* rigolent, *Le Monde des livres* dégaine, *Libé* se déchaîne. Que le chic et choc du jour travestissent en vedette de « la scène culturelle » ce censeur sombre et rétro, celui qu'on ne voyait jamais rire, soit, mais vous, le décalé, rabattant la meute, remâchant la viande commune...

Votre relecture *thermidorienne* du 93 surréaliste, équivoque comme le sont toutes les révolutions, réduit celle-ci à ses bordées d'injures comme d'autres, les rois revenus, réduisaient la révolution jacobine à la guillotine. Et que faites-vous donc des ennemis ? À la trappe la boucherie de 14-18, comme jadis l'invasion étrangère du sol national ? Mettons cette amnésie au compte de la deuxième Restauration française. Seule cette déferlante contre-révolutionnaire sur l'Europe entière peut expliquer qu'une plume à pointe fine comme la vôtre, d'ordinaire si judicieuse, roule tant de lieux communs (le bon Occident libéral *versus* l'Orient des méchants totalitaires), de compressions hâtives (Trotski = Hitler, Bataille = Breton, etc.), et d'inexactitudes (Julien Gracq aurait « fui le surréalisme », lui qui n'y est jamais entré). Et qu'un défenseur de la Raison raisonnante comme vous ne résiste pas aux sorcelleries logiques. Champion de l'*art magique*, votre principal inculpé redoutait le mauvais œil des poupées du Nouveau-Mexique placées derrière sa table. Vous blâmez l'occultisme du dénicheur de totems hopis, mais n'y céderiez-vous pas vous-même quand vous exorcisez la modernité comme une maison hantée à la Edgar Poe, pervertie par une puissance démonologique irradiant ses maléfices à distance, jusqu'en Afghanistan et à New York, et que vous appelez « l'idéologie surréaliste » ? Ce Frankenstein politico-intellectuel, vous l'éclairez à la lumière de Buchenwald et de Manhattan en feu. Pour mettre au jour les crimes et les souffrances que ce verbe poétique aurait selon vous générés, vous donnez à l'après juridiction sur l'avant. Au kamikaze de 2001 sur le styliste de 1921. Étrange méthode historique, qui remplace les consécutions réelles (jusqu'à plus ample informé, un événement historique B s'explique par l'événement A qui l'a précédé et non par le C qui a suivi) par une cause finale rétroactive, tel un providentialisme du Mal.

Nos manies commémoratives débouchent souvent sur de mauvais procès. Pourquoi s'attarder sur celui-ci, qui paraîtra minuscule et anachronique aux intoxiqués de l'éphémère ? Parce que je ne peux m'empêcher de voir dans l'armature argumentative que vous donnez à votre antipathie le brin d'un mauvais coton un peu trop dans le vent, mais dont mieux vaudrait qu'il se file sans nous. Et non parce que je suis de ceux pour qui « la critique sera amour ou ne sera pas », comme le voulait le perpétuel enthousiaste qui vous navre ; mais parce qu'au-delà de notre dette envers une aventure mentale dont la seule ombre projetée continue de nous agrandir, il en va, avec ce petit litige confraternel, d'autre chose que d'un point d'histoire littéraire. Dans l'injustice faite à un novateur nostalgique (il y a un certain passéisme chez tous nos grands anticipateurs), est en jeu l'avenir du *pas de côté*, et pour le peu qu'il nous en reste, d'avenir, cela vaut la peine de revenir sur celui-là à tête reposée. L'époque n'est pas telle que l'exactitude envers les morts puisse passer pour un luxe d'herboriste. Quiconque a foi dans l'intempestif, comme vous et moi, devrait plutôt se réjouir que puisse continuer de s'élever en signe ascendant, par-dessus les popotes du « point trop n'en faut », un poète on ne peut moins nobélisable, qui n'a pas commis un seul best-seller, ne s'est aidé d'aucun marchepied politique ou religieux, et s'est interdit la béquille-roman comme la bouée-chanson. Un chevalier servant de Musidora qui l'aura finalement dédaigné, lui qui aimait tant les images, mais que l'image n'a pas aimé (aucune interview filmée de l'individu, rien de cette œuvre qui puisse être « porté à l'écran »). Et qui n'eut pas même la chance de mourir jeune, assassiné ou perdu en mer. Un tel miraculé de la vidéosphère, dépourvu jusque des attributs du « poète maudit », aurait déjà pu mériter la considération disons professionnelle d'un conservateur général du patrimoine comme vous. Qu'une bande ou un cénacle d'hurluberlus fauchés, dans le dos des *mass media*, ait néanmoins pu, court-circuitant académies et réseaux, non pas changer la vie — qui a jamais décroché la timbale ? —, mais transformer notre *sensibilité à la vie*, voilà un exemple d'efficacité symbolique qui interpelle, voyez-vous, l'apprenti médiologue que je suis. Sans doute n'y a-t-il pas de musique surréaliste (Breton n'avait aucune oreille). Mais dans quel autre domaine d'expression, peinture, théâtre, cinéma, roman, dans quel continent, dans quel pays, cette rectification des frontières entre le dicible et l'indicible, le montrable et le caché, n'aura-t-elle pas laissé une trace ?

Entendons-nous. Votre libelle ne m'a ni courroucé ni lésé. Il n'y a pas d'offense, ni de gant à relever. N'étant point de la chapelle ni de la boutique, je ne suis pas un ayant droit, et moins encore un témoin. Né trop tard dans un monde trop vieux, sort on ne peut plus banal, je n'ai approché le surréalisme que par grands réflecteurs interposés, ou par des biais caraïbes étrangers au Café de Flore. Max Ernst, Man Ray, un peu. Matta, beaucoup. Alain Jouffroy jadis, et Julien Gracq, régulièrement. Sans oublier René Depestre le Haïtien et Wifredo Lam le Cubain. Tout ce que j'ai pu retirer de leur fréquentation, tous les rayons de lumière que ces amis d'un jour ou d'une vie ont pu me renvoyer de leur jeunesse à eux, s'inscrit en faux contre votre thèse d'un fanatisme morose et rétrograde. Lisant votre philippique, chaque page m'a dévoilé, tel un révulsif, quelle force d'aimantation exerçait sur moi, malgré moi, mes principes et mes habitudes, ce robuste paysan de Paris au masque de chef sioux que je n'ai croisé que deux fois dans des lieux publics sans oser plus, face à lui, qu'une de ces banalités consciencieuses et polies qu'inspirent aux normaliens de vingt ans les renommées à mèches blanches inscrites au répertoire. Est-ce à vous que je m'adresse, ou à ce boutonneux emprunté d'avant-hier, je ne sais plus.

Ainsi donc, Breton serait « demeuré à l'écart de la science de son temps ». Ce faiseur, ce grimaud, ce médecin raté n'a pas su étudier la géologie comme Novalis, la minéralogie comme Goethe, ni l'ethnologie comme

Leiris. Cet illuminé présomptueux, astrologue nécromant et tireur de tarots, aurait eu des références scientifiquement douteuses. Il aurait pompé à tort et à travers les docteurs Charcot, Janet et Freud. Il aurait notamment pris l'inconscient pour une échappée vers le surnaturel, les contes de fées et les gambades de la liberté quand il n'est qu'assujettissement aux codes primordiaux, emprise du structural sur l'individuel. Élève Breton, vous aurez zéro en psy et en ethno. Relisez Freud et Mauss. Malgré vos simagrées, vous n'êtes qu'un *bricoleur*. Le mot se veut méprisant. Et pourquoi donc, s'il définit le métier de n'importe quel créateur ? Auriez-vous confondu l'artiste et l'agrégé ? L'ensorceleur et le cuistre ? Le premier utilise bribes et morceaux, il fait siens tous les trucs de la pensée sauvage. Plus qu'un artisan, c'est un primitif sans vergogne. Un artiste détourne, pastiche, piège et phagocyte sans assimiler. Il fait de la récup', c'est un membre d'Emmaüs. Il n'établit rien, il flaire, pique et picore dans ce qu'il trouve sous la main. Voyez de nos jours le rhizome deleuzien. L'idée ne tient pas debout, mais elle sert aux poètes du tout-monde et du multiple. Leur feriez-vous un cours de botanique ou de philosophie ? Concernant le surréalisme, je ne vois pas quel autre mouvement, au bilan, aura fait aussi bonne pioche dans les sacs à grains de son siècle. Votre psychanalyse, soit dit en passant, paraît bien expurgée — Jung, Ferenczi et d'autres n'y ont pas droit de cité, exclusion très française —, et vous savez bien que Freud a plus que flirté avec la raison buissonnière, si l'on en juge par ses talents d'excursionniste, approximatives mythologies, préhistoire loufoque et majuscules incontrôlables. Le surréalisme restera, malgré tout, comme l'une des voies de pénétration, et la première en date, des acquis psychanalytiques en France (Jacques-Alain Miller en donne volontiers acte). Une voie parallèle ou subliminale, mais les plus baroques ne sont pas les moins efficaces. Votre « pas sérieux s'abstenir », ou l'assujettissement des chercheurs d'or aux sciences de la Terre, rendrait leur lyre certes didactique, mais à peu près aussi créative que les thèses d'Université. Ceux pour qui l'existence est ailleurs ne visent pas plus le Collège de France qu'un poste au CNRS. Ceux-là ont, oui, joué en curieux avec les concepts de leur temps, la dialectique, l'hypnose, la suggestion, l'automatisme, etc., au gré des mauvaises traductions disponibles, mais toujours méfiants envers la Science avec majuscule. À la fin de sa vie, et non sans quelque raison, Breton y voyait le nouvel opium du peuple en voie de détrôner l'ancien (ce n'est plus, mais c'était le cas, vers 1950). Tout soucieux qu'il ait pu être de se ravitailler ici et là en arguments et doctrines, ce n'était pas un cérébral, mais un émotif, jugeant toute œuvre au frisson affectif qu'elle pouvait ou non procurer. En donnant à la réclamation surréaliste une cohérence idéologique qu'elle n'a cherchée qu'à la cantonade, ou plutôt en prenant trop au sérieux une certaine théâtralité théoricienne qui n'aura été en somme qu'une ruse de guerre, une façon d'accréditer son chant ou de l'acclimater à un bocal saturé d'*ismes*, vous ne faites pas que nous donner la paille pour le grain, à savoir une extension sans précédent du domaine de la poésie, qui l'arrachait définitivement aux versificateurs. Vous assujettissez le *off* et ses gaietés inventives aux tristesses du *in*. Et rendez strictement incompréhensible le vol tous azimuts du tract surréaliste et l'aptitude d'un *état d'esprit*, labile et déjouant la prise, aussi insaisissable et irrécusable qu'un parfum, à infiltrer le fond de l'air jusqu'aux quatre coins du monde. Cette volatilité offensive et discrète eût fait défaut à une doctrine armée de pied en cap, à une école de pensée ou à une *logie* parmi tant d'autres. Que resterait-il aujourd'hui de l'auteur du *Premier Manifeste* s'il avait joué au docteur, au leader d'opinion ? Et que reste-t-il en général, cinquante ans après, des leaders d'opinion ? Le fleuve surréaliste a eu ses bras morts, et ses noyés. Il a aussi fait preuve, plus que tout autre mouvement comparable (le romantisme mis à part, qui sera sans doute la mer où ce fleuve aura fini par se jeter), d'une capacité de résurgence, d'essaimage et de contagion, bref d'un pouvoir de *diffraction* qu'il doit à l'hétérogénéité même de ses affluents, et à une ouverture de compas défiant l'idée même de spécialité. Qui tend au communisme du génie peut se permettre de n'avoir pas ses papiers en règle ni de domicile fixe. Cet *off-limits* à vos yeux déplacé n'est-il pas une condition de fécondité ? C'est Céline, je crois, qui remarquait qu'« on n'a jamais réussi à faire *raisonnablement* un enfant ». Qu'il faille à la création artistique ou autre un moment de délire ne signifie certes pas qu'il suffit de délirer pour créer, ni de transgresser les lignes rouges pour découvrir l'île au Trésor. Breton le savait mieux que personne qui ne fut pas le dernier à noter la stérilité de l'aléatoire et les impasses de l'*écriture automatique*, et ce contre ses propres injonctions doctrinales. Mais si la moindre attention aux bouches d'ombre, si toute curiosité envers les banlieues du *studium* occidental, si l'inquiétante étrangeté des passages couverts et des *Pas perdus* vous paraissent politiquement dangereuses et déontologiquement blâmables, parce que sont venues s'interposer entre elles et nous les retraites aux flambeaux de Nuremberg, alors retirons dare-dare le mage Victor Hugo de nos manuels scolaires, pour cause de guéridons frappeurs, ainsi que Nerval, déjà compromis avec la mystique néo-platonicienne, pour avoir consacré une étude à Cagliostro. Et supprimons des biographies de Malraux le dernier voyage en Haïti, à la rencontre des vaudouisants de la communauté Saint-Soleil. À l'aune des Twin Towers, ce sont des pages entières de l'Ancien Testament et de l'Apocalypse de Jean qu'il vous faudra faire retirer du commerce. Tant d'appels aux foudres du Ciel pour qu'elles viennent frapper les orgueilleuses tours de Babylone la dominatrice ne pouvaient rester sans conséquence...

C'est peut-être le même chercher midi à quatorze heures qui vous fait réputer pour son point faible le point fort de ce mouvement : son trouble d'identité. Son côté créole, banyan, arc-en-ciel. Réconcilier Éros, Mythos et Logos ne peut se faire sans mélanger les instruments et les sonorités, mais cette ambition symphonique, ou concertante, vous la récusez comme « cacophonique ». Vous tenez pour un empêchement cet écartèlement entre « un fonds tardo-romantique » et un progressisme néoclassique, disons entre Blavatsky et Karl Marx. « Il y a là, dites-vous dans une interview, une union assez inquiétante des forces du prétendu matérialisme historique et des pulsions les plus archaïques. » Que ne voyez-vous dans cette inquiétude même la force d'ébranlement majeure du surréalisme, par quoi il captait à son profit et au nôtre la source d'énergie du bel aujourd'hui. Notre présent, où les hommes à identités multiples ne sont pas les plus malheureux, attelle en tout lieu l'archaïsme de croyances réputées fossiles au *high-tech* le plus décoiffant, et ce non par quelque provisoire désajustement de phases, entre nos lenteurs intimes et ces accélérations, mais parce qu'il existe entre ces deux pôles apparemment incompatibles plus qu'une troublante affinité, un lien intime et nécessaire. Le fatras occultiste qui parasitait le mouvement socialiste du XIXe siècle apparaîtra bénin à nos petits-enfants. Ce « métier à métisser » ne date pas d'hier. Ce sont en général les différences de potentiel entre deux points d'un même circuit qui libèrent de l'énergie électrique ; comme ce sont les ruptures de symétrie qui ont permis, après le big bang, l'expansion de la matière, stimulée par l'antimatière — pardon pour l'extrapolation et le raisonnement analogique. Le surréalisme (et « le surréalisme c'est moi », disait Breton) avait deux fers au feu ? N'importe quel tartempion est ainsi fait, de bric et de broc, *sapiens* et *delirens*, et l'un *parce que* l'autre. Bergson, qui plus que Freud a modelé notre entre-deux-guerres, remarquait que « l'*homo sapiens*, seul être doué de raison, est le seul aussi qui puisse suspendre son existence à des choses déraisonnables ». N'est-ce pas une évidence que seul un être intelligent peut être superstitieux ? Et qu'une personnalité attachante est nécessairement contradictoire ? Le fait qu'en cet homme le goût du pulsionnel l'ait disputé à celui du construit, que l'apôtre de l'inconscient s'avouait le plus mauvais improvisateur qui fût, que l'éloge du spontané et du débridé ait été chez lui aussi appliqué, aussi emphatiquement impersonnel dans ses expressions publiques — au point d'écrire soigneusement ses entretiens radiophoniques avec Parinaud en 1952, récités au micro comme un script —, voilà qui n'a pas peu contribué, j'imagine, à l'emprise du personnage sur les esprits. Bienheureuse inconséquence ! *Felix culpa !* Le surréalisme se voulait un optimisme historique, et ses charmeurs étaient des gens d'humeur désabusée, sinon mélancolique. La discordance entre l'affichage et le penchant intime est au reste une règle générale chez les engagés volontaires du progrès. « Quand il parlait des religions instituées, se rappelle Julien Gracq, il prenait un ton d'instituteur rationaliste, très IIIe République. » Le même magister admirait, par jeu, les haricots sauteurs du Mexique et poursuivait Mélusine dans les sous-bois celtiques. Ne serait-ce pas le plus définitif mérite du surréalisme que d'avoir instruit à sa façon (véhémente, brouillonne et intuitive) le procès du dualisme héréditaire et mortifère, cette saumâtre coupure du corps et de l'esprit, de l'image et de l'idée, de l'émotif et du logique, qui remonte à Platon et qui a si longtemps empêché les poissons froids de la raison de quitter les eaux douces pour affronter le grand large ? J'ai connu un homme d'État très mesuré qui ne cessait de répéter « il faut savoir raison garder » et qui a fini, pris dans un orage et faute de paratonnerre mental, par se tirer une balle dans la tête (Pierre Bérégovoy était son nom). Bousculons ce clivage, un pied dans chaque pays, et zigzaguons. La raison ici, et la passion là ? Géomètres *versus* convulsionnaires ? Choisissez, messieurs-dames, entre la droite et la gauche ? Eh bien, non ! Les deux mon capitaine, et d'un même élan. La brume *et* l'éclair. Le yin *et* le yang. L'orage *et* le paratonnerre. Ce n'est pas seulement la beauté, c'est la vérité qui sera explosante-fixe, et par nature équivoque. « Jusqu'à nouvel ordre, tout ce qui peut retarder le classement des êtres, des idées, en un mot entretenir l'équivoque a mon approbation. » Il s'est acquis depuis maint souscripteur, l'auteur de « La Confession dédaigneuse », qui félicitait Lautréamont de « vouer aux planches somnifères une haine irréconciliable ». Nous sommes de plus en plus nombreux à récuser toute architecture alvéolaire et cloisonnée du rationnel qui ne soit pas en mesure de *contenir* l'irrationnel, aux deux sens du mot. Ceux-là se sentent en reste envers tous les éclaireurs des bas-côtés, tous les explorateurs de l'*infra-*, du *sur-* et du *para-*, qui, avec les moyens du bord et à leurs risques et périls, ont contribué à disloquer les vieilles antinomies, à lever « la barrière des éléments et des règnes », pour chercher « cette région paradoxale où la fusion de deux êtres qui se sont réellement choisis restituent à toutes choses les couleurs perdues des très anciens soleils ». Qu'ils aient pu seulement la pressentir, ou l'approcher dans leur vie personnelle, cette région qui fait le cœur de l'homme même suffit à leurs titres de créance.

S'il fallait une preuve supplémentaire du réalisme surréaliste, pensons à l'étrange discernement de ses choix et refus historiques. Étrange, oui, pour un homme dont le *qui suis-je ?* et non le *que faire ?* constituait d'évidence la question principale. Et d'autant plus étonnante que les libertaires, en général, n'ont pas la tête à ça. Ces tire-au-flanc-là sont faits par les guerres, mais ne sont faits rien moins que pour la guerre. Il est bien certain que ne vouloir, en 1939, « ni de votre paix ni de votre guerre » ne laissait d'autre choix que d'abandonner à d'autres le champ de bataille. Mais demande-t-on à un poète d'avoir le type d'intelligence qui meut un de Gaulle ou un Machiavel ? À chacun son honneur. Et je ne vois pas comment on peut reprocher à Breton d'avoir filé avec d'autres outre-Atlantique pendant l'Occupation, comme s'il n'y avait pas, pour un esprit indépendant, plusieurs sortes de courage, ou d'investissement psychique, voire physique dans la lutte pour l'intégrité. René Char avait l'âge et la carrure. Éluard et Aragon, l'entraînement militant. Desnos la générosité. Ils sont restés. De chacun selon ses moyens à chacun selon ses besoins. Traiterez-vous de déserteurs Lévi-Strauss et Victor Serge qui partirent sur le même bateau, en 1941 ? Souvenons-nous qu'une réputation de trotskiste, en pleine Résistance, vous exposait à la balle stalinienne, en France même. Quoi qu'il en soit, n'avait guère motif à s'engager dans la Résistance patriotique et ouvrière quelqu'un pour qui les mots de parti et de patrie n'avaient de résonance que fâcheuse et qui n'était pas de tempérament, contrairement à l'Aragon de *La Diane française*, à sauter le pas du collectif. Ce handicap, si c'en est un pour l'action politique et *a fortiori* clandestine, n'en est certes pas pour y voir dans la mêlée un peu plus clair que les captifs amoureux de leur combat. Au cœur des plus redoutables confusions lyriques de l'histoire moderne, ce grand lyrique a gardé la tête froide, en échappant à tous les panneaux, les leurres dans lesquels s'en furent donner tête la première (les pieds n'ont pas toujours suivi) la plupart des anticonformistes d'avant et d'après guerre. Il a payé ce discernement d'une longue et inconfortable solitude. Il n'a pas eu de vertige côté droit, et quand Bataille s'est intéressé d'assez près à la vague fasciste, il eut tôt fait de l'écarter du groupe. Son *Anthologie de l'humour noir* fut un des premiers livres interdits par la censure de Vichy en 1940, au motif, incontestable, que

« l'auteur est la négation de la révolution nationale ». Quant au côté gauche, je ne vois pas beaucoup de révoltés, dans les milieux littéraires, qui soient plus tôt revenus du palais des Glaces soviétique sans s'être même donné la peine d'y aller — et ce avant Gide, Malraux, Koestler, et tant de célèbres savants et universitaires. Dupe de votre position de surplomb et oubliant Villon, « frères humains qui après nous vivez, n'ayez le cœur contre nous endurci », vous lui tenez à faute de s'être approché de la révolution d'Octobre. Personnellement, je lui aurais plutôt tenu rigueur de ne l'avoir point fait, et ne vois pas comment un homme d'espérance et de générosité, à moins qu'il n'ait eu des actions en Bourse ou une maman décidément castratrice, aurait pu, au début des années 1920 ou 1930, ne pas tourner le cœur et les yeux vers la « grande lueur à l'Est ». C'est justement par ce qu'il recelait de plus positif, et l'opposait à la pure formalité dadaïste, promise au besogneux radotage de la négativité (vous semblez confondre les deux attitudes), que le surréalisme a rêvé de pouvoir se mettre « au service de la Révolution ». Le dadaïsme, c'est le bon côté du nihilisme, préservait les bonnes volontés des lendemains chanteurs. Son successeur et rival relèverait plutôt d'une espérance spiritualiste démesurée, qui l'apparenterait plus, à tout prendre, aux millénaristes allemands du XVIe siècle qu'aux nihilistes russes du XXe. « La poésie ne rythmera plus l'action, elle sera en avant... » Libre à vous de rire de cette illusion qui, je vous l'accorde, n'est plus la nôtre. Vous observerez néanmoins qu'elle n'a pas entraîné tous ces fervents d'utopie à prendre des vessies pour des lanternes. Il fallait un singulier courage, et des jumelles au point, en

1935, pour oser gifler en pleine rue l'influent Ehrenbourg, ambassadeur officieux d'une puissance redoutable et montante. Il en fallait pour défendre l'emprisonné Victor Serge en 1936, au milieu des flagorneries du Front populaire, devant une intelligentsia parisienne hostile ou au mieux indifférente. Il en fallait en 1939 pour oser rompre avec Aragon et Éluard alors au pinacle des certitudes — « pour ne pas renoncer à m'exprimer sur ce qui constitue, avec le fascisme, la *principale honte de ce temps* [le communisme stalinien]. Il y allait pour moi de la signification même du surréalisme et de ma vie ». Il en fallait, en 1947 et 1950, pour endurer stoïquement les reproches de trahison distillés par la bonne presse (Breton a tourné à droite, il a viré fakir, il écrit dans *Arts* et fréquente les comtesses). Les malentendus ont la couleur du temps qu'il fait, et notre passé intellectuel, comme les autres, mue avec le temps qui passe. Quand l'Occident à son zénith, ivre de technologie et d'arrogance, prend comme aujourd'hui sa revanche coloniale sur l'Orient écrasé, quand la révolution conservatrice en cours culpabilise tout ce qui a pu chez nous graviter autour du drapeau rouge ou noir, le surréalisme se voit suspecté de collusion « totalitaire ». Il y a cinquante ans d'ici, peu après Stalingrad, quand l'Orient rouge — URSS et Chine réunies — était l'étoile montante, que le parti « des fusillés » avait beaucoup de lecteurs à offrir aux écrivains, le surréalisme était suspecté de collusion « bourgeoise » et d'aristocratisme décadent. Les vents dominants faisant bouger le cadavre tantôt vers l'Occident tantôt vers l'Orient, les fossoyeurs aussi doivent se faire ambidextres, selon les saisons. Être giflé sur la joue gauche, puis sur la droite (ou l'inverse), c'est à quoi doivent s'attendre ceux qui restent fidèles à eux-mêmes en ne s'accordant qu'un dégoût prédestiné : la popularité, ou l'opinion publique, ses tics et son toc.

Nulle vertu n'est de plus mauvais rapport que la clairvoyance, mais si nos historiens s'avisaient, au bout de chaque demi-siècle et au vu des temps d'avance pris par les uns sur les autres, à décerner le prix de la prospective, André Breton, au sein de la gent écrivassière, ferait un assez bon postulant (Desnos n'était pas mal non plus pour la prédiction). Cela touche à Nostradamus dans la « Lettre aux voyantes » de 1925 : « Il y a des gens qui prétendent que la guerre leur a appris quelque chose ; ils sont tout de même moins avancés que moi, qui sais ce que me réserve l'année 1939. » On trouvera sous sa plume, dès la mort de Lénine, l'annonce du probable dévoiement bureaucratique de la Révolution russe — avant même que nos plus savants historiens de la Sorbonne ne justifient les procès de Moscou. On trouvera de même, en 1943, l'annonce des guerres anticoloniales de l'après-guerre dans la postface au *Cahier d'un retour au pays natal*, et du parti qu'il conviendra d'y prendre : « On attend avec la même impatience le jour où, hors de ces colonies, la grande masse des hommes de couleur cessera d'être tenue à distance outrageante et cantonnée dans les emplois pour le moins subalternes. Si cette attente était déçue par les règlements internationaux qui entreront en vigueur à l'issue de la guerre actuelle, force serait de se ranger définitivement, avec toutes les implications que cela comporte, à l'opinion que l'émancipation des peuples de couleur ne peut être que l'œuvre de ces peuples eux-mêmes. » La disparition du futur et l'évanouissement du progrès, que nous mettons à l'affiche en 2003, il l'analysait sobrement dès 1935. Et la vogue écologique ne l'eût pas déconcerté, lui qui ne cessait d'appeler l'homme à rétablir le contact avec la nature et à respecter ses lieux d'habitation (habiter poétiquement le monde n'allant pas sans contrainte).

De 1925 à 1960, du manifeste contre la guerre du Rif à celui des 121 contre la guerre d'Algérie, je ne vois qu'une ligne droite et claire : le parti pris du minoritaire. Breton n'a pas seulement défendu le vaincu Trotski, l'encerclé de Coyoacán contre l'omniprésent Staline, les Noirs contre les Blancs, les Hopis et les Zuñis du Nouveau-Mexique contre les yuppies de la Nouvelle-Angleterre. Les occupés contre les occupants. Il a pris le parti des Celtes et des Gaulois contre les Gréco-Latins, des petites religions contre les grandes, de l'amulette contre le crucifix, des sorcières et des hougans contre les pasteurs et les évêques et des poupées de bois amérindiennes contre les anges de pierre des cathédrales. Un seul camp : les perdants, et sans compromis de dernière minute. Une seule ligne : la stratégie du faible au fort. Légions romaines inutiles. C'est cela le totalitarisme ? On répète à l'envi que 68 fut le triomphe à retardement de la maison Breton. C'est oublier qu'elle ne détestait rien tant que le succès — « les idées qui triomphent courent à leur perte ». Question de tempérament, ou pressentiment que, le court nuisant au long terme, il faut savoir rester en plongée si l'on veut aller loin, et émerger un jour durablement ? L'expertise à la marge, le soin mis à déjouer l'académique et les gros titres relèvent peut-être d'une haute politique de l'esprit. Quoi qu'il en soit, Pierre Mabille, l'attaché culturel de la France libre à Port-au-Prince, qui l'y a reçu en 1945, après son exil aux

États-Unis, n'exagérait pas en introduisant ainsi ce curieux réfractaire : « Je voudrais insister sur l'absence de toute compromission dans la vie d'André Breton. Son attitude résolument antiopportuniste est un fait très rare parmi les littérateurs. » Vous en faites rire plus d'un quand vous mettez ce grand psychorigide sur la même ligne que les girouettes accortes du clocher, nos dissidents statutaires pour qui le dernier qui gagne a raison. Coco, mao, reaganien, papiste, libéral, etc. Les similis sont du côté manche, là où il y a du chiffre à faire, tirage et titrage. N'auriez-vous pas confondu brave et bravache ? Le type-Breton et le type-Cocteau ? Imagine-t-on le renonçant de Saint-Cirq-Lapopie en éditorialiste associé du *Temps*, animateur d'émissions culturelles, membre de jurys littéraires, interviewant le milliardaire du jour ?

Ce dont je suis le plus reconnaissant, voyez-vous, à cet orgueilleux qui prenait toujours soin de l'infime et du négligé, et à ses alliés, c'est d'avoir, autant de fois qu'ils l'ont pu, accommoder leur longue-vue sur les trous noirs de notre Atlas, et donné la parole à ces deux humains sur trois que le troisième, le repu, n'écoute ni ne voit. Nous sommes redevables à la dernière poésie mondiale de langue française d'un élargissement outre-mer de nos fraternités hexagonales. Car c'est cela d'abord qui intéressait Breton, à travers le poème et l'essai : trouver des hommes, et faire qu'ils se regroupent, par-delà métiers et nationalités. Ce n'est pas par hasard que les contrées du *real maravilloso*, Mexique, Amérique du Sud et Antilles, ont donné l'hospitalité aux propagateurs du champ magnétique. Vous ne vous rappelez peut-être pas qu'en 1947 Breton, avec deux conférences, mit le feu aux poudres à Port-au-Prince, où sa parole, électrisant les jeunes lettrés haïtiens de la *Ruche*, déclencha une révolution d'étudiants qui finit par obtenir la tête du dictateur en place. Beaucoup de révoltés, militants de la négritude ou de la créolité, se levèrent sur ses pas, qui devinrent ensuite communistes, mais du genre rétif, qui ne le restèrent pas longtemps. Écoutez René Depestre : « Le surréalisme a été comme un paratonnerre, il m'a donné un anticorps contre le stalinisme et la langue de bois. Dès 1956, j'ai commencé à ruer dans les brancards. » Écoutez Aimé Césaire : « Si je suis ce que je suis, c'est en grande partie à cause de cette rencontre avec André Breton » (en 1941, à Fort-de-France). Stephen Alexis, Magloire Saint-Aude et le peintre Hippolyte... Pierre Yoyotte le Martiniquais, Georges Henein l'Égyptien, Georges Schéhadé le Libanais... Je sais que ces noms pèsent peu, pour vous, à côté de ceux de Hannah Arendt et de Raymond Aron. Ce n'est pas votre faute. C'est le crible naturel à tous ceux qui règlent leur boussole et leur montre sur Harvard, Londres et Berlin. Nos têtes d'affiche sont celles d'une planète rétrécie au morne vis-à-vis Europe/États-Unis — les plus fureteurs y ajoutent, notes de bas de page, un grain de Prague et un brin de Hongrie. Telle est la mappemonde qui sert de présupposé commun aux champions d'on ne sait quel retour à l'ordre et à nos dresseurs de listes noires parisiennes (dans d'indigents factums aux postulats rigoureusement symétriques des premiers, tant sont d'accord entre elles rive droite et rive gauche). Globe rétréci au lavage de cerveau, hémisphère hémiplégique à côté desquels « le monde au temps des surréalistes », cet atlas provocateur de 1929 qui inverse les échelles de valeurs entre pays nantis et pays oubliés, que vous reproduisez en signe de dérision, semble on ne peut plus de saison, et d'un prophétique à-propos. On jugera excellent que ceux qu'obsède le livre noir du communisme se voient rappeler, par le grossissement narquois de nos marges, le livre noir du colonialisme ; et que nos propres charniers fassent une place à l'Afrique des Grands Lacs et aux génocides de la « périphérie ». Sont-ils si nombreux nos avocats et historiens de l'État de droit qui se souviennent du Code noir promulgué par nos grands juristes ? André Breton l'exilé ne s'y résignait pas, et ce fut déjà une bouffée d'oxygène pour notre Landerneau. Cette « altermondialisation » du lyrisme à laquelle il a procédé par ses effractions et ses curiosités trouva certes une aide dans la mise au premier plan des formes plastiques, sur le même rang que les mots. Et de même que *syncrétisme* échouerait pour qualifier la fusion des contraires dans ce type d'esprit — le terme est mollasson et fade, ceux de *cosmopolitisme* ou d'*exotisme*, par ce qu'ils impliquent de suffisance un peu fanfaronne, restent courts devant cette porte battante sur la Terre. En matière romanesque, des contemporains du surréalisme comme Morand et Malraux ou plus tard Gary ont également repoussé les murs de l'imagination légitime hors de la petite Europe. Mais on ne sache pas que ces écrivains du monde réel, y compris le plus grand, Romain Gary, aient laissé sur leurs talons pareille traînée d'étincelles. Loti lorgnait des indigènes, Morand s'ébaudit des Nègres, Larbaud traverse des paysages. Et Malraux prête aux Chinois ses états d'âme. L'*estrangement*, pour un expatrié toujours aux aguets de « l'inconnu porteur de message », n'est pas de l'ordre de la scène ni du spectacle. À côté du merveilleux objet, Breton cherchait des êtres et des frères. De Tenerife à Prague, de Vienne à Mexico, ou de Londres à Fort-de-France, l'associatif-né s'adressait à des pairs, non à des étrangers ou à des comparses. Pour les aider à devenir davantage eux-mêmes, fût-ce en le reniant, lui.

« 80 carats, plus une ombre. » Sur cette ombre-là, qui a nom violence, on devra vous écouter. C'est votre point fort, le seul qui puisse légitimement gêner un lecteur de l'an 2000 : le style de l'invective, le coup de poing dans la figure. On commence par la manie de l'insulte (Tzara, « escroc en tous genres, vieux perroquet, indicateur de police », etc.), on se spécialise dans l'insolence froide, la sommation avant ouverture du feu, la singerie sectaire, et on finit dans l'expédition punitive, où trois prosélytes viennent rouer de coups chez lui un malheureux critique cacochyme. Cela est déplaisant. Cela n'est pas drôle. Mais cela est trop dérisoire pour être impardonnable, et cette contre-violence ne peut se détacher sans injustice du bouillon de violence de notre première après-guerre. Ce n'est pas la faute de cette mouvance si elle fut la fille de son temps (qui en fabriqua de pires, *proletkult* et futurisme). Une fleur sur un charnier, un rejeton des tranchées et des mitrailleuses. Quand on a traîné ses guêtres dans la boue sanglante de 14-18, on peut se sentir autorisé à faire retour à l'envoyeur avec quelques méchantes facéties. À l'échelle de la guerre civile européenne (le Christ et la raison tuaient mille hommes par jour en 1914), les brutalités surréalistes sont péchés mignons, et puérilités conjuratoires. Vous accorderez que la Grande Guerre, dont l'atrocité nous est devenue proprement inimaginable, tout comme

Buchenwald et Hiroshima à l'issue de la Seconde, pouvait jeter de l'ombre sur les grands mots de l'Occident — mesure, science, civilisation. Il est indéniable que le désir érigé en loi, le rejet des médiations, de l'institué et du délibéré, l'exaltation de « l'immédiatement et sans délai » portent en eux des germes de sauvagerie. Les mises en œuvre démocratiques (nous l'avons appris à nos dépens) veulent du différé, de l'indirect et du régulier. Le surréalisme s'inscrit de lui-même, et vous faites bien de le rappeler, sur la liste des attractions passionnelles fondées sur le court-circuit des délégations et représentations, qui ont engendré le pire en politique. On est bien forcé de voir que l'efficacité des pratiques communistes a fasciné les jeunes bourgeois du surréalisme, comme l'efficacité fasciste, en Italie, les jeunes futuristes (et un doctrinaire raciste comme l'Italien Julius Evola a pu passer ni vu ni connu de l'un à l'autre univers). D'où des pastiches et des postures d'activistes assez déplaisantes, il est vrai : le centralisme et le fractionnisme ; l'excommunication ignominieuse des mauvaises têtes, truc connu pour mieux souder le groupe autour du chef ; les conseils de discipline, et la mise sur écoute des suspects ; l'âpreté des attaques personnelles ; la manie du superlatif et la moralisation des divergences. Le plus dur à avaler, vu de loin, est sans doute la préférence accordée par Breton aux amitiés idéologiques sur les amitiés affectives, selon ses propres termes. Accordée ou *affichée* ? Car, à en juger par les réconciliations après exécution et les retours en grâce (Éluard et Aragon restant bannis pour stalinisme), l'homme paraît avoir été d'un naturel débonnaire ; comme si tout cela était joué, ou plutôt respecté telle une obligation de service, la marche à suivre quand on se veut le chef d'un parti d'avant-garde. Vous tirez avantage, mais c'est un fait auquel on ne peut rien, que notre connaissance des terreurs réelles de couleur rouge ou noire donne un sombre relief rétrospectif aux gesticulations imitatives du terrorisme intellectuel. Le nazisme en particulier, cette caricature de primitivisme, a sévèrement disqualifié à nos yeux l'exaltation des forces primordiales et des cérémonials de grand style. Mais si le penchant des hitlériens pour les mythologies nordiques (l'Atlantide inclus) doit criminaliser à tout jamais Parsifal et le roi Arthur, autant dire qu'Alexis Carrel doit nous interdire Bergson et son *élan vital*, comme les massacres de Septembre, Rousseau et la *volonté générale*. N'y a-t-il pas de la sophistique (*post hoc, ergo propter hoc*) au fond de ces dissuasions rétroactives conduites au nom des bonnes mœurs ? Le surréalisme n'en fut pas avare, ayant affaire à très forte partie. Le romantisme en 1830 avait en face de lui des burgraves exsangues. Les fruits étaient secs. Claudel, Valéry, Gide, Saint-John Perse, c'était, en 1930, une autre paire de manches. Le terrorisme est toujours l'arme du faible — ce n'est pas une excuse, mais un constat.

Le nœud du problème qui vous dérange n'est pas la nature passionnelle de toute vie de groupe, qui vit aussi, sinon surtout, de ses déchirures. Il n'est pas seulement d'ordre stratégique, même si tout contre-attaquant finit par se modeler sur l'occupant (par quoi toute polémique comme toute guerre finissent par aligner l'une sur l'autre les forces adverses). Il est de nature *médiologique*, et c'est celui du poisson soluble. Liquide ou solide, on ne peut pénétrer un milieu en lui restant étanche, et aucun mouvement d'idées n'a l'étrave du brise-glace s'ouvrant souverainement, d'une proue d'acier, une voie royale dans la mare. Qui contamine son époque est nécessairement contaminé par elle, nul n'influence innocemment. Et qui veut remonter le courant en reste dépendant. Dépourvu des moyens ordinaires de l'autorité intellectuelle, que sont tantôt la tribune journalistique tantôt la chaire institutionnelle, et parfois les deux, le caméléon surréaliste a procédé par contagion et osmose, et dans l'air moral du temps figuraient les techniques immorales d'intimidation comme toutes sortes de lieux communs symptomatiques. Quoi de plus commun, alors, que l'appel à l'Orient salvateur, l'adresse au dalaï-lama (laquelle se porte encore très bien) et l'enchantement des cosaques abreuvant leurs chevaux aux fontaines de la Concorde ? D'Artaud à Nizan, c'était l'antienne. Breton l'a au reste fort honnêtement reconnu dans son avertissement pour le Second Manifeste, où l'outrance et l'invective atteignent de sinistres sommets. « Une association humaine de l'ordre de celle qui permet au surréalisme de s'édifier ne laisse pas d'obéir à ces lois [...]. Il en faut incriminer le malaise des temps et l'influence de la lutte révolutionnaire. »

Défausse, direz-vous. Le ver était dans le fruit, et ces pitreries autoritaires, dans le principe même de l'entreprise, le dépassement de l'opposition entre l'art et la vie, la confusion du métier d'écrire avec le soulèvement des foules. Ils auraient dû, n'est-ce pas, se contenter de faire rêver les vrais amateurs d'art, au lieu de singer la révolution permanente. Vouloir faire de l'action la sœur du rêve, là résiderait l'intention délictueuse. Si tel est le cas, déroulez la généalogie du forfait jusqu'en haut, Rimbaud, la lettre du voyant, et Lautréamont, « la poésie doit être faite par tous ». Ce sont eux, les déclencheurs de la pire corruption du meilleur, celle du faire artistique par l'agir politique. Le métier d'art, selon vous, doit être sa propre fin, et le délectable ne saurait être le moyen de quoi que ce soit d'autre que lui-même. Breton, l'anti-Blanchot, entendait au contraire mettre l'écriture au service d'une aventure infiniment plus grande qu'elle, incompatible en tout cas avec la littérature comme art d'agrément, source de revenus ou façon parmi d'autres de se faire une place au soleil. Quand l'enjeu devient celui du « cri de la sentinelle », *littérateur* devient une injure ; *intellectuel*, un mot dégradant, puisque ainsi se nomme, aujourd'hui, celui qui ne fait pas ce qu'il dit et ne dit pas ce qu'il fait. Le soin mis par Breton à se distancier de l'épicerie littéraire n'était pas seulement une coquetterie ou une astuce. La recherche n'était pas d'une prééminence d'école, mais d'une raison d'être. Non d'un bien-écrire, mais d'une vie bonne. D'où sa méfiance envers les rhéteurs trop malins ou les prodiges sans effort, comme ce virtuose d'Aragon, « si peu humain », trop étincelant pour être sincère, trop étourdissant pour être vrai. La poésie étant pour Breton une façon d'être, dont on répond sur sa tête, ce serait le diminuer que de le qualifier, sans plus, d'écrivain, d'esthète ou d'intellectuel. Jugeant, par exemple, la France envahie depuis deux mille ans par les Grecs et les Romains, Breton, tout pauvre qu'il fût, s'est toujours abstenu d'aller passer des vacances en Grèce et en Italie, où il n'a jamais mis les pieds (« on ne va pas chez l'occupant »). L'important n'est pas la prémisse, vraie ou fausse, mais la conclusion qu'on en tire dans sa vie, ou non. Plût au ciel, à cet égard, que notre homme soit assez vite revenu sur l'idée que « l'acte surréaliste le plus simple consiste à descendre dans la rue et tirer au hasard dans la foule ». Et qu'il ait affirmé, après Hiroshima, qu'il ne voulait plus de la fin du monde (« nous n'en voulons plus depuis que nous voyons les traits sous lesquels elle se dessine et qui, contre toute attente, la frappent à nos yeux d'absurdité »). Il aurait bien pu trouver le moyen de passer à l'acte.

Oui, la chasse fut spirituelle, et la réquisition éthique, entre devoir et destin. Demander à l'imagination ce que d'autres demandent à la prière, un relèvement du niveau général, nous rappelle opportunément le mot de Malraux : « Le surréel, c'est du divin dédivinisé. » Se faire ainsi de la poésie un style d'existence, une règle de vie, l'équivalent d'un vœu solennel nous catapulte bien au-delà du domaine esthétique. Sous les dehors un peu risibles de la magie noire et de la secte à mystères, avec ses rites d'initiation, ses fers rouges sur la poitrine et le rejet du relaps dans les ténèbres extérieures, bien au-delà des boules de cristal et des romans gothiques, c'est bien une *religiosité* qui affleure ici. Et pas seulement parce qu'il s'agissait, pour le druide laïque, de *relier* des individus dissemblables et d'un tas faire un tout ; ni parce qu'on n'articule pas impunément un certain ennui de l'ici-bas, un certain dédain pour les grandeurs d'établissement sur l'idée d'une connaissance supérieure de type émotionnel et onirique. Mais parce qu'était proprement gnostique l'espérance d'une réconciliation entre la terre et le ciel, l'ardente attente du « point sublime ». Classique exemple du doigt dans l'œil incroyant. Malgré leur mépris affiché pour toutes les religions, et au cri mille fois répété de « à la niche, les glapisseurs de Dieu », les surréalistes athées, ont, pour sûr, rejoué la paille et la poutre des religions du salut. Comme tous ceux qui attendent de l'acte littéraire le même type de grâce rédimante et d'élection un peu ésotérique que le fidèle attend de l'acte sacramentel. On n'est plus dans l'ordre du jeu littéraire, ni même dans celui du choix philosophique, mais bel et bien dans le sacré, dès lors qu'il y a, par le biais d'une vocation, un choix de vie qui met l'être en entier sous tension, éventuellement jusqu'à la mort. Pensons à Vaché, Crevel, ou Duprey. Le sacerdoce, n'est-ce pas la différence véritable et ultime, finalement, entre romantisme et surréalisme ? L'un et l'autre ont troqué la poésie-condiment contre la poésie-levain. Les deux sont également disponibles pour l'outre-monde, mais le tonsuré n'a pas les mêmes latitudes. L'école romantique pouvait conduire sans forfaiture au Sénat ou à l'Académie ; non l'ordination surréaliste. Victor Hugo avait droit au bicorne et aux décorations, passé un certain âge. C'eût été, pour son arrière-petit-fils André Breton, non pas déroger, mais défroquer.

On a fait et on fera des gorges chaudes de ces crédulités anti- et pseudo-chrétiennes, énième mouture de « l'esprit sans esprit, cœur d'un monde sans cœur ». C'est votre parti. J'en ai un autre. Outre le respect disons humain qu'on peut avoir en général pour les témoins qui se font égorger, indépendant, bien sûr, de tout jugement sur le bien-fondé de leur cause (le martyre n'est décidément pas une preuve), il me semble que le vœu surréaliste incarne une religiosité portée à son meilleur, ou à son moins pire si vous préférez, parce que restant à l'intérieur de l'arpentable par tous. Quand on croit deviner, comme c'est mon cas, qu'un homme debout a régulièrement besoin, pour se mettre en marche, d'un point de fuite en force propulsive pour nouer ses lignes de perspective (couché ou vautré, il peut s'en passer), il est permis de juger rassurante, et somme toute assez économique, la proposition consistant à placer le point de fuite boulevard Magenta ou au fond des miroirs, à même le bitume ou parmi les fougères de la forêt de Paimpont. Le merveilleux surréaliste n'est peut-être que l'autre nom du pays où l'on n'arrive jamais ; mais ce n'est pas une mince réussite que d'être parvenu à détacher l'au-delà de nos jours de toute transcendance surnaturelle ou révélée. Et de loger « les portes paniques » au bout de la rue, en restant sur la crête de l'onde vitale la plus haute.

Vous pensez que le surréalisme en a trop fait, côté vie active ; d'autres, et non des moindres, comme l'animateur du *Grand Jeu*, René Daumal, que le mouvement est resté par trop contemplatif et qu'il aura joué en fin de compte *petit jeu*, avec ses délassements de société et ses « piétinantes recherches ». Et ce qu'ils redoutaient est advenu : figurer à présent dans les manuels d'histoire littéraire et non dans l'histoire des cataclysmes. Paulhan non sans raison s'irritait de ces gens qui haïssent la littérature sans la quitter vraiment. Moins bénin qu'un versificateur, moins nocif qu'un terroriste, l'entraîneur du cénacle a suscité plus d'études stylistiques que d'enquêtes de police, et tout porte à croire, pardon à ses mânes, qu'il a plus retenu l'attention, au soir de sa vie, des recteurs d'académie que des ministres de l'Intérieur. En ce sens, au regard des déclarations d'intentions totalisantes des deux Manifestes, le déficit est patent. Les fruits ont déçu la promesse des fleurs. La révolution sociale ne s'est pas mariée avec l'avant-garde artistique. Faut-il voir dans le demi-succès d'une poétique sans politique un symptôme du coteau modéré, de ce juste milieu si français qui serait venu stopper l'élan de ceux qu'horripilait le plus la pantoufle nationale ? Ou l'indice, tout simplement, que la pierre philosophale n'existe pas, et qu'il faut choisir entre la quête du merveilleux et l'inquiétude de la justice ? Dès lors, que reste-t-il du grand flamboiement annoncé ? De belles œuvres, avec un petit arrière-goût de cendre. Rien d'étonnant si la beauté, c'est ce qui reste quand le feu sacré n'a pas pris. Dans la recherche de l'impossible salut par le langage poétique, le surréalisme peut être jugé vainqueur aux points, ou par défaut. Il n'a pas rempli son programme, soit. Et pour cause, il était irréalisable. Mais il a tendu comme nul autre un filin entre la vie des formes et la vie de tous les jours, entre le rêve et l'action, qui ne cessent de se repousser l'un l'autre. Et le funambule sous tension a su ce qu'il fallait refuser, et à quoi se tenir, pour rester debout sur le fil qui ne mène nulle part, sans choir ni déchoir. On a fait de l'exemplaire avec moins que cela.

La première gorgée de bière et ce qui s'ensuit

Une sévère controverse opposa naguère les adeptes du texte court, réunis dans un manifeste par la NRF, à une école rivale, Ligne de risque, *accusant les premiers de surenchère nihiliste (1998). Ceux qui dénonçaient « les chantres du tassement provincial, les poètes du rabougrissement suranné », visaient leur figure de proue, Philippe Delerm, auteur de l'exquis* La Première Gorgée de bière et autres plaisirs minuscules, *athlète du ténu et du concis, au succès amplement mérité. Cette querelle entre les « moins que rien » et les « plutôt tout » incita* Les Cahiers de médiologie *à consacrer un numéro entier à un dilemme vieux comme le monde : la tartine ou la brève ?*

Il ne nous resterait donc plus que deux modèles en chien de faïence : le faiseur abondant et le sec inoffensif ? Les « grands sujets », nous oppose-t-on, ne se dégustent

Les Cahiers de médiologie, n° 9, 2000, « *Less is more*, stratégies du moins ».

pas à petites gorgées. Le monde doit se boire à longs traits...

Je confesse là-dessus mon ambivalence. N'y a-t-il pas une bonne et une mauvaise concision ? Perpétuel miroitement du moins qui, pour un rien, retourne le discret en phraseur et l'ascète en poseur... Double jeu des parcimonies... Splendeurs et misères de la soustraction... Et s'il y avait une démagogie du peu, valeur aristocratique, ô combien ? Contre la grandiloquence, qui ne voterait d'un mot sec ? Oui, mais pensons à Montaigne : « À force de vouloir éviter l'art et l'affectation, j'y retombe d'une autre part. *Brevis esse laboro, obscurus fio.* » Avec ce paradoxe que les *Essais*, avec leur rejet de l'emphase, nous donnent un terrible sentiment de trop-plein...

Qui vitupère le rétréci doit savoir quel orgueil gît sous l'abrégé. L'emporter d'un mot vif sur le pullulement des choses, essentialiser le profus par l'exact, dégraisser le diffus — Flaubert a eu de ces ivresses formulaires : « Le fait se distille dans la Forme et monte en haut, comme un pur encens de l'Esprit vers l'Éternel. » L'adepte du moins n'en pense pas moins (et vous fait sentir qu'il y aurait beaucoup plus à en dire, n'était sa discrétion naturelle). La langue latine a de ces fausses modesties. L'affichage de sobriété en fait une langue paradoxalement enflée, qui maximise l'écart séparant le mot de la chose. « Ce qui est bref est monumental, et ce qui est monumental est grandiloquent », observe à ce propos Clément Rosset dans *Le Réel, traité de l'idiotie.* Tacite, par exemple, a « l'art du raccourci grandiloquent ». Il renchérit sur le sous-entendu, en campant de grandes fatalités muettes, immobilisées dans des scènes de genre qui sacrifient aux images d'Épinal de la scélératesse (le crime néronien). Tacite, celui qui se tait, en fait trop dans le pas assez. « Le passage du modèle à sa miniaturisation s'accompagne alors d'un escamotage du modèle, qui disparaît au profit de sa représentation. » La pierre de touche qui distinguera le diamant du Burma, le grand teint du maniéré, serait donc à chercher, nous suggère notre ami, dans le rapport du mot à la chose. Quand le premier l'absorbe tout entière, en occultant « la variété et la mouvance du réel », il y a exagération confinant au comique. On prétend résumer, et on fait disparaître. On rétrécit l'autre pour se gonfler soi-même. Danger de concetti.

L'exhibitionnisme du lapidaire (le drapé, l'emporte-pièce royal) nous rappelle à coup sûr la lutte de classes et de castes entre *noble* et *servile*. De la devise comme blason. Là où les grands se fient à la saillie, le roturier se répand (en explications). Maxime, épigramme, aphorisme n'ont-ils pas hérité des morgues d'antan ? Voyez Nietzsche. Le grand style postule l'abrupt. Règle suprême : « Agir de façon logique, simple, catégorique, mathématique, se faire loi. » Ici, le discontinu reflète en brisures le perspectivisme (à chacun ses interprétations, pas de loi générale). C'est le « philosopher à coups de marteau ». Il serait bas de produire ses preuves. « Ce qui a besoin d'être démontré pour être cru ne vaut pas grand-chose. » La dialectique est l'arme des esclaves, et le syllogisme inutile. Ce qui est grand et fier n'étale pas ses raisons.

Les forces affirmatives fuient autant la remise de compte que la réfutation. L'aphorisme isolé sur son pic, totalité simple et imprenable, installe en hauteur la santé, physique et morale. On (se) retranche contre une populace qui, elle, *déborde* de bons sentiments. L'énigme en surplomb. Il y a un style féodal — fragmentaire, obscur, éclaté. L'altier se refuse aux liaisons, aux régularités, aux lourds enchaînements plébéiens. Ce *fragment*-là n'a rien du *lambeau*, à la Charles Juliet. Il ne signale pas un sujet brisé, dépecé, malheureux, mais un ego durci, barricadé et dédaigneux. Différence de la gifle à la bribe.

Même si l'abréviation peut être, pour Baltasar Gracián, une rouerie, elle indexe un jeu de prince, le jeu du Prince — on parle bref pour s'habiliter chef. Le style cherche à rattraper, ou simuler, la spontanéité abréviative de la noblesse d'âme et de sang. Car il est dans la nature du héros comme du Prince d'économiser ses mots — le meilleur moyen, soit dit en passant, de couper court à l'objection. « Je veille. J'aviserai » (Saint-John Perse). *Veni, vidi, vici.* César termine en commençant ; en disant qu'il se tait, il fait taire.

Une clandestine table des valeurs a été léguée en douce à l'âge télégraphique par l'*âge de l'éloquence*, le XVIIe siècle si bien campé par Marc Fumaroli. Elle oppose deux respirations, ou deux géométries (on disait alors l'« atticisme » et l'« asianisme »). Le camp du carré à celui des rondeurs. Table qu'on pourrait presque schématiser par un diptyque passe-partout de ce genre :

LE MOINS QUI MAJORE	LE PLUS QUI DIMINUE
Dépouillé	Fleuri
Sublime	Joli
Intensité, densité, qualité	Extension, diffluence, qualité

Viril	Féminin
Antiquisant	Décadent
Rugueux, le franc, l'âpre	Agréable, le facile, le flatteur
Caton de robe gallicane	Douceurs du langage de Cour
Juriste	Sophiste
Sententiae	*Colores*
Valeurs de caractère	Valeurs de séduction
Art de la guerre	Vils manèges du politique
Intransigeant	Accommodant

Une psychosomatique du style ? Une anthropologie des rythmes ? Tentante, la balançoire. Le cru et le cuit, le salé et le sucré… et le freudien reprendrait à la cantonade : l'anal et l'oral. Comme s'il y avait là un inconscient rhétorique, un tandem de caractères reconductible de siècle en siècle, avec sa traduction politique en aval (Nietzsche, là-dessus, remuant le couteau dans la plaie). Ce sera le *décisionnisme* du bref — face au *parlementarisme* du long —, dont la période tribunitienne serait la version haute, et la chicane avocassière la version basse.

Les temps héroïques préfèrent l'expéditif. Prompt et oiseux, svelte et replet, c'est guerre et paix. Le moraliste grand siècle précipite, densifie, accélère. Le capitaine aussi. Pas de temps à perdre aux afféteries, digressions, fioritures. On pense à la volée, on griffonne au pas de course, sous le feu. Le fameux « un bon croquis vaut mieux qu'un long discours » est du maréchal Foch, le vainqueur *in extremis* de la Marne. L'ellipse est le prolongement de la guerre par d'autres moyens : le style de l'urgence (comme la morale du même nom) fustige, rudoie, cingle ses contemporains, ces éternels baveux, à coups de silences prestes. La plume d'acier est moins un bistouri qu'un poignard (ainsi s'appelle parfois le *Manuel* d'Épictète). C'est la veine Rome, corsetée, désabusée, avec un certain goût pour l'extrême, dont l'horreur s'augmente par abréviation. Les grands taciturnes de nos lettres classiques ont à peu près tous exercé le métier des armes : La Rochefoucauld, Vauvenargues (capitaine d'infanterie mort à trente-deux ans), Laclos — on y ajoutera le cardinal de Retz. Ces Alceste à qui on ne la fait pas (« nos vertus ne sont plus souvent que des vices déguisés ») cultivent la pointe sèche, avec en eux « quelque chose de noueux et de solitaire ». Maupassant disait « les grands tristes ». La méchanceté sied aux fines lames. On cultive la brusquerie en marque d'ingénuité — le ton bourru et sans chichis, en dents de scie, assez adroit pour paraître gauche, s'ingéniant à ne pas faire de grâces. Montaigne échappe au drapé moraliste par la gaieté, et il brosse un portrait idéal du parler-vrai, le sien : « Un parler simple et naïf, tel sur le papier qu'à la bouche, un parler succulent et nerveux, court et serré [...], éloigné d'affectation, déréglé, décousu et hardi, non pédantesque, mais plus *soldatesque.* » Le court serait dès lors l'insigne du courage, contre les contorsions de l'urbanité, l'entortillé des salons. Le bref dénude, bas les masques, sus au fait. Aux heures de pointe de la vie collective que sont émeutes et batailles, la vérité chassée par les bonaces reviendrait au galop. Tranchante, impolie, sans ambages ni précautions oratoires, parce que simple et d'un seul tenant (le mensonge complique). On ne connaît pas de rhétorique qui ne fasse signe vers une éthique. Ou vers une disposition de l'âme — qu'elle exhibe ou trahit. Le louvoyant s'avoue vicieux. Le style serré exprime la *virtù*. C'était celui de Machiavel.

Le point de corruption du « plus par le moins », c'est l'apprêt du spontané. On se peaufine tel quel, naturel par décision : l'être par le paraître.

Les doctrines littéraires du moins sont des monstres du type centaure ou hippogriffe. En clair : des naturalismes artificiels. Pas facile de mettre l'envol en recette. Témoin de cette difficulté, Gracián, le père spirituel des moralistes français jusqu'à la fin du XVIIIe (c'est le XIXe siècle qui perdra sa trace). Il intronise la fabrique du charme, la ville à la campagne. Ce condensé magique d'innéité qu'il nomme dans son ouvrage intitulé *Le Héros*, *el despejo*, terme intraduisible désignant l'aisance des manières, la désinvolture gracieuse et hardie, ce je-ne-sais-quoi qui est l'attribut des rois, où il voit l'âme de toutes les qualités et qui leur assure, dit-il, un empire naturel sur les humains. L'élégance des actions, l'agrément des paroles — cela ne s'invente pas. C'est à cette confection qu'il invite pourtant l'*Homme de cour* comme le *Héros*, à ceci près qu'un naturel de composition, hypocrisie risquée, ne peut réussir que dans la dénégation de soi. « Tibère affecta la dissimulation, mais il ne sut pas dissimuler qu'il dissimulait » — donc il a raté son coup. Gracián demande « que toute qualité soit sans affectation », condition *sine qua non* du succès. « Le plus grand artifice, observe-t-il, est celui que l'on couvre par un plus grand », et le miracle de l'habileté, évidemment, est de ne pas paraître habile. L'art du moins, ou l'injonction désespérante du « soyez donc naturel ». Travaillez chaque minute de votre vie à faire de l'inachevé, du primesautier, du sans-façon. Gracián, le styliste du *double bind*.

Comme si le ver était dans le fruit, et qu'en basculant du XVIIe au XVIIIe l'art de la vitesse s'était contenté d'amener son double fond à la surface, comme un vice enfin avoué. Et voilà le retournement du soldat au marquis, du tranchant à la pointe. La mauvaise humeur devient trop bonne, le tragique glisse au venimeux, l'éclair au coup de patte. Frappé ou frelaté ? On trouverait sans peine la même réversible ambiguïté dans les arts de l'image, quand le retenu glisse au guindé, au convenu. Le retour du phrasé romantique, après la rigueur néoclassique, affichera bientôt l'abondance, signe officiel de la passion, contre les culs-serrés académiques. Le moins et le plus s'enchaînant ainsi dans l'histoire littéraire nationale comme les ordres en architecture et les écoles en peinture : par spirale, puisqu'il faut un certain temps au meilleur pour libérer son pire.

Tels le rêve et la veille dans nos journées. Nos mots d'enfant cristallisent à merveille la dynamique illuminante du court. C'est le *Witz* freudien. Il dit, comme en se jouant, par condensation et déplacement, non plus la restriction héroïsante, mais la jaillissante jouissance d'une échappée d'inconscient, dont le sauvage se sublime en « spirituel ». La valeur du trait consiste dans le plaisir qu'il procure, qui inonde l'adulte d'un remords d'enfance. « Le mot d'esprit n'est rien d'autre que l'*élaboration* d'un matériel inconscient infantile que l'adulte ne peut exprimer sans détour. » Un léger *rêve* éveillé, en plein jour. « Il procure, ajoute Freud, un petit bénéfice de plaisir pour l'activité simple et désintéressée de notre appareil psychique. » Tel serait notre meilleur moins : la roue libre du paradis perdu, qu'on retrouve parfois quand on lâche les freins, sans préavis, par sauts et gambades.

Et le moins bon ? J'y arrive : le bavardage laconique, ou quand le pointu se fait pointillisme. Paradoxe, boutade, calembour, coq-à-l'âne : point trop n'en faut. Le fétichisme du « mot » fatigue des mots. Le *moins* tourne mal dès qu'il cesse de nous délivrer de la comédie pour en devenir une lui-même. Sartre a joliment démonté les effets pervers du *moins* dans « L'homme ligoté » : « On peut bavarder en cinq mots comme en cent lignes. Il suffit de préférer la phrase aux idées. » Jules Renard a la verve fatigante, mais l'échec final émouvant, voire instructif. Heurs et malheurs du court — une certaine sécheresse de cœur monnayant une certaine force de pénétration. C'est un exemple parmi d'autres de ce « génie chagrin, perçant et étroit » qu'André Suarès reconnaissait à La Rochefoucauld, et qui inspire un profil assez stable dans la famille gendelettre : le misanthrope, pessimiste, neurasthénique et compulsivement antiféministe (« la femme, roseau dépensant », « bel animal sans fourrure dont la peau est très recherchée », etc.). À certains égards, Beckett en offrirait une version épurée, drolatique et métaphysique, et Cioran, une version catonienne et ronchonne. Jules Renard qui disait voir « la vie en rosse » assuma jusqu'au bout la morose contention du moins (« il faut économiser son cœur pour fortifier son jugement »). Il en est mort. Rien que des mots, pas d'œuvre ? Il avait dit : « Écrire à la manière dont Rodin sculpte. » Et au lieu d'enlever (la sculpture, *arte di levare*), il n'eut de cesse d'en rajouter, comme en peinture (*arte di porre*) ; le *Journal*, acide et mordant par parti pris, nous fait parfois l'effet, *in fine*, d'un cabotinage assez appliqué, quand Proust le méandreux nous donne une sensation janséniste de dépouillement. C'est le proliférant et non le pingre qui a traversé le temps. Les voies du Transmettre sont décidément impénétrables...

Soit. Reste la honte, quand le soussigné relit ses épanchements dix ou vingt ans après, de ne pas avoir fait le misanthrope pour de bon. L'irrépressible envie de gommer deux phrases sur trois par page imprimée. On rougit du relâché chaque fois qu'on survole à distance ses productions. Renard notait quelque part : « Je ne peux plus relire mes livres parce que je sens que j'en ôterai encore. » Oui. Le juteux a son sec. L'exact est affaire de dosage. Ce que savent d'or les publicitaires, sous la main de fer du marché, qui ne laisse personne respirer (ou perdre son temps) : le *jingle*, le *pitch*, l'accroche en enlèvent le plus possible. Et ce qu'enseigne le journalisme, car le reporter fait court (l'école Hemingway). La Genèse ? « Un homme. Une femme. Une pomme. Un drame. » Juteuse mnémotechnique (la rime intérieure), pour un journal ou une radio. Mais pour un mythe d'origine ? « Le secret d'ennuyer, disait Voltaire, est de vouloir tout dire. » Cet *abstract* du péché originel n'a rien de fastidieux, mais Adam et Ève en quatre mots expédiés auraient-ils autrement fait souche — lien et mémoire — chez les descendants d'Abraham ?

N'allons pas supposer, entre communiquer et transmettre, un jeu à somme nulle. Il ne suffit pas d'être un mauvais communicant pour réussir une traversée au long cours. On rêve, cela dit, de voir les « conceptuels » des agences et les « thésards » des amphis apprendre les uns des autres. Ce que la contrainte médiatique et tarifée inculque aux « créatifs », nombre d'universitaires et de phraseurs auraient intérêt à s'en convaincre — avec leurs (nos) thèses toujours trop longuettes, leurs (nos) notes inutiles en bas de page, leurs (nos) interminables bibliographies à tiroirs. La prolixité savantasse tient sans doute à une certaine volonté de venir à bout du réel par les mots, de dissoudre les originaux en vaporeuses subtilités. Nos parasciences institutionnelles exorcisent ainsi l'accidentel, le fragile, l'impromptu, bref le vivant, par la phraséologie la mieux accréditée du jour (et qui, demain, nous tombera des mains). L'Université, ou l'apprentissage des verbosités habilitantes (pour la carrière) et débilitantes (pour l'esprit). La litote classique maximise l'efficacité symbolique. Nos pauvretés copieuses — à commencer par celle-ci — témoignent d'une certaine propension à nous imposer le moins par le plus. Il naît de là un vieux conflit de préséance entre les rapides et les lambins, les essayistes, aigles à fulgurances, et les chercheurs, ânes à explications (qui remplissent les écoles avec pour mission principale de mettre en circuit d'autres ânes à leur semblance). Ne soyons pas trop dupes de ce théâtre traditionnel où littérateurs et lettrés échangent leurs mépris. Pensons aux ânes qui se donnent des allures d'aigle et aux aigles qui se déguisent en ânes.

À quel diable se vouer ? Entre le balourd et l'accrocheur, le pavé et la fusée, tout un chacun cherche sa voie. Pas de plan de route. Une errance à la va-comme-je-te-pousse, pour aboutir quelquefois à cette joie intense et pure : la rencontre inopinée, l'ajustement soudain du mot et de la chose. Que ton *moins* « soit la bonne aventure / éprise au vent crispé du matin / qui va fleurant la menthe et le thym ». Ces allégresses n'ont que faire hélas de nos résolutions.

Ces pages étaient donc de trop. Mille excuses.

Autobiographe ? Jamais de la vie

Me jugeant habilité à entrer dans le sérail de l'autobiographie par mon Loués soient nos seigneurs. Une éducation politique *(Gallimard, 1996), Philippe Lejeune, l'auteur du fameux* Pacte autobiographique, *et Jacques Lecarme, attaché aux littératures du moi, m'avaient généreusement convié comme témoin, la même année, dans un séminaire sur « L'autobiographie en procès ». J'ai alors tenté de me disculper. Lourdement. Ai-je eu raison ?*

Je ne connais rien à l'autobiographie. Vous me voyez dans le rôle peu glorieux du Nambikwara des forêts brésiliennes appelé à exposer ses mythes fondateurs devant un parterre de savants européens. Non seulement je n'ai pas de lumières à vous apporter, mais vous savez d'avance que tout ce que je vais avancer, à charge ou décharge, ne sera que mythe encore, ruse et fausse conscience. Aussi, quand j'ai découvert que j'allais jouer dans votre séminaire l'indigène avec pagne et plumes

---

Université de Nanterre, 19 octobre 1996.

auquel l'ethnologue demande de disserter sur la mentalité primitive — les autres coupables d'attentat à la pudeur, que j'aperçois dans la salle, restant spectateurs —, mon premier réflexe a-t-il été de prendre la poudre d'escampette. Après s'être raconté par écrit, l'embarras de raconter pourquoi et comment on se raconte fait une gêne au carré.

La gêne n'est pas d'avoir à s'affronter dans la glace, mais d'avoir à enfiler un costume trop grand pour soi. Évidemment, je sens déjà le sourire entendu de ceux qui savent que la résistance à l'autobiographie fait partie du tableau clinique de l'autobiographe ; la coquetterie comme préliminaire obligé de l'aveu, premier pas du rituel ; le refus d'identification comme la marque même d'une bonne déclinaison d'identité, etc. Et néanmoins, j'insiste. Ne me jetez pas dans votre sac sans y regarder à deux fois.

C'est bien de l'honneur, mais je ne suis pas et ne serai jamais un autobiographe !

Pour trois raisons, par ordre de gravité croissante :

1. Mes livres, disons, personnels (à la première personne du singulier), comme *Loués soient nos seigneurs*, me semblent bien accessoires et secondaires par rapport à mes travaux de philosophe (*Critique de la raison politique*) ou de médiologue (*Vie et mort de l'image*). Ils se vendent mieux, certes, mais m'intéressent moins — la preuve, ils me demandent moins de temps, de recherches, de relectures et de scrupules. On ne juge pas un bonhomme sur ses moments de faiblesse, ses retours sur soi après dix heures du soir, quand il digère au coin du feu et commence à divaguer. Vous me direz qu'à ce compte-là, il faudrait mettre *Adolphe* (« une

anecdote trouvée dans les papiers d'un inconnu ») loin derrière *De la religion considérée dans sa source, ses formes et ses développements*, ouvrage en cinq volumes dont Benjamin Constant, je crois, était beaucoup plus fier que d'un opuscule qui lui a pour ainsi dire échappé. Il y a loin entre ce qu'est un écrivain et l'idée qu'il se fait de lui-même, mais on peut tout de même se demander si, au lieu de rééditer, citer et analyser les *Mémoires d'outre-tombe*, on ne ferait pas mieux d'aller regarder d'un peu plus près (ce que je n'ai pas fait, je l'avoue) l'*Essai historique politique et moral sur les révolutions anciennes et modernes considérées dans leurs rapports avec la Révolution française* du jeune vicomte de Chateaubriand, au temps où il se mêlait aux batailles d'idées. Sans parallèles indécents ou comiques, j'aurais été plus flatté de pouvoir exposer mes vues (que je crois avisées et prévoyantes) sur l'axiome d'incomplétude à l'UFR de philosophie, que de disserter devant vous sur mes aveuglements passés et présents (y compris ma cécité à ma propre nature d'écrivain autobiographe).

2. En dehors de ces problèmes de face ou de rangement, il y a les questions d'affinité. Il se trouve que je n'ai pas la pulsion requise. Plutôt de la *répulsion*. Je ne fais pas bon ménage avec moi-même. Pas seulement avec la haine de soi (le réquisit de tout autobiographe qui se respecte), mais avec le moi en général (même si ce dernier admet des cas particuliers). Je récuse, en raison, l'ego psychologique, comme dépourvu de capacité explicative. Je m'oppose, en citoyen, à l'individualisme libertaire et à toutes les théories libérales qui en dérivent, sans parler des pratiques. Mai 1968, le micro baladeur, le livre au magnétophone, la prise de la parole —

me restent étrangers. Je n'ai jamais mis un pied chez un psychanalyste. Je tiens Freud pour un fabulateur inventif, un mythologue intéressant, et Lacan pour un réjouissant mystificateur (son utilisation de modèles mathématiques relevant, au dire des experts, de la fantaisie pure et simple). Dans le journal, j'évite l'édito en une pour aller de suite au reportage. Quant aux journaux intimes, ils me tombent des mains. La « corne de taureau », je la traque chez Hemingway, non chez Michel Leiris. Et j'ai fait l'impasse sur Sarraute, honteusement. Je ne tiens pas de journal, l'agenda suffit. Je ne suis pas d'origine protestante, mais de formation catholique ; j'en tiens pour la confession auriculaire et secrète — perversion peu propice à l'examen de conscience à voix haute des parpaillots, façon Rousseau, Gide ou Sartre. Ma classe sociale — et mes bons maîtres républicains ne l'ont pas sur ce point contrecarrée — m'a persuadé dès mon plus jeune âge que se mettre en avant est un signe de mauvaise éducation, et qu'un homme élégant est un homme effacé. Aussi ne me suis-je jamais assis au premier rang sur les bancs du lycée, ni dans les photos de classe, préférant me fondre dans l'arrière-plan.

Convaincu ainsi que les gens bien, comme la vérité (mais pour des raisons sans doute opposées), se reconnaissent au soin qu'ils mettent à se dissimuler, j'ai toujours agi avec l'idée que, pour faire distingué, il ne faut pas se distinguer. Une timidité naturelle, chance ou malchance, je ne sais, a fait que je n'ai pas trop eu à me forcer ni à calculer mon coup. Mais c'est là, je crois, un argument dangereux. L'exhibitionnisme des timides est irrépressible, et les pires trublions sont en temps ordinaire des introvertis (les longs refoulements ont de ces avantages : on se rattrape d'un coup dans d'insensées bravades). Jean-Jacques le pudique, qui rougissait pour un rien, a fait rougir comme personne ses contemporains avec ses impudeurs, ce que n'ont réussi ni Voltaire le prudent ni Diderot l'impudent. C'est le mystère de la chose littéraire qu'elle puisse transmuer, sur le long terme, un handicap individuel en avantage comparatif. Glissons donc vite sur ce défaut. De toute façon, ces détails psycho-biographiques n'ont aucun intérêt, j'abrège la liste des symptômes fâcheux d'insensibilité à soi (et aux autres aussi, d'ailleurs) ainsi que d'inaptitude à l'introspection (à l'observation également). C'était juste pour signaler que je n'ai pas le profil de l'emploi. Il me semble que les autobiographes dignes de ce nom parlent abondamment de leur enfance, de leurs aïeux, de leurs géniteurs, de leur lieu de naissance, de leur cour de récréation, du chocolat de cinq heures. Aussi bien n'avais-je jamais classé mes écrits les plus suspects dans ce genre littéraire (avec un bémol, peut-être, pour *Les Masques*) jusqu'à ce jour funeste de ma comparution. Par pruderie ou racine grecque, « autobiographie » me sonne à l'oreille comme « cocaïnomanie » ou « pédophilie ».

Je parle tempérament et non valeurs. Troubles de caractère et non morale universitaire. Qu'on ne me fasse pas reprendre les hiérarchies guindées de M. Brunetière au siècle dernier. Je ne dis pas, du haut d'un perchoir spiritualiste, que l'autobiographie est un genre bas, impur ou vicieux. Il me paraît personnellement plus ennuyeux que les autres, point final (dans la mesure, bien sûr, où l'on peut trouver aimable ou détestable une catégorie regroupant le pire et le meilleur, comme ce sultan oriental qui confessait un jour, devant sa dulcinée, être « amoureux d'un autre harem ». Il peut se faire qu'il y ait, dans un harem dont on n'est pas amoureux, ce qu'on appelle des « filles pas mal »).

3. Ma troisième raison d'être vexé est la plus sérieuse. Le passage au confessionnal n'a jamais été un signe de succès, ni de vitalité, ni d'accord avec « le vierge, le vivace et le bel aujourd'hui ». Il dit de soi l'affaissement, la défloration, sinon la démission. En tout cas, la mise hors jeu. L'autoanalyse aide à vivre l'impuissance — jusqu'à un certain point. À propos d'impuissance, j'ai lu quelque part chez Philippe Lejeune qu'un Allemand au début de ce siècle, un certain Misch, avait pu réécrire l'histoire de l'humanité sous l'angle des progrès de l'autobiographie. Mais ces progrès signalent sans doute autant de reculs dans la créativité historique des individus. L'autonomie littéraire du sujet croissant avec sa disparition comme sujet politique autonome. L'écroulement des mythes collectifs laissant libre cours aux mythologies personnelles de chacun, le rôle des individus dans la littérature augmenterait à la mesure qu'il baisse dans l'histoire effective. Hypothèse : moins ça fait, mieux ça cause. Sujet de baccalauréat : « vous mettrez en corrélation la montée en puissance de l'autobiographie comme genre littéraire et la baisse des capacités d'action individuelle sur la scène politique ». Chacun sait que les réussites littéraires se nourrissent des échecs existentiels, mais, en l'occurrence, le renversement du faire au dire n'a rien de consolateur, car pour qui met plus haut que tout la littérature d'imagination, pour qui préfère, tout compte fait, Giono à Gide, Balzac à Constant

et *La Chartreuse de Parme* à la *Vie de Henry Brulard*, culminer dans le genre autobiographique, c'est échouer dans le genre romanesque (le seul qui me fasse vraiment rêver).

On a beau se dire que tout est fiction, je vibre surtout aux fictions qui font partir pour de bon, qui nous sortent du petit chez-soi. Sous cet angle, un ouvrage informatif comme *Loués soient nos seigneurs* serait la maigre rançon d'un double travail de deuil : politique et littéraire, un double désastre mythologique (dans les entreprises collectives auxquelles on a pu participer *et* dans les idéaux esthétiques du moi dont on ne peut se détacher). D'où le clin d'œil compensatoire à Flaubert — l'éducation *politique* —, exorcisme plus que pudibonderie universitaire. D'où le choix de raconter les autres à travers soi, à défaut de pouvoir se raconter à travers un autre, nom d'emprunt ou profil idéal (Frédéric ou Angelo, la perfection dans le médiocre ou bien dans l'héroïsme). Thibaudet m'a convaincu : « L'autobiographie est l'art de ceux qui ne sont pas artistes, le roman de ceux qui ne sont pas romanciers. »

Qu'avais-je donc rêvé que je faisais ? Un *récit d'apprentissage*, à défaut de *Bildungsroman* (*Wilhelm Meister*, *Les Buddenbrook* ou *Moby Dick*). Qui aurait pu ou dû être signé par un hybride, moitié mémorialiste, moitié explorateur.

Le *mémorialiste* s'oppose à l'autobiographe — je reprends cette figure à Jacques Lecarme (avec qui je suis d'accord sur tout, sauf sur ce qui me caractérise) — en ceci que le premier se présente en témoin et le second en acteur. Il me semble avoir montré, plus que de raison, à quel point j'ai toujours été « deuteragoniste » et non protagoniste de mes propres engagements (avec l'élévation à la puissance paternelle de mes seigneurs successifs). C'est même là, si j'ose dire, l'immorale morale de ma petite histoire : quand on devient protagoniste, on cesse d'être dans le coup (ou l'inverse). Le *moi* advient à la place du *ça*, on retrouve une parole propre, c'est la guérison, fin de « l'engagement », début de la cure (le renoncement civilisateur). Je n'ai participé à rien de très mémorable, mais de ce peu-là, je crois avoir rendu simplement *témoignage*, où d'autres ont pu se lire et se retrouver (si j'en juge par le courrier reçu). Je est tous les autres. Je est un collectif, une génération. En mettant l'accent sur les gouvernants, commandants et présidents, non pour des portraits-charges, mais pour de vrais portraits d'histoire, je me suis réservé (j'espère, ce disant, ne pas trop me flatter) le rôle du comparse encore plus fustigé et démystifié que mes seigneurs eux-mêmes.

Quant à l'*explorateur*, c'est quelqu'un qui écrit des récits de voyage en pays lointain, une fois qu'il est rentré chez lui. Cette contrée secrète, ce continent noir, cette zone refoulée en chacun d'entre nous, c'était moins la politique que la passion politique, et moins encore la soif d'arriver que le désir de puissance, la *libido dominandi* augustinienne, qui peut se donner beaucoup de points d'appui, et de plus jouissifs que le pouvoir d'État, avec une fugace situation de ministre ou un vague rôle de Père Joseph. L'objet de ma quête était l'*inconscient politique* — où il faut voir l'effet individuel, intériorisé, d'une structure d'organisation collective qui oblige l'individu à délirer, à se *combler d'absence* (ou d'illusions ou de fantasmes). Et de cette incursion analytique sur une *terra incognita*, de cette auto-exploration sur un cas précis (l'échantillon expérimental disponible, votre serviteur, rien d'exemplaire, mais celui-là on l'avait sous la main), extraire quelques conclusions opératoires utilisables par d'autres, réutilisables par n'importe qui, en d'autres temps et lieux. Sur trente années, je pouvais expérimenter, sur la *pulsion d'emprise*, la méthode des « variations eidétiques » quand on fait varier les conditions d'existence empiriques d'une essence pour en dégager l'invariant. Le propos était donc, pour reprendre l'expression d'un sociologue anglais, Hoggart, de « *partir* d'une histoire personnelle et d'en tirer une signification qui dépasse le niveau de l'individu ». Je dis bien : *partir*, l'essentiel étant d'arriver dans des zones de généralité anonyme et, pourquoi pas, fantasme positiviste, *législatrice*.

Dégager des lois, rapports constants entre plusieurs séries de phénomènes. Il y aurait eu trois volumes d'égale longueur, sur la concupiscence indiquée en milieu militaro-conspiratif (l'Amérique latine) ; la même en milieu politico-administratif (Élysée, Conseil d'État) ; et enfin en milieu intellectuel-littéraire (théoriciens, écrivains, chercheurs). Ce dernier volet étant à mes yeux le plus révélateur, le plus crucial. Accidents divers, montages improvisés de dernière minute m'ont fait passer du triptyque au diptyque, et convertir le tome III en volume II (à paraître). Le tout aurait dû culminer avec un tableau synoptique des concepts et affects, des signes et des stades, tableau comparatif (sur deux pages, par lignes et colonnes) des conditions d'exercice du désir de gloire et de maîtrise, selon les milieux traversés. De ce souci de rigueur « impersonnel » (du moins dans l'exposition) est seulement resté, à la fin du premier volume, le petit lexique militant (inspiration de ces « fragments d'un discours ambitieux » : le Barthes des *Fragments d'un discours amoureux*). On m'a dit : rupture du ton, ce n'était pas sa place, le livre s'arrête avant. Appendice-alibi ? À voir. Je continue de penser, très professoralement (la dissertation supérieure à la narration), que la seule excuse au déshabillage d'une singularité est la production de vérités générales (Rousseau, fondateur de l'anthropologie). C'est toujours le cas, me direz-vous, et c'est au lecteur de produire la morale de la fable, la philosophie implicite et conclusive de ce genre de littérature. Peut-être.

Disons alors que certains mettent leur point d'honneur — par moralisme ou par pharisaïsme, au choix — à formuler explicitement les conclusions anthropologiques de l'examen de soi par soi. L'idéal : faire œuvre de science, en authentifiant la ou les « loi(s) produite(s) » par la minutie descriptive d'un protocole d'expérience. En subintitulant ce livre *Une éducation politique*, je croyais indiquer cette volonté de substituer, ou surimposer, un *discours* rationnel à un *parcours* personnel. Subordonner la quête d'identité à la recherche d'une vérité. Scolariser l'anecdote, rationaliser la circonstance. *Éduquer*, de toute façon, c'est faire sortir quelqu'un hors de lui-même, l'extraire de son privé, et le conduire de sa condition d'enfant, ou d'idiot (je veux dire : de particulier), à la condition sinon de citoyen du monde, du moins d'être raisonnable, ordonné à l'universel (toute éducation en ce sens est civique, et « éducation politique », une quasi-redondance). Éduquer, c'est, si j'ose dire, débiologiser, débiographiser. Pas de maturation spontanée. Une *Bildung*, c'est une formation singulière, mais à l'universel, et un *Bildung*/roman, me semble-t-il, le récit d'un parcours d'appropriation personnelle d'une culture générale. Une « Éducation », en somme, c'est une biographie surmontée et, si tout va bien, à la fin, autoraturée. Le chemin doit pouvoir disparaître dans le point d'arrivée ; les années d'apprentissage dans « les leçons de la vie ».

Quels ont été, pour l'élève-professeur que je suis, mes modèles d'écriture ? *Les Mots* de Sartre, comment y échapper ? Mais ce génie me semblant trop évidemment inaccessible, et aussi trop jubilant, trop fantaisiste, les sciences sociales restaient plus à portée quoique plus austères.

J'aurais en fait voulu pouvoir rebondir sur *Tristes tropiques*, chef-d'œuvre d'une littérature de la réalité (le contraire de l'autofiction), où le récit est document véritable, où l'extravagance de l'itinéraire, tempérée par l'exactitude des descriptions, introduit à des découvertes de nature philosophique. Le côté informatif de ce livre — botanique, sciences naturelles, géologie, histoire — n'exclut-il pas cette œuvre modèle du champ autobiographique ? Je le pense. Bien sûr, Lévi-Strauss dit « je » — mais est-ce le « moi je » de Drieu ? Ou un *je* qui transmue l'énoncé en énonciation pour *motiver* la narration et personnaliser un cheminement réflexif ? En tout cas, si le pastiche d'admiration était permis, j'aurais volontiers fait suivre mon « Je hais la vie publique et les politiciens » par : « Et voici que je m'apprête à raconter mes engagements. Mais que de temps pour m'y résoudre ! Cinq ans ont passé depuis que j'ai quitté pour la dernière fois le Conseil d'État, et pendant toutes ces années, j'ai souvent projeté d'entreprendre ce livre… »

Et je n'aurais pas terminé par « adieu sauvages ! adieu voyages ! », mais par « adieu grands chefs, adieu projets de société ». Cela, bien sûr, n'aurait pas suffi à porter un *Triste politique* à la hauteur de *Tristes tropiques*, mais aurait plus clairement signifié que l'intelligence des choses qu'on a un jour traversées est à placer au-dessus du salut de son âme par l'aveu de ses impostures ; et que les valeurs de lucidité importent plus que les valeurs de sincérité. Du pathos romantique, je me tamponne le coquillard. Tout au logos, c'est mon vœu de chasteté et de pauvreté littéraires. Obéir à l'intelligible. Le malheur consistant à sympathiser avec Drieu, quand c'est Valéry qu'on admire. (Sympathiser en dépit de son *Journal*, impubliable et non destiné à la publication, mais qui ne mérite pas, d'autres l'ont dit, la mise à l'index de l'œuvre entière.)

Je suis totalement d'accord avec l'idée énoncée par Jacques Lecarme que « l'autobiographie politique est une contradiction dans les termes ». Qu'il soit ou non possible de la résoudre, essayons de poser le problème. Un préfixe, un substantif. Deux impossibilités en un seul mot.

D'abord, la politique, ce n'est pas de l'auto, c'est de l'hétéro. Cet enfer aussi, c'est les autres. Les gens, les masses, le parti, la bande. Elle est allocentrique, sinon philanthropique. Elle entraîne hors de soi. S'il veut réussir tant soit peu en politique, le narcisse autocentré (du moins depuis la fin de la monarchie absolue, et encore, cela pourrait se discuter) doit s'ingénier à cacher son jeu, en faisant semblant, par exemple, d'aimer ses électeurs plus que lui-même. Alors de deux choses l'une : ou bien cet homme, sur le tard ou sur le retour, écrit sa véritable *auto*biographie, avec l'intimisme ou l'impudeur qui s'attache au mot, et elle n'est plus politique. En racontant sa petite histoire, son « misérable petit tas de secrets », il quitte l'Histoire, il dépolitise sa vie passée. Ou bien il triche, et ce n'est plus une confession subjective, mais un plaidoyer *pro domo*, de circonstance.

Je vois une autre contradiction, plus sérieuse, dans la deuxième partie du mot. La *bio* d'un militant est fléchée vers l'avant ; sa vie est faite de conjectures, de paris, d'anticipations, et donc d'expectatives. La *graphie* se fait après coup, de l'avant vers l'arrière (je parle ici de l'autobiographie, et non du Journal, ce dernier étant à mes yeux dix fois plus intéressant, parce qu'il documente à cru l'errance et l'incertitude). Après coup, on n'enregistre pas, on reconstitue. C'est plus synthétique, mais plus inauthentique. Comment alors ne pas retourner l'aveu en désaveu de soi ? Comment se solidariser avec des engagements successifs dont on connaît l'issue plus ou moins dérisoire ? Comment faire sentir les motifs qu'on a eus d'adhérer à des grandes causes qui ont découvert depuis, avec le temps, non seulement leurs petits côtés, mais leur sinistre dédoublement (Malraux des communistes : « Ce qu'ils disent est bien, ce qu'ils font est bas ») ? Les raisons qu'on a eues de suivre des « grands hommes » qui se sont révélés depuis moins grands qu'on ne le pensait, des libérateurs qui deviennent des dictateurs, ou des porteurs d'espérances qui rapetissent en politiciens…

La gêne de l'autobiographe, en la matière, sera donc redoublée : à la difficulté d'avoir à parler des autres (un sujet qu'on connaît tout de même moins bien) s'ajoute celle d'avoir à reconstruire un passé qui s'est déconstruit de lui-même. Si elle est trop réflexive, l'autobiographie évacue l'histoire éprouvée au bénéfice de l'histoire sanctionnée ; elle expliquera mieux le passé, mais on le comprendra moins (comment l'auteur a pu commettre, trente ans plus tôt, de telles bourdes, croire en de pareilles inepties, se tromper comme un bleu, etc.). Ou elle est trop narrative, sans prise de distance, s'efforçant de coller à des vécus de conscience abolis, et alors elle devient romanesque, mentir-vrai, et non plus autobiographie. Le lecteur comprend mieux, mais l'auteur n'explique rien. Pour réussir l'objectivation de soi — seule façon de transformer un récit autobiographique en outil de connaissance, voire d'émancipation —, il faut naviguer entre un trop et un pas assez d'intellectualisme. Pas assez, on tâtonne dans la complaisance subjective à soi-même ; trop, on introduit dans le sujet agissant d'hier le rapport intellectuel au sujet qui est le sien *post festum*, en lui prêtant rétrospectivement une lucidité, une homogénéité qu'il n'a jamais eues (même s'il les a acquises plus tard). Le récit chronologique peut alors jouer comme autodiscipline (mais il est d'autres solutions : celles de Semprun me semblent passionnantes, dans la construction en mosaïque des temps). L'équilibre est difficile à trouver entre l'histoire des faits et l'histoire du sens, car le sens qu'on leur attachait sur le moment, et sans lequel on n'aurait pas fait ce qu'on a fait, n'est plus le sens qu'on leur assigne une fois venu le moment, trente ans après, de la consignation des faits. Au fond, l'histoire des croyances est aussi paradoxale que l'histoire des sciences : elle consiste à reconstituer des erreurs déjà jugées ; à reconstruire laborieusement des objets périmés ; à donner droit d'existence à des opinions idiotes auxquelles s'oppose le sens commun le plus élémentaire. Sur le thème combien risqué du « la vérité est une, l'erreur multiple : il n'est pas étonnant que la droite professe le pluralisme », je broderais volontiers une variante du genre « la droite obéit à des intérêts, la gauche à des croyances : il n'est pas étonnant que les bonnes mémoires politiques viennent de droite ». Pour beaucoup de raisons, dont la moindre n'est pas qu'il est plus facile de reconstituer, après coup, un système d'intérêts qu'un système de croyances. Les mémorialistes « de droite » (pensons à Retz ou Saint-Simon) ont plus de chances de dire la vérité vraie que leurs émules de gauche, plus exposés non seulement à l'enjolivement rhétorique des crudités, mais à remettre de la logique et de la rationalité là où au fond il n'y en avait pas, sinon dans nos têtes mystifiées. L'autobiographie politique est un art impossible, qui ne laisse le choix qu'entre apporter de bonnes réponses ou faire revivre de fausses questions. Pourquoi ? Parce que la politique consiste le plus souvent à trouver sur l'instant de bonnes réponses à de mauvaises questions, je veux dire à des questions qui ne se posent plus trente ans après.

Cette vérité générale me semble encore plus douloureusement vraie lorsqu'il s'agit de reconstituer, au plus près de sa vérité, une période d'illusions lyriques, une tranche d'histoire où chaque engagement, chaque événement deviennent incompréhensibles si on les soustrait à l'avenir qu'ils croyaient se donner et qui leur donnait sens. Nous avons sans doute été (je parle pour les progressistes de cinquante ans et plus) la dernière génération de l'attente. Ou, plus simplement, d'une confiance très XIXe siècle en l'avenir radieux, meilleur, ou en tout cas différent du présent. Sans aller jusqu'à dire, avec Kundera, que le progrès est plus souvent l'annonce du pire que du meilleur, le trait le plus flagrant de la mentalité actuelle, c'est que personne n'a confiance en personne ni en rien et n'attend du lendemain autre chose que de son aujourd'hui. (Comment pourrait-on au demeurant faire fond sur une virtualité quand je ne peux déjà faire fond sur le tangible et l'immédiat : quand le corps d'une partenaire ne m'apporte plus de l'amour, mais du sida, quand la bonne viande de bœuf ne me donne plus des forces, mais un virus épouvantable, quand la transfusion sanguine, à moi hémophile ou blessé de la route, au lieu de me sauver, me contamine, quand l'*alma mater*, au lieu de nourrir maternellement de connaissances, me donne de l'amiante à respirer, etc.). Entre 1880 et 1980, nous, hommes de gauche, nous avons vécu dans l'expectative[1]. Nous avons, plus qu'aucune autre génération, je crois, voulu répondre à des questions qui ne se posent plus. À l'extrême gauche, et en particulier pour tous les croyants, fils putatifs de la révolution d'Octobre (ce qui fait bien quelques millions d'autobiographes potentiels), nous sommes des orphe-

1. J'entendais l'autre jour sur France Culture Henri Alleg raconter ses années 1950 de militant franco-algérien à une intervieweuse sympathique, mais qui le prenait pour un type cinglé. Il avait du mal à expliquer ses certitudes. À savoir que l'idéal socialiste, le pain et les roses, ça va exister un jour. Avant, il y avait le pain sec et des épines. Mais on pouvait supporter l'avant parce qu'il y aura un après. Contre le fascisme et l'hitlérisme, on a gagné. Contre le colonialisme, on a gagné. Eh bien, contre le capitalisme, on va gagner aussi. Les choses vont plus lentement que prévu, soit, mais elles vont. Dans le bon sens.

lins de l'Apocalypse, des frustrés de la catastrophe, des rescapés d'*un désastre qui n'a pas eu lieu*. Un procès interminable, qui nous a mobilisés corps et biens, qui a fait suer sang et eau, s'est soldé par un non-lieu. On a l'air fin. On a surtout mauvaise mine. Notre crédulité d'antan n'est plus croyable. On va faire rire tout le monde. L'idée de la Révolution avec majuscule ayant à peu près, dans la conscience actuelle, la consistance qu'a prise la théorie du phlogistique dans l'histoire de la thermodynamique, il me semble que l'entreprise consistant à donner un corps sensible à des mythes aujourd'hui exsangues (que ce soit en Chine, en Occident ou à Cuba) sans injecter de l'enchantement romanesque, de la fiction lyrique dans la reconstitution des faits, relève de la gageure. Le royaume de Dieu n'a pas de passé. Les illusions non plus. Millénariste converti à l'autobiographie, vous n'avez le choix, me semble-t-il, qu'entre deux positions fausses : ou vous reniez votre passé, au nom de votre lucidité présente, et vous racontez l'histoire triste d'une abjuration. Ou vous continuez d'épouser ce passé, pour vous justifier, et c'est la rétrospection paranoïaque d'un idiot. Apostat ou benêt. Dans les deux cas, l'autobiographie aura un relent d'amertume.

Amertume, pour l'auteur renégat, d'une apostasie. Amertume, pour le lecteur distant, d'un constat d'imbécillité.

Vous comprenez mon embarras.

JOURNAUX

Littérature et médias

Tel fut le thème de réflexion proposé par l'Association des écrivains slovènes pour la remise du prix littéraire Vilenica, en septembre 2000, à Ljubljana, charmante capitale d'une toute nouvelle république. Tel fut donc l'objet de ma dissertation publique en guise d'introduction un peu didactique aux débats.

Épineuse question que ce *et* à la fois déchirant et conjonctif, que vous vous et me posez et à laquelle je ne puis tenter de répondre qu'avec une certaine perplexité, en ma qualité d'apprenti écrivain, avec des idées on ne peut plus simples, et en sériant les inquiétudes.

Premier point. Ça n'a jamais été facile pour personne, à aucune époque, de devenir une personne. Ou de se faire dans le vaste monde « une chambre à soi ». D'échapper au dressage. Dans les sociétés religieuses, il y avait le catéchisme ; dans les États idéologiques, la propagande ; dans les démocraties marchandes, le journalisme. Nous déléguons spontanément aux médias (radio, presse et télé) le soin de trouver les mots justes, comme nous déléguons notre faculté de bouger à la voiture, ou celle de compter aux calculettes. Sans penser à mal. C'est une facilité qui nous est offerte par l'industrie, pourquoi ne pas en profiter ? Nous nous personnalisons tous à l'économie. En nous épargnant l'effort d'inventer, d'ajuster, de nous décaler par rapport au déjà-dit, déjà-connu. Nous grandissons à compte d'autrui, et non d'auteur, en faisant nôtres les épithètes, stéréotypes, clichés et cartes postales en circulation dans notre milieu. C'est un confort assez doux. On cherche, et trouve, dans nos organes publics d'expression, cocon protecteur et amortisseur interposé entre l'insolite et nous, ce qui correspond à nos attentes et à nos désirs. Ils y répondent de leur mieux. Ils sont là pour cela. On le voit : de même que la technique n'a rien de technique (ou, si l'on préfère, que l'américanisation n'a rien d'américain), disons que les médias ne sont pas médiatiques par substance. C'est l'instrument mis aujourd'hui à disposition de notre immémoriale et invincible tendance à vivre en harmonie avec nos semblables, à réduire autant que possible, en même temps que nos surfaces de frottement avec le milieu ambiant, notre difficulté d'être. Tendance proprement défensive et vitale, éternelle comme l'instinct de conservation. Elle a un adversaire presque aussi vieux que lui : l'écrivain. Rien de tel qu'un romancier pour rendre clair-obscur le transparent, insolite un fait divers, et complexe, ambigu, ouvert ce qu'une manchette ou une *cover* clôt en quelques mots simples et définitifs. La littérature joue la liberté contre la sécurité. Elle promeut l'écart à la norme. Ce jeu n'a pas de fin. L'autre non plus, qui veille à satisfaire notre besoin de filer doux sans faire d'histoires. Ces deux adversaires se font la guerre en chacun d'entre nous. Chaque progrès notable des puissances de conformation suscite comme un appel d'air du côté des forces d'écartement. Plus vous expropriez les consciences, par l'industrie du rêve ou de l'information, plus vous leur donnez l'envie de se construire une petite cabane à part, par le biais d'un artisanat fait main, comme l'est la littérature.

Toute langue littéraire est asociale en ce qu'elle est plus qu'un *moyen* de communication. Elle transcende sa fonction instrumentale, devient une forme en soi, capable de survivre à la disparition de son sujet, à l'usure des passions politiques, à l'évanescence des motifs. « Journaliste » est celui qui délivre son message, et s'en va ; « écrivain », celui qui, pour rester, s'intéresse autant à la manière qu'à la matière. Logique de la demande collective contre logique de l'offre personnelle. Par quoi l'homme des médias rassure, si l'écrivain offense. Le premier donne des gages à son groupe d'appartenance parce qu'il « présente le réel sous sa forme jugée » ; le second nous met face au réel, mais chacun pour soi, rien n'est tranché.

Je ne sais si nous portons la responsabilité de l'univers, comme le présumait Sartre, lorsqu'il voyait dans l'acte d'écrire un appel à la liberté du lecteur en ce qu'il lui découvre tout un monde à transformer. La responsabilité de soi, c'est déjà un apprentissage assez dur. La littérature en fait partie, au premier chef, rien qu'en démassifiant le langage, en désindustrialisant la culture. En nous incitant, par la force de l'exemple, à prendre du recul sur l'environnement, à nous confectionner nous-mêmes nos verres de lunettes. Délivrer l'homme de sa tribu, rendre sa propre voix à chacun, le soustraire ne serait-ce qu'un instant au ronron du collectif et du besoin, pour lui signaler qu'il y a quelque part de l'insubstituable, c'est exactement ce que les médias ne peuvent faire pour la simple raison qu'ils ont pour fonction de faire le contraire : replonger les petits poissons dans le bocal. La force émancipatrice d'un travail sur les mots se mesure en somme à sa vertu de *dégagement*. Elle seule peut briser l'intimidation morale comme méthode de pensée, repousser la violence des idées générales qui violent la singularité, des êtres et des situations, dissoute dans les emphases convenues de l'agit-prop mercantile. La littérature aurait alors inconsciemment pour mission de produire des inadaptés chroniques à la consommation de masse. Mission immorale si l'on veut, au regard du consensus, mais profondément éthique, au regard des consciences. Cette aptitude à dépolitiser dépend du traitement, non du sujet. Quand un Nabokov écrit sur les papillons, il nous aide à prendre le gouvernement de nous-mêmes. Quand un folliculaire s'apitoie sur des mineurs de fond, ses lamentos convenus prolongent l'aliénation. Aussi bien Nabokov a-t-il des lecteurs, et l'auteur de best-sellers une clientèle.

Deuxième point. Pour les corps et les âmes, la lutte de la lenteur contre la vitesse, véritable enjeu de survie, a partie liée, dans notre civilisation, avec les capacités du *tempo* littéraire de résister aux défonces stroboscopiques de l'image et du son. Si cette ligne de défense cède, c'est la victoire de la gondole et du cul d'autobus. Comment échapper aux cadences de plus en plus infernales du *fast-food*, *fast-sex* et *fast-thinking*, à consommer sur place et en un clin d'œil ? Dans le tout-info, digression interdite, flânerie déconseillée, *time is money*. Avec la peinture et la sculpture, la littérature apparaît comme l'une de nos plus performantes *machines à décélérer*. Malgré les formules de la lecture dite rapide, de prélèvement ou de picorage, malgré les *digests* et les extracts, le temps de la lecture reste heureusement incompressible, comme celui de la rotation de la Lune et du Soleil. Pour aller de Paris à Madrid, nous mettons cent fois moins de temps qu'un contemporain de Cervantès, mais pour lire *Don Quichotte* de part en part, nous mettons à peu près le même temps. Le temps intérieur de la méditation poétique de l'existence, où Kundera voit justement l'essence du roman occidental, a échappé aux progrès des moyens de locomotion. Ce monstrueux, cet irrémédiable décalage ne rend certes pas la lecture des classiques très commode, mais peut la rendre attrayante, par contraste, et de plus en plus précieuse pour le rééquilibrage physique et mental de nos organismes déstabilisés par l'incohérence et l'effervescence. Le présent a gonflé. Il est devenu obèse. Il a mangé le passé et l'avenir. Le dégonfler est une nécessité — et un plaisir. Les médias opèrent à coups de stimulations sans mémoire et d'impacts sans avenir ; la littérature desserre l'instant, et met de la syntaxe là où nous nous habituons à une rhapsodie de surprises sans débouchés ni conséquences. L'ordinateur réduit la profondeur de temps, un livre d'auteur prend son temps. C'est un maximum de durée dans un minimum de volume — avec un rapport temps/espace, comme on dit qualité/prix, jusqu'ici imbattable.

N'opposons pas ici, par une facilité rhétorique, l'homme de la culture à l'homme de la technique. Tout est technique — et l'alphabet aussi est une machine formelle, un dispositif inventé comme l'est le tube cathodique et le micro. Si l'on définit la communication comme un transport d'information dans l'espace, et la transmission comme un transport d'information dans le temps, on peut regarder la littérature comme la meilleure mnémotechnique ; une excellente technique de *transmission*, et la radiotélévision, comme une excellente technique de *communication*. Or le noyau encore obscur des déchirures intimes et politiques qui se font jour un peu partout provient sans aucun doute de la dissymétrie croissante entre les moyens, de plus en plus opérationnels, dont nous disposons pour vaincre l'espace, et ceux, plutôt archaïques ou délaissés, dont nous pouvons encore nous servir pour maîtriser le temps, cette épaisseur de temps qui fait une personnalité collective. Les industries à renouvellement rapide de la communication prenant de vitesse les institutions à rythme lent de la transmission, la nouvelle géographie des réseaux retient et fascine, reléguant au second plan les chaînons plus ténus de la continuité. Les époustouflants médias de l'ubiquité (la mondialisation) déclassent les médiums peu ou prou essoufflés de l'historicité (chaque mémoire culturelle). Nous savons de mieux en mieux *domestiquer l'espace* et de moins en moins *domestiquer le temps*. Notre territoire s'élargit, notre calendrier rétrécit ; l'horizon recule, la profondeur s'annule ; et les nouvelles générations naviguent sur le Web plus facilement que dans la chronologie. En sorte qu'au moment où la terre entière peut suivre simultanément le Mondial de foot à la télé, nos diverses littératures nationales deviennent lettre morte pour les écoliers. Le partage du passé commun devient de plus en plus malaisé, au fur et à mesure que la mise en commun des espaces d'information se trouve facilitée. Élargissement des zones de mobilité et rétrécissement du champ historique. Nous voilà mieux connectés, mais moins complices qu'auparavant. Plus proches du lointain, mais plus lointains de ce qui nous est proche.

Dans ce contexte, la littérature générale a cessé d'être un luxe. C'est devenu, pour chacun de nos pays, un produit de première nécessité. À l'orée du siècle dernier, un futuriste italien chantait « la voiture de course, plus belle que la Victoire de Samothrace ». À l'orée du nôtre, un Européen progressiste et soucieux de donner à l'Europe un futur devrait sans doute réhabiliter les vieux tacots de l'écrit, indispensables au transport du sens à travers le temps, sans trop s'occuper des bolides de formule 1 qui tournent en rond sur nos écrans.

Troisième point. Contre l'ouragan de l'indistinction, retrouver l'art des distinguos. Massifs et verticaux, irradiant en étoile à partir d'un point d'émission central, les médias d'information prénumériques (car la révolution technologique en cours peut permettre un salutaire éclatement des hiérarchies) immergent chaque petit homme dans la marmite (le milieu, la multitude, la cloche consensuelle). Leur emprise a été jusqu'ici (cela peut changer avec Internet) facteur de confusion et d'indifférence. Comme elles usent des mêmes objets — même frigo, même cylindrée, même Sony, etc. — et consomment la même *world music*, les mêmes pubs et les mêmes *serials*, les subjectivités tendent à l'alignement. De pays en pays, les jeunes se ressemblent de plus en plus. Nous nous imitons de mieux en mieux les uns les autres. Ou plutôt, car ce mimétisme est orienté, les plus faibles, les plus pauvres, veulent mimer les plus forts et les plus riches : parler la même langue, croquer des hamburgers, visiter Disneyland, se déguiser en citrouille pour Halloween, et courir voir *American Beauty*. Cette promotion du bas par imitation du haut revient curieusement à infantiliser tout le monde (l'ado étant le consommateur par excellence, c'est sur lui que se règle le marché culturel et médiatique).

Il échoit alors à l'invention littéraire une tâche enviable : balkaniser McDonald's. Mettre du baroque dans le standard. Fragmenter le village global, en sorte que chaque quartier d'Europe (et de la planète) puisse devenir son propre archiduché, et non une énième province de la métropole. Parler sa propre langue, arborer ses couleurs, ses infirmités, ses bizarreries, son humour, ses hontes. Nous rendre fiers de notre minable inélégance. Inventer des lieux, des distances, des oublis. Construire une carte par territoire. Quand on perd son complexe d'infériorité, on n'a plus besoin de collaborer avec son colonisateur.

Sans oublier, bien sûr, que l'autochtone n'est jamais un argument, mais un tremplin. Multiplier les échappées sur la commune humanité, en déclinant fermement l'invitation au folklore, au renfermement touristique qui ne peut que confirmer le centre dans sa centralité : telle apparaît à présent l'irremplaçable responsabilité du métier littéraire. Chaque culture dialoguera d'autant plus profitablement avec les autres qu'elle sera son propre centre.

Dernier point. Il faudrait avoir le temps, pour être exact, de relativiser l'opposition entre médias et littérature. Chacun sait qu'il est de mornes fictions et de merveilleux reportages, et que la vraie littérature se moque des lettres pures. La modernité peut se définir comme une pratique délibérée de l'impur, une joyeuse hybridation entre l'éphémère et le durable, le fugitif et le pérenne. Pensons au journaliste-écrivain (disons, chez les Français, Vialatte ou Lacouture). Pensons à l'écrivain-journaliste (disons, en anglais, le premier Hemingway ou le dernier Mailer). Il arrivait à François Mauriac, prix Nobel de littérature, d'être encore plus mélancolique ou chuchotant dans les hebdomadaires que dans ses romans. L'artiste moderne, celui dont Baudelaire disait qu'il doit tirer l'éternel du transitoire, n'a pas de honte à servir deux maîtres. Il avance en claudiquant. La tour d'ivoire n'a jamais été, au reste, un gage de résistance aux intempéries (un pamphlétaire comme Vallès n'a-t-il pas mieux vieilli qu'un puriste parnassien comme Leconte de Lisle, son contemporain ?). Impossible de couper les ponts entre livre et journal d'un trait de feu. Ce serait oublier, pour le XIXe siècle, tout ce que la littérature doit à l'invention de la pâte de bois, de la rotative et du chemin de fer : le roman-feuilleton, la chronique, la critique, le billet, la charge, le bloc-notes. Ce serait oublier, pour le XXe, tout ce que l'art d'écrire a gagné (et pas seulement perdu) avec l'invention de « l'intellectuel », journaliste par obligation, homme public et par nature publiant, médiodépendant toujours en mal de tribunes (sans le journal *L'Aurore*, pas d'Émile Zola, et c'est de sa lettre en une au président de la République que date, en 1898, ce substantif dévorateur d'« intellectuel »). Les écrivains qui acceptent de se faire des ennemis ; ou qui ne veulent pas toujours écrire pour ne rien faire ; ou qui, sans être bretteurs ou spadassins, n'ont pas de honte à descendre de cheval, se résignent de loin en loin à la dure loi du genre — rapidement raboteuse.

On court là un danger, moral et pas seulement esthétique : le simplisme et le manichéisme attendent au coin du bois quiconque succombe aux sirènes de la communication d'urgence. Chacun s'en débrouille comme il peut, affaire d'âge et de cœur. Au risque de plaire, et de se perdre. Car le courage n'est pas toujours où on le croit. L'engagement peut servir d'alibi à la paresse exploratrice, un écrivain peut fuir sa vérité dans le débat public, et telle éclatante incursion dans l'actualité masquer l'effroi d'avoir à parcourir, page après page, ses noirs « espaces du dedans ».

Les médias centrifuges menacent la concentration égocentrique sur l'œuvre à faire ou à poursuivre ? Soit. Le journal, c'est tout ce qui périra dans la journée, et la littérature, ce qui resterait le lendemain ? Entendu. Mais n'opposons pas le contreplaqué au marmoréen. Si la presse est l'ennemi, c'est l'ennemi intime. En nous chantent les sirènes. Dans cette part de nous-mêmes qui veut être lue et louée, critiquée peut-être, mais discutée, exécrée s'il le faut, mais reconnue. La tentation est devenue d'autant plus forte que l'Amérique l'emporte sur l'Europe en Europe même, et que l'attrait de l'image, dans notre propre milieu, éclipse les légendes dorées du poète maudit. Notoriété d'abord. Il est de moins en moins facile de tourner le dos à son ombre, à son double, à son nom. Quel créateur peut se vanter de n'avoir jamais hébergé un faiseur, rêvant de casser la baraque à son tour — flatter le plus grand nombre et au moindre effort… J'en connais, parmi les moins enclins à la posture, qui s'abonnent sur le tard à l'Argus. Ils finissent par collectionner, au fond de leur ermitage, les coupures de presse, pour savoir ce qui se dit à leur propos sur les grands boulevards. Les médias : impossible de vivre avec eux, ni sans eux. Définition du couple infernal (ou du couple tout court) : je ne la supporte pas et ne puis m'en passer.

Vous allez publier un livre — difficile. Vous y avez mis des mois, des années de travail. Votre éditeur y va de sa poche. Il vous a consenti une avance. Ne devez-vous pas rembourser votre dette ? N'avez-vous pas, surtout, l'envie de trouver quelques centaines, voire quelques milliers de lecteurs ? On vous parle alors de chiffres de vente, de diffusion et de presse. Problème : la critique littéraire, le « compte-rendu » rétrécissent dans les médias (même dans la presse écrite dite sérieuse) comme peau de chagrin. Là où elle se maintient, elle fonctionne en circuit fermé, quand elle n'est pas entre les mains d'un clan adverse et venimeux... Et donc, comment refuser, ici et là, s'il s'en propose, la classique « interview » (qui permet au journal, radio ou télé, de ne pas se prononcer pour ou contre). Ainsi serez-vous amené à répondre à des questions qui ne vous tiennent nullement à cœur et concernent fort peu votre livre. On parade, on plastronne, on bavarde. On parle élections, scandales, affaires. On se fait bien voir. En se faisant reluire, on se *désœuvre*. Flaubert disait du romancier que sa personne doit disparaître derrière son œuvre, « comme Dieu dans l'univers, présent partout et visible nulle part ». Le vu à la télé nécessaire à quiconque souhaite être lu oblige maintenant chaque petit démiurge à faire trois petits tours sur les planches. Ce qui escamote le travail derrière la signature, ou plutôt derrière l'image stéréotypée qui rendra un lettré consommable par un public généralement illettré. Cette inversion fond/forme n'est pas moins saumâtre pour le romancier des idées appelé philosophe que pour le romancier des êtres. Faut-il en conclure : pour vivre féconds, vivons cachés ? Peut-être, mais il faudra alors en assumer les conséquences : nos manuscrits gagneront en qualité, mais resteront dans nos tiroirs. Qui se dévouera pour les éditer ? Un philanthrope ?

Apories, déchirements, incohérences : je me disais perplexe en commençant. On a quelques raisons de ne pas trancher. Le certain, c'est que le renoncement qu'exige tout travail solitaire sur la langue et les complaisances qu'implique la risette au public ne sont pas de même nature. Il faut sans doute et de l'huile et de l'eau pour faire avancer une automobile comme une carrière, mais autant que possible pas dans le même réservoir. Trop de familiarité avec les micros, la création en souffrira. Trop de bouderie, c'est le créateur qui souffre et peut s'aigrir. À chacun de godiller entre Charybde et Scylla, bon an mal an. *Never explain, never complain*. Et vogue la galère...

Albert Londres, le totem

Jean-Claude Guillebaud, qui a reçu le prix Albert Londres en 1972, a publié en 1992, aux éditions Arléa, les Œuvres complètes *d'Albert Londres. Ayant moi-même réalisé un petit film sur la concession française de Shanghai et enquêté sur les circonstances de la mort du grand reporter, dans un naufrage au large d'Aden, je ne pouvais rester indifférent à cette initiative venue fort à propos.*

Nos amis journalistes ont depuis soixante ans un totem nominal, tonton pieusement invoqué et rarement visité, brandi comme un blason de noblesse au-dessus des misères du jour : Albert Londres. Le voilà, grâce à la complicité d'un digne émule de l'Ancêtre, Jean-Claude Guillebaud, rendu à sa vérité. La vérité d'un reporter, c'est l'ensemble de ses reportages. Enfin réunis en un seul volume, nous pourrons désormais faire le tour d'un grand écrivain public, disparu en mai 1932 dans l'incendie du paquebot *Georges-Philippar* qui le ramenait de Shanghai, la New York de l'Asie d'alors, et — ce qu'on sait moins — la première ville française d'Extrême-Orient.

Le mythe Albert Londres va-t-il survivre à sa vérité ? Il y a toute apparence que oui. Et l'enjeu n'est pas mince. Il en va du « grand reporter » tel qu'en lui-même enfin. Ce mixte étrange de Rouletabille et de Zorro, entre limier et justicier. Peut-il ressusciter — le « flâneur salarié », marginal de luxe, libre de ses mouvements, passant à volonté d'un journal à un autre, tirant sa révérence à la première passion, multipliant les pieds de nez aux gouvernements, au Quai d'Orsay comme aux puissants du jour ?

« Un reporter, Monsieur, ne connaît qu'une ligne : celle du chemin de fer. » L'esprit d'indépendance est de toujours. Mais la civilisation du chemin de fer n'est plus vraiment la nôtre. Alors, mythe éternel ou incarnation d'un moment historique ?

Venu d'Amérique, le reporter fit son apparition dans les journaux français après 1870, où il prend la place de feuilletoniste (Londres aussi publiait par épisodes). Le mot reportage apparaît en français en 1876, et plutôt en mauvaise part. Les contemporains des Goncourt y voyaient même le début de la fin de la littérature. Il y avait eu pourtant le Chateaubriand du *Voyage d'Amérique*, le Victor Hugo des *Choses vues*, l'ancêtre des ancêtres, et Flaubert lui-même, celui de *Par les champs et les grèves*. Il arrive aux hommes de plume d'être des hommes d'action. Mais la littérature est noble parce qu'elle se publie en livres ; le reportage est vulgaire parce qu'il paraît dans la grande presse, laquelle, aux yeux des littérateurs, n'a jamais bonne presse. Les hauts et les bas du genre sont en effet ceux du support imprimé. C'est dire que l'entre-deux-guerres a été son âge d'or, quand les titres en France foisonnaient et les tirages atteignaient facilement le million. Le grand reportage, c'est le naturalisme plus l'électricité ; le récit de voyage romantique, plus la rotative industrielle. Cette période dans les procédés de transmission débute avec le télégraphe électrique, assimile le bélino et la photo de presse (*Paris-Soir,* 1931) et s'achève avec la retransmission télévisée par satellite. À quoi bon des *Choses vues* quand chacun peut les voir dans son fauteuil, sur un coup de pouce, en images et en temps réel ? Roger Vailland en Indonésie et Sartre à Cuba sont passés juste avant la tombée du couperet électronique. Londres, lui, appartient à une constellation, une famille, une bande de joyeux complices qui comptait Henri Béraud, de *Gringoire,* Léo Gerville-Réache, du *Matin,* et André Tudesq, du *Journal,* mais aussi Kessel, Morand, Malraux, qui, eux, restent de toujours et de partout. Jusqu'au délicat André Gide, qui ne dédaignait pas les chemins de fer, les chaleurs et les mauvaises nouvelles à rapporter de Moscou ou du Congo. Le croisement des belles-lettres et du grand quotidien ne fait pas que des bâtards. Voyez Hemingway.

La France n'a certes pas eu de Kipling, de Foster ou de Lawrence. Pour l'épopée coloniale, Loti, c'est un peu maigre. Notre empire, il est vrai, ne faisait pas le poids face à celui de la reine Victoria. Nos écrivains de l'époque ont plutôt été anticolonialistes, et ces réfractaires se sont imposés comme reporters. Moins poètes de l'action que contrôleurs d'injustice, fureteurs et dénicheurs de hontes cachées, toujours prêts « à porter la plume dans la plaie ». En l'occurrence, le bagne de Guyane, les bataillons disciplinaires d'Afrique, la traite des Noirs et des blanches, le trafic officiel de drogue. Londres n'avait rien du militant, et encore moins de l'ethnologue. Son regard est assez peu internationaliste (parfois même franchement franchouillard dans l'emploi ricanant du stéréotype indigène). Mais son adversaire désigné, ou son interlocuteur principal, a toujours été le ministre des Colonies, auquel il adressait semonces et mises en demeure publiques. Le fait colonial a été, pour le reportage, un formidable stimulant, à la fois de curiosité et de responsabilité. Sa disparition n'a pas démotivé les successeurs qui ne songent eux aussi qu'à boucler leurs valises, mais elle a calmé la colère. Ce qui donne au reporter d'aujourd'hui, en comparaison, une sorte de détachement professionnel, loin de ce frémissement d'indignation tendue qui court sous les lignes pourtant laconiques d'*Au bagne* (1924), ou de *Dante n'avait rien vu* (même année). Le métier est toujours aussi meurtrier, mais c'est devenu un métier précisément, quand cela fut une vocation, et parfois un apostolat.

« Le luxe, c'est d'aller lentement », disait Colette à Proust en 1931. Londres écrit vite, efficace, mais voyage lent. « Au revoir, lui lance un rédacteur en chef. — Oui, répond-il, à l'année prochaine. » Chacun de ses voyages, de ses enquêtes, dure plusieurs mois. Paquebot oblige. On ne prend pas l'aéroplane, on ne dicte pas par téléphone. On envoie les dépêches par radio (la première jonction sans fil de France en Argentine date de 1922). Les premiers téléscripteurs apparaissent peu après. Le reportage est un talent et une morale. C'est aussi un milieu technique, transmission et transport. Un certain espace-temps. Celui, bien tempéré, de la graphosphère. *Andante assai*. Entre le système avion-télé d'aujourd'hui et le système poste-diligence d'avant-hier, le tandem train-transat donne du recul sans faire perdre la boule.

Précieux moment d'équilibre médiologique. Il y a des intervalles entre le voir et le faire-savoir, on a le temps de s'imprégner des lieux et de choisir ses mots.

L'outre-mer est encore exotique, mais déjà accessible. La Chine est loin — trois semaines avec les *Messageries maritimes*, deux par le *Transsibérien* —, mais pas trop loin. L'actualité n'a pas encore dévoré l'histoire. Ni l'enregistrement des faits, la faculté d'empathie. Il est probable que l'ubiquité et l'instantanéité cathodiques soient fatales à ce beau genre. Non qu'il n'y ait plus la même pâte humaine, mais, comme dit Gilles Perrault, la collision a remplacé l'imprégnation. Les journaux n'en ont plus vraiment besoin. Et les lecteurs sont devant leur poste. Quatre-vingts pages ? Vous plaisantez, cher ami, trois images fortes, ça suffira. L'homme d'action — ou l'agité —, le généreux — ou le curieux — laissent donc tomber la plume pour la Betacam et la liaison satellite. Souvent, ils se montreront eux-mêmes à l'écran, au lieu de donner à voir, par l'écrit, les êtres, les atmosphères, et les couleurs. Et puis, on n'a plus le temps. Culture du scoop. Hommes pressés. Il faut rentrer ce soir. Rendez-vous au « 20 heures ». Si je le rate, c'est fichu. L'actualité sera déjà ailleurs. Autre technique, autre médiasphère, autres mœurs. Imaginez l'auteur des *Comitadjis* (*Le Terrorisme dans les Balkans*, 1932) aujourd'hui en Bosnie-Herzégovine. Mais deux minutes d'images incohérentes font désormais l'affaire.

Donc, lire Londres. Un généreux précis et qui prenait le temps. Il en faut pour enquêter, vérifier une rumeur ou percer un mystère. La disparition d'Albert Londres en est un, et un beau. Étonnant que tous les enfants putatifs du redresseur de torts ne se soient pas plus souciés de lever ce voile-là. L'incendie du *Georges-Philippar* au large de Djibouti, et que Londres ait fait partie des victimes (la plupart des passagers ont été sauvés), n'est sans doute pas accidentel. Lancée par l'extrême droite de l'époque, la rumeur selon laquelle Londres en savait trop sur « l'immixtion des bolcheviques dans les affaires sino-japonaises », reprise par l'éditeur — une erreur sur 850 pages, c'est peu —, témoigne d'une méconnaissance plutôt hâtive des réalités. Il est vrai qu'il m'a fallu un voyage sur place, à Shanghai, et à peu près un an d'enquête, sans doute par manque de flair et d'expérience, pour élucider cette fin obscure et symbolique[1]. Tant il est vrai qu'on ne s'improvise pas reporter. Et qu'un reportage sur le prince des reporters n'est jamais de tout repos.

1. Voir Régis DEBRAY, *Shanghai, dernières nouvelles. La mort d'Albert Londres*, Arléa, 1999.

Jean Daniel au miroir

En 1998, Jean Daniel, directeur du Nouvel Observateur, *et beaucoup plus que cela, publia ses « carnets 1970-1998 » sous le titre* Avec le temps. *L'hebdomadaire me demanda d'en faire la critique dans ses propres colonnes. Un défi agréable parce qu'amical, mais toujours périlleux à relever.*

La mémoire des anciens ressemble aux vieux cosmos. Comme dans certains apocryphes d'Hénoch, l'un des neuf Justes hissés directement par Dieu au paradis, on a parfois le sentiment (si l'on oublie les écrivains, que sa meilleure part met au pinacle) que la sphère céleste de Jean Daniel s'étage en cinq niveaux. Il y aurait, de haut en bas, les illustres (le pape, les chefs d'État et les Nobel), les importants (ministres de passage et académiciens), les familiers (les collaborateurs réguliers du *Nouvel Obs*), les suspects (au dernier rang desquels, le soussigné) et les sans-réputation, aux portes des Ténèbres.

Le Nouvel Observateur, 6 juin 2002.

À chaque grade, son dû. Et ses handicaps. Il n'appartient pas à un collaborateur du *Monde diplomatique*, à un ami des sulfureux Chevènement, Serge Halimi et Bernard Cassen, pour s'en tenir aux noms qui fâchent le Lubéron, sommet moral de la pyramide (l'Éden est toujours en hauteur), d'émettre un quelconque avis sur les esprits surnaturels qui hantent le festival d'Évian, la Fondation Saint-Simon et les dîners du Siècle. Aussi s'abstiendra-t-on ici de tout jugement sur leurs jugements, qui constellent ces pages, pour ne retenir que la facture, l'allure littéraire du vaste garde-mémoire, plus à notre portée.

Il y a plusieurs manières, en effet, d'envisager cette somme autobiographique. Mon ironie, fût-elle lourde, est l'une d'elles. Comment ne pas commencer par là, puisque l'auteur, témoin à charge contre lui-même, prend souvent les devants ? « Les hommes de lettres écrivent pour eux, entre eux, sur eux. Consultez leurs mémoires : aucun d'eux ne vous épargnera sa rencontre avec Gide, Malraux, Picasso, etc. N'est-ce pas d'ailleurs ce que je fais moi-même ? » De fait, pour le carnet de bal, compétiteur s'abstenir. La valse des sires, excellences, éminences, immortels donnerait le tournis à Mme Verdurin. Mauvais calcul, peut-être. Les auteurs devraient savoir qu'étaler les raisons qu'on a de les aimer les fait en général détester. Souhaitons que le côté « petit-déjeuner avec Kissinger au Ritz » n'écarte pas de l'essentiel les lecteurs heureusement peu nombreux de Léautaud, Charles Juliet ou Leiris. Ceux-là auraient tort de ne voir ici que les raclures de la vanité, les miettes de l'événement, le vent des agendas. Mettons cette fascination pour les rois et reines d'un jour au compte d'un « idiotisme de métier » : les écrits intimes du journaliste, fût-il inspiré, n'échappent pas facilement à l'aimantation par les glorieux. Ce n'est pas le plus court chemin vers la postérité. Jean Daniel, il s'en doute bien, ne trouvera pas la sienne côté cuivres, mais côté cordes, dans les mélancolies du *Refuge et la Source*, sa première confession. Le désintérêt pour les marges ou les franges brouille le miroir. Yves Bonnefoy, Clément Rosset, Dominique Noguez tiendront mieux la rampe, le sait-il, que les « maîtres à penser » du moment, qui pourraient presque faire manquer le temps qui reste aux chroniqueurs du temps qui passe. « Le *name-dropping* est le travers le plus vulgaire dans un métier où la difficulté n'est pas de rencontrer les célébrités, mais de les éviter. » Qui signe cela ? JD 1, le littéraire, l'homme des vraies saveurs, que JD 2, plus vulnérable aux fausses valeurs, et dont on n'est pas sûr qu'il soit vraiment doué pour l'esquive, oublie quelquefois d'écouter. On ne s'arrêtera pas non plus au côté livre blanc des amis, ethnographie des gens bien, ces moralistes politisés jusqu'à l'obsession, que l'on voit parfois tomber — qui leur jettera la pierre ? — de Montaigne en Matignon. Que de temps perdu à des misères ! Allons ! Notre homme dépasse son milieu, et l'on trouvera bien autre chose, dans ces mille huit cents pages souvent risquées, que la bonne conscience du caviar tympanisant le populisme du sauciflard, les énièmes coulisses de l'élection ou les chatteries et coups de griffe qui, dans l'âme du pays, entretiennent l'esprit de corps.

Où était le risque ? Là où est la réussite : dans le mélange des genres. Diariste et mémorialiste. Écriture de soi et témoignage en direct. Pour ses détracteurs, l'autobiographie, c'est Charybde ou Scylla. Soit, c'est la bonne vieille touille moralo-psychologique un peu stérile. Appelons cela la ligne « cahier noir », le renfermé intimiste — souvent morose, faute de distraction et de péripétie. On dégorge ses humeurs, on déshabille l'ego, bobos et fiascos. L'autre ligne, « carnet de voyage ou de guerre », quant à elle, apporterait information et distraction, sans sonder bien profond. Le fils de Gide et de l'actu a réconcilié les deux dynasties, en rehaussant Benjamin Constant par Albert Londres. Ce métissage accouche d'une chimère, qui nous retient : le journal *extime*. C'est la bonne mouture. Le regard en dedans et l'œil bien ouvert. L'air du large rentre dans l'espace clos du moi. Le surfeur fait scaphandre, entre deux vagues.

Ce dédoublement de personnalité est le prix de l'honnêteté. Il en faut pour tenir et publier son *journal*, quand on en dirige un. C'est prendre le mot, et son métier, dans les deux acceptions. *Journal* s'appelait, au XIVe siècle, le livre des prières quotidiennes. Avant de devenir, au XVIIe, la publication périodique que l'on sait. Le sens privé a précédé le sens public. Quand on fait profession de débusquer les secrets des autres, il est *fair-play* de livrer les siens propres en contrepoint. En doublant les « il faut » du sermon hebdomadaire par les « peut-être » de l'examen de conscience. Objectiver ses certitudes personnelles, en l'occurrence, c'est les subjectiver. Les rendre à leur genèse, leurs tremblements, leurs remords.

L'essentiel, au-delà des agacements de surface, c'est bien la probité du vieux sachem grillé par le soleil et les manchettes. Sa ténacité au bonheur, à travers et à cause des blessures physiques. Une curiosité inlassable pour les choses et les gens, le corps-à-corps avec les orages du siècle, l'âme-à-l'âme avec les musiques intérieures, le goût de l'amitié. C'est la capacité d'attention aux autres sons de cloche, un don d'entendre ce qui déplaît. C'est la fidélité du juif vieux de trois mille ans, intransigeant avec les dérives du rêve israélien, et toujours curieux du milieu arabe où baigna son enfance. Le taux de méchanceté, traditionnellement élevé dans les écrits intimes, reste ici anormalement bas. Ajoutez-y le sens des longues durées, vécues et pensées, qui protège le patriarche d'avoir à s'aligner sur le dernier cri, la foucade ou l'idiotie qui s'imposent parce que dans l'air du temps, même si JD 2 joue — rarement — de vilains tours à JD 1. On s'étonne en passant de voir le lecteur de *La Condition humaine,* des grands Russes et de l'Ancien Testament affirmer dans un dîner d'ambassade que « l'époque a inventé l'attentat suicide ». Est-il d'aujourd'hui Samson, le très vénéré kamikaze de Yahvé, qui entraîna dans son suicide tout le peuple philistin, femmes et enfants compris ? « Les morts qu'il fit mourir par sa mort furent plus nombreux que ceux qu'il avait fait mourir durant sa vie » (Juges, XVI, 29-30). Mais c'est là une broutille due à l'écriture journalière, inévitablement myope, qui grossit l'éphémère et néglige l'invariant. Il y a partout ailleurs maintes justesses et plus de justice. Pour cet homme d'exigence, qui a le sens du réel et du complexe, rare chez ses pairs qui se dopent à la moraline, la conscience a plus d'une fois déjoué la consigne. Elle l'a même dressée, à trois reprises, contre ses proches et son camp : lors de l'Algérie française, contre Camus lui-même ; lors de l'URSS, contre l'Union de la gauche ; et avec le conflit palestinien, contre un certain sionisme. Et tout cela sans se départir d'une retenue de ton, qui console de tant d'excommunications péremptoires. Faites vos comptes. Probité, fidélité, lucidité. La République décore pour moins que cela.

Amiel confessait, à la fin de sa vie : « J'ai vécu, décru, déchu. » Daniel mentirait s'il reprenait le triolet commun. Il ne décroît pas. Il se tient droit. On le regrettera, à l'orée d'un âge où le pouvoir spirituel, jadis dévolu à l'Église et à l'École, va échoir à l'argent et aux ignares. Il n'en reste guère, des scrupuleux assez cultivés pour égrener leurs notes sur une longue portée. La pastorale de magazine, le bref radiophonique ou la décrétale télévisuelle passent aux mains de surinformés réactifs, abêtis par Sciences-Po, avec une conscience historique démarrant à la Seconde Guerre mondiale. Voici le nouveau clergé sans foi, en démocratie d'opinion, pour des laïcs sans religion ni doctrine. Notre publiciste intimiste, lui, est un athée qui ne manque pas de religion. Est-ce pour cette raison qu'il rend à sa profession, avec quelques autres, une certaine déontologie et un peu d'intérêt ?

Nous avons, décérébrés comme nous sommes, plus que jamais besoin de veilleurs à son image : méditatifs portés sur l'action, liseurs sachant regarder par la fenêtre, hommes de mémoire ouverts à l'immédiat, capables de donner à l'actualité les profondeurs de champ et de temps sans lesquelles elle se fane en marchandise éclair. Par la littérature, un journaliste de cette trempe parvient à redonner du sens à ce qui n'en a presque plus. Qu'on soit ou non membre du club, sensible ou non aux charmes un peu désuets, entre-deux-guerres, du « contemporain capital », nous resterons, amis d'hier ou du lendemain, ses débiteurs.

Fêter Lacouture

Intervention à la journée d'étude « Jean Lacouture » organisée par la BNF le 28 novembre 2002.

Il y a mille raisons de fêter Jean Lacouture. Je me limiterai aux neuf premières. Neuf comme les Muses. Parce qu'il faut faire bref et qu'elles sautent aux yeux du premier venu, fût-il étranger à son clan. Excusez donc un professeur de province, ratiocineur incurable, de les énumérer inélégamment par ordre d'importance croissante.

1. Voilà un homme qui avait au départ toutes les qualités requises pour donner dans la méchanceté ordinaire à notre nation : le sang chaud, une verve chronique, une dextérité d'escrimeur, dix fenêtres sur cour et une pénétration assassine des caractères humains, saisis à la volée, au premier regard. On ne mesure pas assez les estafilades auxquelles de nombreux amours-propres ont échappé, et remercions la Providence, pour notre plus grand soulagement, d'avoir doté cette fine lame des vertus du cœur : fidélité, disponibilité jamais découragée,

courtoisie, attention à l'autre et à ce qui le rend autre. Dans notre volière, un oiseau rare.

2. L'intrusion du style dans l'histoire immédiate — et d'une vaste culture historique et littéraire à la page sport ou politique — est un fait également singulier. Ordinairement, les Mauriac vont à l'Académie et pas sur le terrain, en sandales et chemisette ; et Henri Michaux n'écrit pas dans *France-Soir*. La figure de l'écrivain-reporter n'a rien de simple, on s'en doute, puisqu'elle regroupe l'auteur de livres qui fait des papiers en donnant le sentiment de se forcer un peu, et le journaliste qui fait l'homme de plume en donnant l'impression de s'écouter écrire. Lacouture est spontanément et simultanément l'un et l'autre, l'un par l'autre : totalement journaliste et totalement écrivain. Il a double nature. Et nous, double profit.

3. Le gracieux chez lui n'est jamais gratuit. Son exaspérante virtuosité aurait pu virer au fleuri, à l'afféterie, à l'esthétisant si le bonheur d'écriture ne se doublait d'une volonté de comprendre, de contextualiser la note pointilliste, d'inscrire l'anecdote dans la durée. Il y faut une formidable documentation préalable. Le dossier est instruit, mais déborde le cas. L'homme du petit fait vrai donne à penser. Coup d'œil, coup de sonde. Le moraliste n'est pas loin. Mais un moraliste du concret ; disons : un anthropologue.

4. Comprendre et non pas expliquer. Observer, mais non théoriser. On ne félicitera jamais assez ce feu follet travailleur et rétif aux doctrines d'avoir fait impasse sur l'économie, et plus encore d'avoir enjambé les querelles doctrinales, ces éphémères et ravageuses fumisteries qui ont plombé l'époque. On y jargonne d'autant mieux

qu'on ne sait ni regarder ni écouter (Lévi-Strauss représentant, bien sûr, la géniale exception de la règle grégaire, car c'est un écrivain autant qu'un savant). Lacouture crayonne sur le sujet, esquisse au galop sans corde à la patte, et se relit fort bien quelques décennies plus tard. Son côté pas sérieux l'aura sauvé, en l'exemptant du débat d'idées et des pensums afférents. Modestie prévoyante. Le pavé coule, le calepin surnage.

5. Dans la société du moi-d'abord, un écrivain qui préfère s'intéresser aux autres qu'à lui-même, capable de se mettre dans la peau du rugbyman de Cardiff, du résistant comme du torero, sans devenir pour autant hystérique, cela devient une curiosité. C'est le rôle du biographe, dira-t-on. Mais combien ont ce don d'empathie, qui nous fait palper avec la même ferveur exacte les imperceptibles mystères du rugby, les cors au pied d'Ignace sur les chemins du Pays basque et les crises de conscience de De Gaulle devant Dakar ?

6. Dans un Hexagone qui se recroqueville, narcissise et provincialise chaque jour plus, qui fait retour à l'Europe comme d'autre jadis à la terre, quelle aubaine pour nous que cette curiosité, cette passion pour le Maghreb, le monde arabe, le monde vietnamien, le monde jésuite, qui est le monde entier ! Cette ouverture des fenêtres et du compas fait respirer, dans notre bocal asphyxié de guéguerres *microcholines*. Au moins, s'il y a chaque jour moins de rapport entre les réalités de la planète et les irréalités intellectuelles qui font la une de notre *Monde* paroissial, il est rassurant de savoir qu'il y a encore quelques veilleurs à longue-vue sur nos chemins de ronde.

7. Rien d'étonnant que ce cosmopolite soit aussi français de format, de texture et de vitalité. Gascogne, chevau-léger et mousquetaire, profil Ladoumègue. Un archétype. Cet Indochinois de Bordeaux, cet Égyptien de la Garonne n'aurait pas à ce point le génie des lieux s'il avait perdu le sien propre. Il nous rappelle qu'il est toujours un peu bête d'opposer les racines et les ailes. Parce qu'on n'est pas des pommes de terre, certes, mais pas non plus des courants d'air. Bienvenus les ailés enracinés.

8. « Ce qu'on te reproche, cultive-le, c'est ta meilleure part. » Adage connu. Les austères et les juste-milieu reprochent parfois à Lacouture ses enthousiasmes, ses adhésions militantes, ses facultés d'émerveillement et d'admiration. Blumiste quand il biographe Blum, mendésiste quand il portraiture Mendès, malrucien ébahi devant Malraux, et presque, disons à moitié gaulliste, ami encore un effort, quand il escalade le Général. Il ne serait pas assez anglo-saxon, distancé, équilibré. Quelle chance il a, et nous avec. Lacouture prend ses risques et ses marques, sans se lasser, toujours prêt à boucler son sac à nouveau. N'importe qui d'autre, à sa place, serait recru d'amertume, sceptique ou cauteleux. Allégresse vitale ou miracle de la foi ? Les deux vont souvent de pair. En tout cas cette flamme n'est pas de celles qui auront « vécu, décru, et déchu ». L'amateur ne flanche pas. Généreux, affûté, et vigilant il reste. Voir son dernier dialogue avec Ghassan Tuéni et Gérard D. Khoury.

9. C'est la plus décisive des raisons, et qui les résume toutes. Ce bon vivant est resté un mince, un véloce, un svelte, un homme en mouvement. C'est un peu humiliant parce qu'on ne se sent jamais aussi lourd, gourd

et balourd que devant ce diablotin à rebond, aussi imprévisible qu'un ballon de rugby entre les pattes d'un pack. Passé soixante ans, l'absence de ventre et de bajoues, chez un maigre d'origine, est une preuve d'héroïsme. Le profil maintenu devrait valoir Légion d'honneur.

Voilà. Fêter Jean Lacouture à Paris, en 2010, ce n'est pas sacrifier aux rites de l'amitié ni aux cérémonies du milieu. C'est rendre justice à un certain esprit de justesse et de fidélité, qui passait jusqu'à hier pour un insigne d'honnêteté, mais dont l'avenir, chez nous, ne semble pas garanti. Lacouture nous inquiète sur nous-mêmes, et de cela aussi, il faut le remercier.

Mauriac, un chuchotis dans le mégaphone

Allocution prononcée à l'hôtel de la région Aquitaine le 9 décembre 2004 en réponse à Jacques Rigaud, président du jury, lors de la remise du prix François Mauriac décerné à l'auteur pour Le Siècle et la Règle *(Fayard, 2004).*

Vous n'avez pas eu froid aux yeux, cher Jacques Rigaud, chers amis, en couronnant mon petit récit épistolaire, *Le Siècle et la Règle*, où dialoguent à propos des tentations du journalisme un laïc désappointé et un combatif dominicain, le frère Gilles-Dominique o.p. Disons, côté laïc, le mien, un lecteur passionné de Machiavel, et côté religieux, celui de mon ami et interlocuteur, un lecteur passionné de Mauriac. J'assume, et j'avoue, oui, au risque de me passer la corde au cou, aimer et admirer autant l'un que l'autre, et pour les mêmes raisons. C'est le bouquet ! Aurais-je, en appariant le Machiavel des grandes familles bourgeoises du Bordelais et le notaire trop exact des grandes familles florentines, voulu marier la carpe et le lapin ? Vous avez jugé que non, et je vous en sais gré. « Tout homme est deux hommes, et le véritable est l'autre », disait Borges, dont la formule m'a servi d'épigraphe. Machiavel, l'autre de Mauriac ? Ou l'inverse ? Permettez-moi de m'expliquer, même si cela frise la gageure.

Machiavel n'est pas un doctrinaire. C'est l'un des tout premiers romanciers de la chose publique, en ceci qu'il dépeint le nœud de vipères à cru, comme qui monte un mustang. Seule l'intéresse la *verità effettuale della cosa* et non les fumeuses représentations que s'en font les amateurs de coquecigrues ou les Diafoirus de Faculté. Mauriac aussi coupe droit au fait, en bon romancier, et la noirceur du réel n'est pas pour lui faire baisser les yeux. Il ne théorise pas. Il procède cas par cas. Allergiques l'un et l'autre aux déguisements et aux tricheries, ils ont, à quatre siècles de distance, écopé des mêmes adversaires : les songe-creux et les faux-culs. « Je crois, je sais, je vois, je suis démerpisé » (le centrisme démochrétien de l'époque s'appelait le MRP). Qui a écrit qu'« entre nations, la partie se joue toujours de monstre froid à monstre froid », quels que soient les chatteries des sommets, les bonnes blagues et le tutoiement à l'américaine entre Présidents ? Ou encore, ceci : « En ce monde, tout est jungle et tout a sa loi. » Non, ce n'est pas le secrétaire dépité de Florence, c'est le vigneron lucide de Malagar.

Je n'ignore pas que pour l'observateur à la jumelle du « gros animal » de son époque, Amérique ou Russie, comme il le dit dans son *Bloc-notes* de 1964, « la vraie politique ne se sépare pas du sentiment. Je l'ai toujours pensé. Il n'y a rien de si maladroit qu'une certaine race de petits Machiavel qui ne croient qu'à la force quand ils sont faibles et qu'à la ruse quand ils sont bêtes ».

Machiavel le Grand aurait sans doute contresigné. Pas seulement parce que le Prince digne de ce nom place la nation au-dessus des factions et de ses propres intérêts, mais parce que l'Italien fut lui-même un ardent patriote, tout comme l'auteur du *Cahier noir*. L'un et l'autre n'ont pas supporté l'humiliation de la défaite et l'abaissement de leur pays. Ils ont voulu unifier leur pays et restaurer l'État, l'un pour délivrer l'Italie des barbares français, l'autre la France des barbares nazis (1942), des lobbies colonialistes (1956), et enfin des nostalgiques de la tutelle anglo-saxonne (1962). Et l'un et l'autre, inlassables Diogène, ont cherché la personnalité puissante, l'homme du sursaut catalyseur, apte à fédérer et galvaniser tout un peuple. Laurent de Médicis, Charles de Gaulle... Ne les comparons pas, mais rappelons-nous qu'à la fin des fins, la politique a à voir avec des caractères plutôt qu'avec des abstractions. Les principes n'engagent à rien, et on peut les ployer à n'importe quelle fin. C'est l'incarnation qui compte. Et toute incarnation est tragique. Il n'y a donc pas de politique qui vaille sans psychologie, sans pathos et sans stratagème. Après tout, il en a fallu à la Providence, de la tactique, de la ruse et de la rouerie, pour faufiler le fils de Dieu sous les traits d'un humble juif palestinien. Et Mauriac de comprendre et d'absoudre le coup d'État légitime de mai 1958, heureux qu'il y ait eu du renard dans son lion superbe et généreux, Charles de Gaulle. « Notre grand homme, en plus, est malin. Que Dieu le bénisse. » Qui a la cervelle politique sent d'instinct le crucial du *kairos*, l'occasion propice. Il sait que le temps n'est pas étale et que tout se joue à ces croisées de chemins où un caractère bien trempé peut saisir la fortune aux cheveux. « Je ne suis pas de ceux qui disent “Périsse un peuple plutôt qu'un principe” » (1958). Le lui a-t-on assez reproché, à Mauriac, ce sens pratique où tant de bondieusards (qui sont au chrétien ce que le laïcard est au laïque) n'ont vu que cynisme et impudence. Nos vertueux de profession, brouillés avec la vertu qui est courage du corps et de l'esprit, stigmatisent comme indécente la fameuse boutade : « J'aime tellement l'Allemagne que je préfère qu'il y en ait deux. » Son auteur, qui, parce que romancier, ne se payait pas de mots, ajouta ceci, en janvier 1958 : « Le jour où les deux tronçons, même désatomisés, se seront rejoints, ce jour-là nous aurons raison de trembler. » Était-ce délirer ? Il y a une morale du mot juste, que la morale aurait tort de réprouver parce qu'elle récompense ceux qui jamais ne jugent sans tenter d'abord de comprendre l'autre. Prestesse de ton, pénétration du coup d'œil, ravageuse alacrité et rien d'oratoire. Notre catholique pratiquant ne disait pas la messe. Il n'a pas édifié par l'oraison, mais par la flèche. Entre le gnangnan moralisateur, qui rend le concret obscène, et la traversée des apparences dont se repaissent nos chimères, le moins clérical des chrétiens a choisi le plus ingrat des camps, le moins audible, et qui ne rapporte que des misères, celui du réalisme.

Le plus étrange est que cet archer dont les piques ont blessé nombre de notables, et qui a épousé la grande presse, « de toutes les jungles, celle où le crime paie le mieux et coûte le moins », en soit sorti vivant, sinon indemne. Chacun connaît la phrase malicieuse de Gide : « J'appelle journalisme tout ce qui intéressera moins demain qu'aujourd'hui. » Et Mauriac lui-même se demandait, en 1956, si son *Bloc-notes* « garderait de l'intérêt encore dans quelques années ». Un demi-siècle a passé, les rééditions se suivent, et l'octogénaire reste frais comme un gardon.

Impure pour l'homme de Dieu, la bisbille politique est le quitte ou double de l'homme de lettres, plus souvent perdant que gagnant au petit jeu des crises ministérielles. Pour un Saint-Simon ou un Zola, combien de Barbusse ou de Barrès ? Les César du XXe siècle étant du genre à tout rafler, le chrétien a toute raison de craindre que ce qu'il donne à César, dans cette chiennerie, soit autant de retiré à Dieu. L'engagement qui nous fait gagner en surface sociale nous mettra demain à la portion congrue. Benjamin Constant existe pour nous par *Adolphe*, subalterne parenthèse à ses yeux, et non par ses articles et son épais traité sur la religion qui en firent un important. Il avait eu la bêtise d'aimer une pimbêche, et d'en souffrir ; ce fut sa chance et son *quitus*. Paul-Louis Courier n'eut pas de ces faiblesses. Il ferrailla sa vie durant, gagna une forte réputation, se fit craindre, et nous en reste un tas de cendres. Quant à Rivarol, son *Petit Almanach des grands hommes* l'a envoyé par le fond. Ce vif-argent eût mérité mieux, les éphémérides l'ont coulé.

On ne conseillera pas à nos jeunes talents d'entrer dans la bagarre. Non parce qu'ils vont y prendre des coups, cela tanne les peaux de bébé-énarque. Mais parce qu'ils risquent de se rider avant l'heure. Qu'ils y regardent à deux fois, nos candidats à l'influence, avant de collaborer régulièrement aux feuilles publiques et aux folies télévisuelles. Les éditorialistes séduiront les éditeurs, et exciteront l'envie des copains sans tribune, privés de cage d'ascenseur, et hors d'état de le renvoyer. Faiseurs d'étincelles, nos interventionnistes pourront même, de loin en loin, allumer un feu de brousse dans la grande ville. Mais ils creuseront leur tombe du même pas qu'ils auront grimpé les marches. Les plus dégourdis d'entre eux finiront sous la Coupole, sans prendre garde que c'est chez les immortels que le taux de mortalité est le plus élevé, et l'espérance de survie la plus courte. À quoi ils rétorqueront que la postérité est une fée poussiéreuse, une folle de Chaillot qui ne fait plus rêver que les médiocres et les ratés. On ne peut là-dessus que donner raison aux frétillants de la chronique. La dure envie de durer n'est plus à l'ordre du jour, et le Salon des refusés a fermé ses portes depuis longtemps.

Oublions donc les postéromanes. Parlons actu.

Quand on feuillette, cent ans après, les vieux numéros du *Temps* ou de *La Revue des Deux Mondes*, on y voit défiler des auteurs originaux fabriqués en série. Des uniques standards. Non que les contributions soient insignifiantes, loin de là. Elles ne sont qu'interchangeables. De la même farine, de la même fournée : de simples ton sur ton. Les manières de table d'une lointaine tribu perdue dans les parages du faubourg Saint-Germain. Le brio, c'est notre patte d'ours. La fatidique empreinte du milieu. Qui peut jurer pour ce qui nous concerne que ce que nous prenons pour des extravagances ne sera pas demain des clichés — et nos jolies pirouettes, des singeries ? Personne. Disons que le publiciste, télécommandé par son public, s'expose plus au tocard que le misanthrope ; et les mouchetures de l'âge menacent davantage les jeunes loups que les vieilles bêtes. C'est le malheur des gens à la page, qui s'aggrave avec le temps. Plus besoin de quelques lustres pour découvrir que nos journaux télévisés et nos hebdos, qu'ils soient de gauche ou de droite, sont dramatiquement interconnectés et rigoureusement interchangeables. Cela saute aux yeux. C'est de l'anachronisme en temps réel : démodés le soir même du défilé.

Le Mauriac du *Bloc-notes* continue de péter le feu. Si notre lutin académique a pris un coup de vieux, c'est plutôt comme romancier. Thérèse Desqueyroux s'est fanée. Les troubles de l'adolescence, les affres de l'adultère, les vertiges du péché de chair au fond des pinèdes, joints au décor des années folles (Van Dongen, fox-trot et chapeau cloche), nous plongent dans un climat suranné et dévot avec lequel nous ne sommes plus de plain-pied et qu'il nous en coûte, à la lecture, de reconstituer. La déchristianisation est passée par là. Mai 1968 aussi. Nous voilà aussi loin du péché originel que de Joseph Laniel, pauvre figurant du théâtre Bourbon sous la IVe, mais le miracle d'un style est de nous donner à voir « la bêtise au front de taureau » ; et le fameux « il y a du lingot dans cet homme-là » pourrait légender maintes photos d'actualité. C'est du pérenne au débotté. Recul instantané. Là est le miracle, l'événement nous vient avec son écho futur. On dit couramment que l'écrivain manqué prend sa revanche comme critique en se faisant exécuteur des hautes œuvres des autres. Ce fut vrai pour Sainte-Beuve, mais faux pour Zola et Barrès. Et faux plus encore aujourd'hui, où les reporters de guerre devenus romanciers et parmi les meilleurs témoignent que si l'Université, qui habitue au délayé et au pataud, est la pire des entrées possibles en littérature, le journalisme — qui entraîne au sec, au concis, au concret — reste le meilleur des stages de formation. Pas besoin d'aller aux States pour savoir cela. L'étonnant n'est pas que le vieil académicien alourdi de lauriers, titres et dignités soit devenu sur le tard un boutefeu ruant dans les brancards quand le chemin de vie inverse, de trublion à notable, est la norme officielle. L'étonnant est qu'il soit demeuré écrivain en devenant scandaleux, et que la plus volatile des rubriques, le journalisme politique, ne l'ait pas volatilisé en chemin. L'étonnant est que ce qu'il y a de plus vert chez cette vieille branche ne soit pas son théâtre, ses romans ou ses poèmes, mais son journal et ses articles, qu'il serait injuste d'annexer à la rubrique « politique intérieure » tant le judicieux s'y mêle au mélodieux.

Tout miracle mérite explication. Serait-ce parce qu'en quittant le modérantisme démo-chrétien pour un anticolonialisme subversif, il a mis en vieillissant du vin dans son eau ? La recette est bonne, incontestablement. Voyez Chateaubriand, Victor Hugo ou Anatole France ; et même des plus conseillées pour les tenants de la radicalité critique, dont le parcours doit commencer par montrer patte blanche et accumuler grandes chaires et situations avant de virer au rouge quand il n'y a plus trop de risques. Voyez Bourdieu, sage élève de Raymond Aron, cursus impeccable, alliances opportunes, ou encore Foucault, jeune assistant abstentionniste et libéral, descendant dans l'arène une fois couronné. Ce cheminement à rebrousse-poil ne fait pas seul l'affaire. Si « l'engagement à gauche » de l'homme de droite vieillissant suffisait pour échapper à la noyade, cela se saurait ; et il y aurait une plaque commémorative au coin de chaque rue des Ve et VIe arrondissements. En réalité, l'impression de présence que nous donne le

Mauriac politique ne doit rien à la politique et tout au regard qu'il a porté sur elle, où le mystique et le comique se donnent la main. Momus, le petit dieu de la raillerie à Rome, n'a pas d'âge. Cette façon dont le trait d'esprit fait la courte échelle au Saint-Esprit n'a pas à mes yeux d'équivalent.

Drôle d'alliage en effet que celui du boulevard et de la sacristie, du bon mot et de l'eau bénite, et percutant. Rendons à la foi du spirituel ce que jamais ne permettra la verve d'un surdoué : la faculté d'empêcher que la présence au monde ne tourne au triomphe du monde, aubaine dont profitèrent Chateaubriand et Bernanos, autres grands catholiques homicides, chacun en son temps et à sa manière, mélancolique chez l'un, fulminatoire chez l'autre. Ce mordant enjoué et dédaigneux échappe aux plus sémillants, disons Labiche ou Sacha Guitry, mais encore trop englués dans leur milieu pour nous servir de repères dans l'embrouillamini du siècle. Chez les itinérants de ce bas monde qui y sont sans tout à fait en être, la banderille traverse le temps parce qu'elle vient d'ailleurs, de plus haut. Le redresseur de torts, en Mauriac, toujours à contre-courant de son milieu et jamais du côté de la force, ne se caresse pas la griffe, le justicier ne s'écoute pas parler. La saillie excuse l'estocade : c'est la courtoisie du féroce, le fourreau du poignard. Le chrétien est charitable. Il donne l'absolution à ceux qu'il étripe.

« Nous aurons valu dans la mesure où nous aurons consenti à ne pas plaire, même ceux d'entre nous qui peut-être au fond n'ont jamais su qu'aimer. » La colère sans haine comme l'ironie sans fiel échappent à la pose imprécatoire. Ici, on flétrit le Topaze tout en battant sa coulpe. On tempère l'agressif par l'examen de conscience, avec une corne de brume un peu rauque qui a pu faire d'une page hebdomadaire, une ou deux décennies durant, mieux qu'un morceau, une leçon de littérature, qui plantait un confessionnal sur une scène de théâtre, tel un chuchotis dans un mégaphone. Malraux-Corneille, côté cour, faisait sonner les cuivres. Mauriac-Racine jouait de la trompette bouchée côté jardin. Cette sourdine, comme un filet de voix cassée, transcende la Comédie et nous met dans un état de lévitation chronologique, à la fois dans et hors de ce temps-là.

N'épiloguons pas sur les imitateurs d'un original inimitable. « Les enfants de notre âge savaient *L'Aiglon* par cœur. » Et Racine. Et Molière. Et la Bible. Le naufrage des humanités et le triomphe de l'instant ont sans doute renvoyé *ad patres* cet art de transformer la boîte à chagrin politique en bouillon de culture, et les vaudevilles du jour en mélodrames sans âge. « Tournoux, l'impie Tournoux, race d'Amalécite… » Il y a eu de la perte en ligne dans le genre *Bloc-notes*. Gonflement du moi, vulgarité de vocabulaire, forfanteries pour la galerie. On ne voit plus, à la même rubrique et dans le même hebdomadaire, que carnet de bal, règlements de compte et *public relations*. Ne nous plaignons pas. La verroterie du jour rehausse l'éclat du diamant d'hier. À nous d'en mesurer enfin le prix.

TRÉTEAUX

« Nekrassov », *allegro* rigolo

Cette pièce écrite en 1953 a toujours eu mauvaise presse. C'est la plus mal-aimée du théâtre de Sartre (lui-même peu prisé de nos jours). Avouer que cette pochade peut mettre en joie, quand le péplum normalien nous laisse de marbre, ne plaidera pas pour ma vertu de discernement, mais pour le théâtre de texte.

Sartre fait rire. C'est l'art suprême que celui d'amuser, par quoi se marque son infinie distance aux confrères en cléricature qu'on lui oppose rituellement. Il est de bon ton, chez nos philosophes, de vanter le gai, le léger et l'aérien. Foucault, par exemple, recommande le rire, mais on ne se fend pas vraiment la pipe à sa lecture. Gabriel Marcel, existentialiste et dramaturge, ne recommandait rien de ce genre et il a tenu parole : les chrétiens en général ont une répugnance atavique au rire. Heidegger aussi, dans un autre genre. Raymond Aron n'a pas souvent croisé les chemins de l'*opera buffa*. Sartre tranche :

Les Temps modernes, n° 632-634, automne 2005.

il est farce, avec un sens inné de la drôlerie. Ses condisciples, rue d'Ulm, épatés par ses dons canularesques et ses prestations de parodiste, de « revuiste » de fin d'année, voyaient dans ce facétieux un Molière en herbe. Ils ne se trompaient pas tellement. Personnellement, c'est la verve cocasse qui me séduit le plus en lui. J'ai donc une prédilection pour *Nekrassov*, que je place sur le même rang que ses chefs-d'œuvre pour ainsi dire officiels. Cocteau n'avait pas tort de saluer, dans cette comédie, une revue de fin de siècle. Elle ne dépare pas le début du nôtre.

Il y a dans *Les Mots* un rythme bondissant, allègre et mozartien ; il y a dans *Nekrassov* une grivoiserie presque rabelaisienne. Sur toute la gamme du rigolo, l'auteur de *La Nausée* a su jouer avec entrain. Dans l'image d'Épinal, l'existentialiste est un rat de cave vêtu de noir, comme Juliette Gréco, broyant du noir du soir au matin et se morfondant du matin au soir devant la contingence d'un camembert posé sur la table. Le côté arlequin et Labiche du patron, son goût du picaresque, du feuilleton et du roman d'aventures, s'en sont trouvés escamotés. C'est dommage. Le léger résiste mieux à l'usure du temps que le grave. *Nekrassov* porte encore beau. N'en déplaise à nos puristes qui se pincent les narines devant le grossier procommunisme de la pièce, cette bonne farce n'a pas pris une ride, d'autant moins que sa cible, la grande presse, a trouvé depuis dans la télévision l'outil de sa puissance. À côté de TF1, le *France-Soir* de Lazareff fait un peu épicerie.

Quel intellectuel autorisé, quel écrivain arrivé, quel philosophe consacré oserait aujourd'hui décocher pareils traits à nos archevêques en fonction, à nos distributeurs de grâce et de notoriété ? Et prendre à partie, jusque dans la caricature la plus transparente, des personnages aussi considérables et redoutables que Dassault, Pinault, Lagardère ou encore PPDA, JMC, BHL, JMM ou même Alain Minc ? Sans doute, en 1955, le rapport de force entre l'écrivain et le journaliste était encore assez équilibré pour qu'une satire de ce genre fût possible. L'écrivain jouissait d'une puissance de feu indépendante, avec une logistique propre. Il n'en fallait pas moins du courage, et Sartre fut logiquement payé de retour : cette pièce fut son premier échec sur la scène parisienne. On dira : oui, mais c'était politique. Quelle idée de prendre fait et cause pour l'URSS un an avant le rapport Khrouchtchev, et l'invasion de la Hongrie ! Convenons que Sartre n'avait pas un grand flair de ce côté-là. Trois ans plus tard, il verra en de Gaulle un émule de Franco et de Mussolini. Ce manque de jugeotte caractérise, depuis un siècle, l'intelligentsia locale « progressiste » ou « nationale », qui n'en manque pas une. Le spécimen Sartre n'a pas fait mieux ni pire que la moyenne. Je n'écris pas ces mots sans opportunisme, je veux dire sans la conscience de céder à l'air du temps, qui, à chaque reprise du match « Sartre-Aron », de semestre en semestre, déclare ce dernier vainqueur aux points, et sans conteste. Il semble que l'aveuglement au fait colonial dans une métropole n'est pas aussi rédhibitoire que l'aveuglement au fait totalitaire dans une démocratie. Mais ne peut-on tenir pour également vrai, et pour rester dans la zoologie, que le système communiste est un dangereux rhinocéros, et l'anticommuniste, un chien (ce que les trente dernières années d'anticommunisme officiel et philosophique ne démentent pas vraiment) ?

Soutenir la thèse de l'*ex aequo* obligerait à rentrer dans une discussion fastidieuse, économisons notre peine, autant aller à contresens sur l'autoroute. Ce n'est d'ailleurs pas pour cause de bévue historique que la pièce fut recalée, et jugée par Françoise Giroud, dans *L'Express*, « ratée, laborieuse et confuse », mais pour son anticléricalisme affiché. Si impardonnable était l'affront. Il n'y eut pas cabale, mais rejet immunitaire et tissulaire par notre clergé laïque en formation de sa propre image dans le miroir grossissant du comique.

Je n'ai jamais vu la pièce représentée, je l'avoue, et ce n'est pas tout à fait de ma faute (très peu de reprises depuis 1955). Mais chaque lecture de cette farandole, qui tire dans tous les sens, me met de bonne humeur. Il y a le côté burlesque (encore plus débridé dans les variantes que nous restitue « la Pléiade »), mais aussi un festival bon enfant de jeux de scène à la Chaplin.

L'heure est à la cruauté partout ; la légèreté est mal vue. On noircit Marivaux, on pathétise *Le Mariage de Figaro*, et *L'Avare* devient un mélodrame psychanalytique. L'esprit du temps tire la comédie vers la tragédie — voir les mises en scène qui défrayent la chronique. Le sens inverse, du tragique au comique, celui de Chaplin et de Sartre, est beaucoup moins fréquenté. Il exige plus de talent et de vaillance. Le rire, au pays d'Offenbach, quoi qu'on dise, n'a pas bonne réputation. Pas chic du tout, vulgaire. On pense de suite au rire gras, à Audiard ou de Funès (la gauloiserie, le comique troupier, la contrepèterie du chansonnier). Ce n'est qu'une variante de la chose. L'autre s'appelle Molière, Goldoni, Feydeau, Ionesco. « La gaieté passe pour le signe d'un manque de profondeur », disait Nietzsche. Le petit-neveu de Schweitzer, de surcroît, héritait du sérieux protestant (l'homme évangélique ne rit pas, à l'instar du Christ lui-même), auquel s'ajoutait dans son cas le sérieux progressiste (les choses sont graves, camarade). Mme de Staël tenait que « les pays libres sont et doivent être sérieux », et Rousseau le vertueux était d'avis qu'il y a du vice à plaisanter des vices. Deux raisons pour saluer cette double incorrection politique et morale. Jean-Paul, deux fois sacrilège, a désobéi à son ancêtre en ligne droite, Jean-Jacques. Notre Rousseau *redivius* n'aurait jamais contresigné la *Lettre à d'Alembert sur les spectacles*. Enfant au Luxembourg, il amusait les petites filles en faisant le montreur de marionnettes. Adulte, sans craindre pour sa réputation, il poussa le sens des réalités jusqu'à l'illusion comique, le sérieux du tragédien jusqu'à la farce d'Aristophane. Il a su être peuple et, comme les plus grands, nous donner à lire *in vivo* notre siècle dans ses jongleries, en redonnant ses lettres de noblesse au plus plébéien des accoucheurs de vérité : Guignol.

Un théâtre « à point »

Directeur du Conservatoire national d'art dramatique, Daniel Mesguich a lancé une série de réflexions ouvertes sur son art intitulée « Penser le théâtre ». Il a bien voulu m'inviter, avec d'autres, à exposer mes vues devant les élèves (15 décembre 2008).

Je m'en voudrais de contribuer tant soit peu à une certaine difficulté d'être du théâtre aujourd'hui en l'accablant de philosophie. Si l'on en juge sur l'exemple de la poésie, du roman, comme aujourd'hui de la photographie d'art (et la même chose pourrait se dire de Dieu, de la nation ou de l'érotisme), ce n'est jamais de bon augure, dans la courbe de vie d'un genre artistique, que de le voir s'introvertir, se problématiser, se caresser l'ombilic à grand renfort de colloques, d'états généraux et de mots compliqués. Cela sent un peu le début de la fin. Il n'y avait pas de théâtrologie au temps de Shakespeare, de Marivaux et de Tchekhov, pas plus que de sexologie au temps de Sade ou de théologie au temps de Jésus. J'entends bien que Brecht a théorisé l'épique tout en le mettant en scène, et Daniel Mesguich ne fait pas moins bien parce qu'il réfléchit ce qu'il fait. Je ne peux néanmoins m'empêcher de penser que les plaisirs exceptionnels et difficiles d'accès gagnent à un certain naturel, autant que faire se peut. De même que Godard jugeait bon, pour un cinéaste, d'avoir des idées floues et des images claires, on peut souhaiter qu'un dramaturge sache mieux construire un espace que déconstruire un concept.

Je m'en voudrais encore plus de « penser le théâtre », tâche qui me dépasse et dont je n'ai pas les moyens : je ne me prends pas pour un penseur (ayant trop de respect pour ce noble sacerdoce), et je ne fais pas partie de la famille. Il y a un entre-soi des enfants de la balle, dont vous êtes tous ici, et je ne suis qu'un visiteur entre deux portes. Je me contente à mes moments perdus de penser *au* théâtre et parfois *avec* lui, toujours surpris de voir à quel point il nous pense, lui, et nous dévoile à nous-mêmes, tel un baromètre des sensibilités ambiantes. La dramaturgie type d'un moment en dit toujours long sur les tréfonds d'une mentalité et d'un milieu, comme si les mises en scène figuraient, transposaient à l'œil nu un inconscient collectif. Comme si les tréteaux nous servaient de divan, et l'expression scénique, de psychothérapie. Ce qui porte beau aujourd'hui sur les planches — le va-et-vient entre pulsion et fantasme, l'acteur hanté de multiples personnages comme un vase fêlé, la prédominance du monologue sur l'échange, l'écriture solipsiste oscillant entre l'hallucination psy et l'autodérision —, il me semble que ces traits emblématiques, tels que les repère un bon observateur américain de la scène française, Roger Bensky, s'accordent on ne peut mieux au fond de teint nombriliste qui caractérise l'époque (même si comédiens et régisseurs ont leur carte de rebelle, et déprimeraient à l'idée d'être dans la plus stricte orthodoxie). L'angoisse existentielle se mariait bien avec le *happening* et la performance des années 1960. La vogue structuraliste des années 1970 et 1980, avec des acteurs transformés en automates ou supports, simples porte-voix se tordant au bout d'un fil. Un pays en miettes peut se reconnaître dans le culte du démantelé et du schizo qui fait prime, comme dans des personnages aux identités labyrinthiques et introuvables. Qu'il soit loisible à qui en a les moyens de donner libre cours à ses fantasmes et ses marottes sied à une époque où il est entendu qu'en tout citoyen sachant lire et écrire sommeille un artiste incompris, brimé par les béotiens qui trônent dans les administrations et lui rognent la subvention.

Il m'est aussi arrivé d'étalonner les performances actuelles de *L'État séducteur* d'après les données les plus traditionnelles du spectacle vivant, en faisant mien le mot de Bernard Dort : « Je n'ai jamais pu penser la scène et le monde l'un sans l'autre. » Cet usage un peu opportuniste des arts de la scène m'a conduit à publier deux opuscules consacrés aux nouveaux plis du moment : *Sur le pont d'Avignon* et *L'Obscénité démocratique*. Le premier m'a brouillé avec les journalistes culturels et les grands barons des festivals, le second avec les politiques dans le vent. C'est bon signe. Preuve que les questions de théâtre, ça peut encore fâcher, tant mieux. Tout le monde a été, va ou ira en Avignon, comme tous les Français ont été, sont ou seront gaullistes, et la querelle du festival est un rite national ouvert à tous. Je m'étais donc senti autorisé à y aller de mon petit couac. Pour aggraver mon cas, je confesse avoir commis en toute inconscience deux ou trois péchés dramatiques ; l'un est une farce, une comédie dansante, genre burlesque, pour café-théâtre (*Secret-défonce*), écrite en collaboration ; l'autre, une pièce ambitieuse sur l'empereur romain Julien l'Apostat (*Julien le fidèle*). À Paris, pour qui n'est pas répertorié dans le sérail sans faire non plus partie des bruiteurs, bien pourvus en UBM (unité de bruit médiatique), cette sortie des rails est difficilement pardonnée. Ces fâcheux antécédents (dont je ne peux pas ne pas vous informer, pour être loyal) ne donnent que plus de mérite à Mesguich, votre directeur, de m'avoir convié ici.

Neuf Français sur dix, vous le savez, ne vont jamais au théâtre, mais les dégoûtés forment une catégorie plus véhémente que les simples indifférents. J'ai longtemps détesté le théâtre. Eugène Ionesco aussi, excusez du peu. Dans un texte publié en 1953 sous le titre « Expérience du théâtre » et repris en tête de *Notes et contre-notes*, le créateur de l'« antithéâtre » écrit : « Il me semble parfois que je me suis mis à écrire du théâtre parce que je le détestais. » Et il précise qu'il n'allait « pour ainsi dire jamais au théâtre, n'y trouvant qu'ennui. » Les raisons de son refus sont assez proches de celles de Valéry : le jeu du comédien qui s'identifie au personnage, ce qu'il trouve « proprement indécent », les situations « arbitraires », la prétention à une « réalité théâtrale ».

Pour sûr, il y a *des* théâtres, comme il y a des publics. Le théâtre de rue, le nouveau cirque, le boulevard gastronomique, le subventionné ésotérique, l'amateur à trois francs six sous, etc., n'ont pas la même réalité, et le théâtre à écouter ne répond pas aux mêmes critères que le théâtre à regarder. Mon allergie regrettable et précoce ne provient que d'une expérience très parisienne et datée : la toge sur les planches et la cravate à l'orchestre. Le péplum d'après-guerre gardait les prestiges de l'avant-guerre et de l'Occupation, deux périodes fastes pour les temples dédiés au plus noble des arts : le théâtre à loges et poulailler, pourpre et dorures, avec décor peint, à l'italienne. Pour un jeune spectateur, c'était une épreuve de sociabilité fâcheusement liée à une classe, la mienne, la bonne bourgeoisie où il fallait aller au théâtre pour les mêmes raisons qu'il fallait avoir un piano dans le salon, la chambre de bonne au sixième et, pour les dames, un chapeau en sortant de chez elles. Une épreuve aggravée par la solennité humiliante des lieux (le redoutable et surélevé comptoir dans le vestibule), et surtout l'impossibilité de faire abstraction de ses voisins dans une salle qui, même plongée dans le noir, s'autosurveille, se tient, se palpe mine de rien, alors que dans une salle de cinéma on se sent divinement seul et on peut garder pour soi ses sentiments. Ajoutez à cela l'obligation de réservation préalable, les croisements embarrassés de l'entracte, les applaudissements obligatoires (quand l'assistance s'applaudit au fond d'être là), et vous comprendrez pourquoi une matinée ou une soirée à la Comédie-Française ou à l'Odéon constituait alors, pour un adolescent ruant dans les brancards, un rite de passage aussi asphyxiant qu'une réunion de famille dominicale ou une messe de mariage à Saint-Honoré d'Eylau. En 1955 et 1960, il fallait s'endimancher pour aller dans ces temples. Seul le TNP, avec sa nudité toute protestante, faisait exception à la règle du jeu, et c'est au TNP de Vilar, au Trocadéro et ensuite en Avignon, que je dois mes premières bonnes empreintes, mon plus lointain souvenir de ce que peut être une communion plébéienne, autre chose qu'une connivence avec un public de congénères un peu trop congénères. Les oriflammes et les trompettes de Monteverdi, en guise de trois coups, la musique de Maurice Jarre, le grand escalier, le plateau nu sculpté par les lumières, la centralité de la parole... J'ignorais alors ce qu'avait pu représenter le théâtre du peuple — Pottecher à Bussang, Romain Rolland, Prévert, tout autant que l'agit-prop, Piscator ou le Berliner Ensemble. Le fait est que rien ne me semblait moins peuple que ces rassemblements onéreux, et qui le sont d'ailleurs restés (la soirée à deux, dîner et contravention compris, cela fait encore dans les 300 euros). Cet arrière-fond vous explique pourquoi en 1961 ou 1962, je ne sais plus, rue d'Ulm, nous n'eûmes rien de plus pressé, les étudiants communistes, que d'aller chahuter jusqu'à interrompre la représentation du *Cardinal d'Espagne* en salle Richelieu — Montherlant étant alors à nos yeux le summum du toc à prétention et du style noble pour notaires (je nuancerais fortement, aujourd'hui). Nous sommes intervenus de nos places, habilement réparties du premier au troisième balcon, au début de l'acte II, avec des slogans vengeurs, et avons tenu une bonne vingtaine de minutes, dans la salle rallumée, jusqu'à l'arrivée des forces de l'ordre et des paniers à salade (à cette époque on trouvait normal d'être menotté et conduit au poste sans ménagement). La collusion du cothurne et de la police, de l'hypocrisie et de la Comédie... française, c'était dans l'ordre, en effet, moral et bourgeois, et c'est précisément ce que nous voulions démasquer par ce sabotage façon surréaliste. Je n'ai pas vécu la prise de l'Odéon en 1968, étant alors très loin de Paris, mais quand on me l'a racontée, je n'ai pas été surpris. La révolte théâtralisée contre l'ordre théâtral établi est une vieille redondance locale.

J'ai été aimablement présenté à vous comme philosophe. C'est trop d'honneur. J'ai quitté les bibliothèques et le commentaire de textes pour la simple observation des lieux, des éclairages, des décors, des manières d'être et de faire. Je m'intéresse peu aux idées, encore moins aux théories, beaucoup aux dispositifs physiques et matériels de la vie en commun. C'est ce préjugé qui nous a amenés à ouvrir les *Cahiers de médiologie* sur la « Querelle du spectacle », numéro 1 de la série. Faisaient alors rage dans les milieux avancés la référence à Guy Debord (le spectacle aliène et déréalise), l'éloge du pantelant, du pulsionnel, du *live*. Nous voulions vanter là-contre, face à la *présence,* la nécessité de la *représentation,* en insistant sur les bienfaits de l'artifice, du décalé, du costumé et du conventionnel... Gloire à la rampe entre la scène et la salle, frontière physique, aux trois coups, frontière sonore, aux éclairages, frontière visuelle, et au jeu pour le jeu, frontière du plaisir pur.

Ce qui ne va plus de soi, comme vous savez. Pourquoi ? Parce que, remarquait Firmin Gémier, à l'origine du TNP, « le théâtre est régi par l'esprit public plus qu'il ne le régit ». Ce dernier aspire à se gaver de réel. D'où le sentiment que donne parfois le théâtre d'aujourd'hui de douter de lui-même, de s'excuser d'être mensonge et imposture, de vouloir abolir la distance entre ce qu'il montre et comment il le montre (performances, *body art*, animalité). Il voudrait être de plain-pied avec la vie, pour faire vrai. Pour accroître l'effet de réel, on fait jouer des non-acteurs, on va dans les friches, les usines. Pour imiter la tranche de vie, la télé-réalité, le *Loft*. Et nous, nous nous étions permis de dire tout le contraire : vive le personnage ! vive le masque ! vive l'hypocrisie, le dédoublement, l'illusionnisme !

Daniel Bougnoux, qui a coordonné ce premier numéro des *Cahiers*, est un chevalier servant d'Aragon, et votre serviteur en est un autre, mais de Valéry, persuadé comme lui que « tout ce qui n'est pas fictif est factice » ; qu'en se dédoublant on redouble de vérité ; et que « la communion dans le mensonge » qu'est selon Louis Jouvet une représentation théâtrale peut aisément se débander dès qu'on donne tête baissée dans le vérisme. Faut-il rappeler que le théâtre romain, qui était brillant, a disparu — s'effaçant pour dix bons siècles du monde occidental — du jour où les condamnés à mort furent traînés sur scène pour jouer en vrai les scènes de meurtre qui abondent dans les pièces de Sénèque ? Le direct peut tuer.

Ce qui est en jeu dans la situation faite au théâtre, c'est la place du symbolique dans la vie, et qui fait de la scène à l'instar du prétoire, comme disait Valéry, « un lieu métaphysique », celui du passage de la nature à la culture. Mesguich remarque quelque part que les choses et les actes naturels — comme un coït ou un accouchement — ne « prennent » pas sur scène. Ils peuvent et doivent s'évoquer, sans se montrer. C'est la différence entre le spectacle et le théâtre. Ce dernier exige des simulateurs professionnels. La corrida est un spectacle : les taureaux ne reviennent pas saluer l'arène après leur mise à mort, et le torero joue vraiment sa vie. La messe non plus n'est pas du théâtre pour un croyant : l'hostie est réellement le corps du Christ, et le prêtre ne fait pas semblant. Le spectacle d'un match de foot accéderait au plaisir dramatique seulement s'il était *joué* une deuxième fois, sans suspense aucun, chacun connaissant d'avance le résultat final, comme nous connaissons la fin de *Hamlet*. Le plaisir théâtral, au deuxième degré, est assez bizarre. Une représentation scénique a le don de traduire la vie en destin, et nous prenons plaisir à un déjà-joué, à un futur antérieur dépourvu de vrai suspense. C'est que la représentation, au contraire de la présence, suppose une sublimation de l'instinctuel, et la mise à distance de l'immédiat, un effort certain. C'est un trait de civilisation, et « nous autres gens de théâtre, pourrait-on dire, nous savons désormais que nous sommes mortels ». *L'Orestie*, *Les Euménides* ne sont pas sorties en droite ligne des dionysies. Eschyle comme Sophocle visaient, en se détachant de l'agora, comme l'avait fait l'amphithéâtre lui-même dans la topographie athénienne, à mettre à distance les affaires de la cité, en *mettant la vengeance en délibéré* — définition du civisme.

Le déphasage volontaire fait crise, et le théâtre subit de plein fouet la dégradation du décalé symbolique. Ses propriétés physiques constituent autant de handicaps. Ceux d'une grande vieille dame, qui continue de sortir le soir, mais qui n'est plus du tout dans le coup. D'où certaine mélancolie tchekhovienne qui saisit les spectateurs de ma génération devant ce qui peut ressembler à un chant de cygne et qui fait dire à Georges Banu que le théâtre, c'est un peu comme *La Cerisaie* : une grande maison sur le point de se dissiper comme un brouillard. Les héritiers impuissants n'ont plus d'autre ressource que de louer le domaine, ou le laisser squatter. Sans doute perçoit-on un certain engouement pour le théâtre amateur, les compagnies improvisées. Reste l'impression d'une surproduction par rapport au public disponible, l'offre de spectacles vivants débordant la demande.

On pourrait faire la liste des infirmités d'une représentation théâtrale au regard des nouvelles attentes. C'est de mauvais *rapport*, vu le coût croissant des productions et leur peu de rentabilité, à l'heure du profit-roi. C'est *lent*, à l'heure du zapping, où le temps d'attention et de concentration se réduit (rester assis deux heures trente sur sa chaise sans grignoter du pop-corn...). C'est *difficile d'accès*, il faut sortir à l'heure du *home-movie* (la télévision, ça vient à nous). C'est *payant*, et lourdement, à l'heure du gratuit. C'est *élitiste et minoritaire*, à l'heure des consommations de masse. C'est *vieux*, à l'heure du jeunisme. C'est *national* du fait de la langue, à l'heure de la mondialisation (beaucoup plus favorable à la danse, au music-hall, à la comédie musicale comme à l'opéra, toutes productions internationales circulantes et vendables). C'est un *flux éphémère* et qui *ne s'archive pas* aisément, à l'heure des stocks et des mémoires (ne reste que la photo de scène, qui n'est d'ailleurs pas un genre mineur, si l'on pense à Agnès Varda et Roger Pic). Strehler : « Une étincelle qui brûle dans le noir, qui s'éteint et renaît plus tard, comme la vie. » C'est un *art de suggestion* (dire le plus avec le moins), à l'heure des spectacles à l'estomac et des images coup-de-poing. Tout cela peut expliquer pourquoi le théâtre n'est plus au cœur de la civilisation des loisirs. Ni au centre du débat d'idées. Cela est nouveau. Il fut une caisse de résonance durant trois siècles, le lieu névralgique des remuements d'opinion, et le dernier des arts, à ce titre, à être exempté de censure, laquelle ne fut levée qu'en 1905, mais demeura discutée jusqu'en 1966 (Malraux avec *Les Paravents* de Genet). Date après laquelle le théâtre ne présente plus assez de danger pour justifier une intervention du politique. Nos besoins d'évasion se satisfont au cinéma, à la télé, à la pub, à la musique pop, au foot. Et la remise des Molières ne fait pas concurrence à celle des Oscars d'Hollywood, ou des prix du festival de Cannes. Le comédien paraît déclassé par la star, et pour les troubles à l'ordre public, la scène est reléguée derrière le stade, nouveau lieu d'élection de l'insulte, du sacrilège et de l'émeute. On n'imagine plus aujourd'hui une prise de bec publique, par journaux interposés, entre M. Sarkozy, président de la République, et Mme Aubry, première secrétaire du Parti socialiste, à propos, disons, d'une pièce d'Hélène Cixous montée par Ariane Mnouchkine. En 1893, un vif échange opposa, dans les journaux et à la chambre, Clemenceau à Jaurès à propos d'une pièce d'Ibsen, *Un ennemi du peuple*, donnée par Lugné-Poe à l'Atelier. Une histoire de la société française du XVIIe au XXe siècle qui n'engloberait pas une histoire du théâtre manquerait de sérieux. Je ne jurerais pas qu'il en ira de même pour l'histoire de l'Europe au XXIe siècle.

Écrivain de mon état, permettez-moi d'insister sur la rupture des amarres avec la littérature, devenue patente depuis les années 1970. La création théâtrale n'est plus au centre ni au sommet de la création littéraire, ce qu'elle a toujours été en France, depuis son apparition, au XVIIe siècle. Molière, Racine, Corneille : nos trois grands classiques sont des dramaturges. Un symptôme anecdotique parmi cent autres : nos Nobel de littérature. On en pense ce qu'on veut, éventuellement du mal, mais le fait est que les derniers en date, Claude Simon et Le Clézio, n'ont pas écrit pour la scène. Avant eux, Beckett, Sartre, Camus, Mauriac, Gide l'avaient fait (il y aurait une exception avec Gao, notre Chinois français). Dans l'édition, le texte théâtral est un paria. Les auteurs de théâtre ne sont pas, ou fort peu, intégrés au corpus littéraire. Quand Vinaver a publié ses œuvres complètes, pas de compte-rendu dans nos suppléments littéraires. Ajoutons : l'absence de magazine grand public consacré aux arts de la scène, comme *Lire* ou *Le Magazine littéraire* pour la chose écrite ou *Beaux-Arts* pour les arts plastiques (je ne parle pas des excellentes revues spécialisées, internes à la corporation). On peut voir là, direz-vous, un phénomène positif. Le théâtre s'est inventé son propre langage, s'est émancipé du texte (ce que faisait déjà la *commedia dell'arte*). Tout se passe comme si Bob Wilson n'en avait plus besoin. C'est la mise en scène qui est devenue une écriture. De celle-ci, les écrivains n'ont plus le monopole. Tant pis pour nous, tant mieux pour vous.

Et pourtant, en dépit de tout, il me semble que Vilar avait parfaitement raison d'évoquer « une nourriture aussi indispensable que le pain et le vin ». L'archaïsme du théâtre fait son futurisme. Et son « retard » technique est un grand privilège. Pourquoi ? Parce que, pour faire image, plus on construit d'autoroutes, plus se repeuplent les chemins de grande randonnée.

Personne ne déclame plus comme Mounet-Sully, mais l'affrontement d'un comédien avec un texte n'a pas beaucoup évolué. Le travail de l'acteur non plus. Le saut en hauteur va de plus en plus haut, et le 100 mètres se court de plus en plus vite. Mais apprendre un texte par cœur et jouer *La Cerisaie* demande toujours le même temps (cela ne vaut sans doute pas pour les feuilletons télévisés, où un comédien n'a pas à s'imbiber d'un personnage). La puissance d'illusion propre au mime symbolique, et qui nourrit tous les paradoxes — irréaliser pour signifier, maquiller pour dévoiler, immobiliser le corps du spectateur pour le mettre en mouvement dans sa tête —, peut s'apparenter à un invariant de notre condition. On n'innove pas beaucoup dans votre domaine ? C'est votre force. Un monde virtualisé, désincorporé, programmé, standardisé, aura de plus en plus besoin de charnel, d'aléatoire, et une représentation est pleine d'imprévus. Un monde atomisé et sévèrement cloisonné aura besoin de communions physiques et sensuelles en quelques lieux choisis. Le brouhaha médiatique rehausse l'appétit de parole et de diction. Et la relation utilitaire à la langue nourrit en nous le désir de retrouver une relation magique à la parole. Un monde sans fable ni grand récit appelle de bonnes et vieilles histoires. Le *high-tech*, en somme, accroît les prestiges du *low-tech* et du *high-touch*. Pour parler français, *La Cerisaie* ne cessera de se reconstruire, ailleurs, autrement. L'opéra passait pour un genre révolu en 1945, et il connaît, depuis vingt ans, une formidable résurrection. Pour l'enterrement du théâtre, il faudra repasser.

Il se pourrait même que les nouvelles technologies — vidéo, cinéma, écrans multiples —, en montant sur la scène et en la transformant du même coup, accroissent les moyens de l'abstraction concrète, si l'oxymore est permis, et de la déréalisation symbolique. Contribuant ainsi, et paradoxalement, à renforcer l'ancestrale illusion comique. C'est aux metteurs en scène de nous le dire, et surtout de nous le montrer. Reste que si le théâtre fait confiance à ses moyens propres, même en ce qu'ils ont de pauvre et de rudimentaire, ses beaux jours ne seront pas derrière lui.

Tant il est vrai qu'à mijoter dans le trop cuit remonte en nous un besoin quasiment physiologique de cru. Mais la crudité physique d'une représentation théâtrale, maints spectacles ennuyeusement primaires et faussement sauvages nous l'ont récemment rappelé, exige un art raffiné de la cuisson. Entre le tartare et la semelle, le bon théâtre, me semble-t-il, se déguste « juste à point ».

Mise en scène : restons modeste

Le Théâtre national de Bretagne (Rennes) et son directeur, le metteur en scène François Le Pillouër, ont eu la bonne idée, en novembre 2004, de consacrer un colloque à la « Mise en scène du monde », avec de multiples intervenants internationaux. Les propos qui suivent, légèrement en retrait, ne furent pas des mieux reçus par cette assemblée de fans.

Vous nous avez demandé quelques mots sur la meilleure et la pire des choses : la mise en scène au théâtre. Le temps va nous manquer parce qu'on ne peut en dire du mal sans dire d'abord tout le bien qu'il faut en penser.

Il faudrait d'abord s'entendre, cher François Le Pillouër, sur ce mot-valise. Fonction technique parmi d'autres ou opération démiurgique ? Un métier à l'anglo-saxonne (moi, je suis le scénographe, lui c'est l'accessoiriste) ou un trône à l'allemande ou à la française (moi je mets au monde, le texte, l'auteur et les acteurs) ?

Entre un trop d'humilité et un trop d'orgueil, il devrait sans doute y avoir un moyen terme.

Sur les us et abus de la notion, on se sent dans la même inconfortable position que s'il fallait introduire un colloque sur la mémoire. Agacé par l'inflation du terme, on en oublierait presque de faire l'éloge du *devoir de mémoire*, promu en dogme officiel, pour entamer aussitôt une critique de l'*abus de mémoire*, auquel ledit devoir sert d'alibi.

Commençons donc par l'ardente obligation du spectacle. C'est un enjeu de civilisation, et même son critérium. Le passage de la pure présence à la re-présentation, la mise sous le boisseau de l'affect fusionnel et pulsionnel grâce au dédoublement entre une salle et une scène, c'est la condition d'accès au symbolique. En ce sens, c'est le maintien des distances donneuses de sens qui fait sortir de la barbarie, et l'on ne fera jamais assez l'éloge de la « sublime aération » dont parlait Artaud, de la séparation entre la scène et la salle, du simulacre consenti qui prélève sur le bruit et la fureur du monde un ensemble délibérément choisi de signes et d'images.

Si « spectacle » a un sens (autre chose qu'une métaphore passe-partout pour « idéologie », « domination », « État », etc.), ce sens lui vient de la *coupure sémiotique* qui règle tout dispositif de représentation, matérialisé au théâtre par la rampe. La carte n'est pas le territoire, l'acteur n'est pas son personnage, l'État n'est pas la société civile, la *mimesis* du jeu n'est pas le témoignage en brut. Au rebours du fatal contresens intronisé par « la société du spectacle » de Debord, cette séparation spectaculaire ne frustre pas, elle libère. Le *happening* universel, en revanche, asservit. Aux contagions passionnelles, aux virulences virales et aux charismes hystériques. Le problème aujourd'hui ne me semble nullement la mise à distance spectaculaire, mais l'illusion où nous sommes que l'afflux des images nous livre le flux du réel. Le danger, pour notre imagination créatrice comme pour l'espace public lui-même, ce sont les noyades englobantes du direct, du *live* et de la performance. Le passage d'un dispositif de projection, comme au cinéma (fidèle au dédoublement théâtral), à un dispositif de diffusion, de l'*œuvre en différé* au *document en temps réel*, a marqué l'avènement de la vidéosphère, où l'image cesse d'être une représentation pour devenir un liquide amniotique : tous dans le bain, tous acteurs, tous en scène. La société du spectacle, il faudrait plutôt regretter sa disparition que se plaindre de son expansion.

Car il y a un enjeu éthique et politique dans ce souci d'ordonner le regard, de réserver à chacun sa place. La mise en scène est mise en ordre, passage du chaos au *cosmos*, et le metteur en scène pourrait s'appeler un *cosmète*, un éducateur, un constructeur. Et telle était bien dans la Grèce antique la fonction de l'*agora* comme du *théâtron* : mettre l'homme en face de son destin, dehors et devant — pour qu'il ne se laisse pas happer par lui.

Et puis, souvenons-nous qu'il n'y a pas d'action de l'esprit dans l'histoire sans une mise en forme visuelle (théâtre vient de *voir*), sans l'instauration d'un rapport réglé avec un public. Gandhi lui-même mettait en scène ses jeûnes.

Fin de l'éloge, début de la critique. On peut se demander si nous ne vivons pas, dans les rapports entre la scène et le monde, une période d'immodestie. Le passeur silencieux du message devient le message à faire passer. Le médiateur fait écran. La construction de soi l'emporte sur l'édifice à construire. La communication devient son propre but. La scène éclipse le monde. Trop de scène, pas assez de monde. Quand tout est théâtralisé, à quoi bon le théâtre ? Quand on veut mettre trop de théâtral dans le monde, il finit par y avoir trop peu de monde au théâtre.

L'excès dans la mise en scène ne prive-t-il pas le théâtre de sa vertu cathartique ? Ennuyeux comme la vertu ? Non, ennuyeux comme la virtuosité pure. Voyez les derniers spectacles de Bob Wilson. « Il est grand temps, dit Lévi-Strauss, qu'on nous délivre des décorateurs et autres metteurs en scène qui n'ont que deux idées en tête : répondre aux ambitions de leurs mandants, et, par quelque réalisation fracassante, se faire valoir aux dépens d'œuvres derrière lesquelles ils devraient disparaître. »

Les dictateurs ont toujours forcé sur la mise en scène. Nuremberg, la place Rouge. La démocratie est plus bonhomme. Mais avec les nouvelles technologies du voir et du faire-voir, les besoins du faire-croire et le devenir-marchandise de la vie, on peut craindre de passer sous la dictature des metteurs en image. Pas de mise en vente sans mise en scène. Y compris de l'intime, avec la télé-intimité. Je m'expose, donc je suis. Pour être, il faut être vu. Pour être vu, il faut se mettre en scène. Pas visible, pas vendable. On appelle cela « la mise en scène prostitutionnelle de l'intime » : bonne définition de ce que la promo désormais exige de nous.

Elle n'est pas indolore, la mise en scène. Il suffit de

raisonner *a contrario* pour s'en rendre compte. Réfléchissons. Dans notre société qu'est-ce qui ne se prête pas bien à la mise en scène ? Tout ce qui se porte mal dans la cité : la recherche scientifique (d'où sa difficulté à trouver sa place dans le paysage, les priorités et les budgets). L'éducation. La lecture de *Guerre et Paix*. Le culte calviniste. La vieillesse.

Qu'est-ce qui en revanche fait l'objet de célébrations somptueuses et dispendieuses ? Tout ce qui a le vent en poupe. Le corps, avec le tatouage, le *piercing*, le *body-building*. Le sport, avec l'exhibitionnisme du risque. La haute couture, avec les défilés sur écran géant, les échiquiers géants d'Alexander McQueen, les podiums et les miroirs fumés des *showrooms*. Sans oublier l'intellectuel à la française, version *cheap* du top-modèle.

L'architecture elle-même, avec la mise en scène narcissique du *geste* architectural, qui éclipse l'attention au site et au terrain, au fonctionnel et au sens. Dans ce nouvel académisme, *function follows form*. On ne construit plus pour habiter ou fonctionner, on sculpte des métaphores — bâtiments diaphanes, évanescents, tout en plissures et gondolements. Les nouveaux matériaux aidant, la mode est aux surfaces. Le photographe sans talent a tendance à « flouter » l'image pour faire profond (le Hamilton bon marché). Nos musées sont de mieux en mieux scénographiés, mais on ne sait plus trop quoi y montrer. Bientôt n'importe quoi.

Le terrorisme, enfin, qui est une scénographie de la violence, une stratégie de l'image. C'est l'intrusion des arts du spectacle dans celui de la guerre — pouvant même atteindre, sous sa forme hollywoodienne, à Manhattan, un certain achèvement esthétique et apocalyptique. Il cherche la visibilité maximale, et exige un public. Des moyens d'enregistrement, et de promotion. Notre milieu technique optimise les retombées publicitaires de l'acte meurtrier. On ne joue pas devant une salle vide, et un poseur de bombes sans preneurs de vues, c'est un épistolier sans timbre, ou un acteur sans public. Quand c'est le simulacre qui fait l'acte, et la caméra, la manifestation, quand on ne distingue plus la scène de la salle, le monde entier s'offre en théâtre d'opérations, pourvu qu'il soit câblé. Le terroriste pense comme vous et moi, en termes de *scoop*, d'image-choc, de star (du Bien et du Mal). Le marketing du barbare, son tremplin et sa niche, c'est le tout-visuel, qui hyperréalise l'inattendu et déréalise la durée. Nous assistons à la prise en otage de nos technologies de pointe par l'intégrisme religieux de pointe.

À se demander si l'illusion théâtrale elle-même n'est pas devenue victime de cet emballement technique et financier. On dit qu'il n'y a plus d'auteurs de théâtre, depuis Koltès et quelques autres. Normal que les metteurs en scène veuillent faire auteurs. Car il semble s'être produit une curieuse coupure, autour des années 1960, entre l'écriture littéraire et l'écriture dramatique. On dirait que les grands auteurs n'écrivent plus pour la scène. D'où peut-être une certaine inflation de l'« écriture scénique ».

Comme si l'époque entière avait perdu son texte, et compensait ce « trou de mémoire » par la gesticulation. On ne sait plus quelle histoire on joue, dans quelle lignée on s'inscrit, quel projet de société on poursuit, alors on en rajoute sur le décor et sur l'emballage. C'est classique : moins on a de personnalité, plus on se crée un personnage (les grands originaux ont un look anonyme de fonctionnaire — Bataille, Breton, Gracq).

Pourrait également servir de métaphore l'évolution du *talk-show* à la télé : plus indigent est l'entretien, plus *flashy* sera sa mise en scène. Là où l'on n'aurait besoin que d'une table et deux chaises, les animateurs reçoivent leurs invités qui sur un lit, qui dans un décor de foire, qui dans une prison en carton-pâte, qui dans un Jacuzzi. Plus on en jette sur l'écran, plus on s'endort dans son fauteuil.

Je me demandais en commençant ce que pourrait être une juste mise en scène, au sens : une note juste, ou un mot juste. On aurait envie de répondre : faites-nous d'abord de bons récits, Messieurs les virtuoses de la mise en forme. Mais n'allons pas croire qu'une scène puisse se passer de scénario.

CHAPEAU !

Ode à Romain Gary

Le magicien de La nuit sera calme, *alias Émile Ajar, n'a cessé de grandir depuis son suicide en 1980. Avec la republication en 1997, par les soins de Paul Audi, de plusieurs textes consacrés à de Gaulle sous le titre* Ode à l'homme qui fut la France, *une chance nous fut donnée de réparer tant soit peu une injuste et honteuse négligence (ou non-lecture, sens étymologique du mot).*

L'année Malraux — orphéons, timbres, solennités et pia-pia — nous aurait-elle fourvoyés ? Car on peut être gaulliste, combattant, compagnon de la Libération, prix Goncourt, cinéaste, grand écrivain obsédé de puissance, perdre sa femme dans d'atroces circonstances et s'appeler... Romain Kacew. On s'étonne qu'un Plutarque ne nous ait pas encore donné les vies parallèles de ces deux monstres inégalement sacrés : le grand homme ayant noyé dans son ombre le grand artiste — Malraux la pompe, Gary la grâce. Faites un sondage, et

---

L'E*xpress*, 23 janvier 1997.

le Russe naturalisé sera au Français mondialisé ce qu'est le canular à la légende, ou le music-hall à l'opéra. Cagliostro à Faust. Ou Dalí à Picasso. Injustice. L'un allait en cothurnes, l'autre en mocassins, et les semelles compensées, cela marche toujours. La preuve : les imageries ont escamoté les faits. Le tragique ? L'un s'est suicidé, l'autre pas. La Résistance ? Le métèque part à Londres en juin 1940 sans sourciller, pour cent bravoures dont il ne fera jamais état. L'autre, c'est 1944. La force créatrice ? L'un parvient à se couper en deux, l'autre n'a jamais pu se séparer de lui-même. Romain Gary : le farfelu rubis sur l'ongle. Gageons que le siècle prochain, moins gogo, hissera le conteur au rang du barde.

On verra dans les notes de Paul Audi, son préfacier, que le prestidigitateur de la rue du Bac — « C'est quand même étonnant à quel point je suis sous-estimé en France », lâcha-t-il une fois — n'eut aucun sentiment bas envers l'illusionniste de la rue de Valois. Le bohème du gaullisme admira avec passion, avec raison, son grand prêtre, lequel se contentait, en retour, de l'aimer bien. Avec ce *benign neglect*, cette courtoisie distraite que de Gaulle lui-même — et l'*establishment* politique — a toujours manifestée envers cet excentrique incontrôlable, européen et proaméricain à contre-pied, gentiment mis au placard par les siens, après 1958, comme le type impossible qu'il était très probablement, avec ce côté toc et faiseur aux limites du fréquentable. Cette dégaine de vieux macho avantageux, mi-théâtreux, mi-maffieux — sombrero, chemise de soie violette, sourcils au noir, bague au doigt, cigare... Pas un hasard si l'autobiographie tourne d'emblée chez lui à l'autodérision. Malraux, Gary : les deux mythomanes arrivèrent ensemble, et en retard, à Colombey, ce 12 novembre 1970, lorsqu'un autre magicien, mégalo pour de bon, las de nos médiocrités, fit ses adieux à la petite troupe des derniers Français libres. Une photo les montre côte à côte : clowns lyriques, déjetés, ailleurs. Mais l'un en costume sombre, l'autre déguisé dans une vareuse d'aviateur trop petite, cheveu long, arborant ses dix médailles d'inconsolable qui en rajoute.

C'est ce soir-là, rentré chez lui à Paris, qu'il écrivit, directement en anglais, de premier jet, cette *Ode à l'homme qui fut la France*. Rien de funèbre : un chant du cœur pour exhaler non le deuil, mais le bonheur d'un cycle parachevé, d'une boucle d'imaginaire refermée par une impeccable prise de congé et prête pour une gloire toujours ascendante. « Il se pourrait bien qu'à sa mort de Gaulle exerce plus de pouvoir en France qu'il n'en a jamais exercé de son vivant » : s'il s'agit du pouvoir sur les esprits, c'était bien vu. Mort, libéré de la saleté politique, le Général redevient dans sa tombe ce qu'il fut à sa naissance, le 18 juin 1940 : « Une force morale, un courant spirituel, une lumière. » Le faux naïf coupait donc droit à l'essentiel — qui vaut en cette affaire comme en toutes : à part le merveilleux, rien n'est vraiment sérieux.

Comme il aura trompé son monde, notre cabotin métaphysique ! Gary-Ajar a tout fait à l'envers : masquant le pathétique en mélo et le subtil en mauvais goût. La putasserie en pudeur, ou l'inverse. Un orgueil d'hidalgo en vanité d'auteur. Rarement homme de lettres à succès aura poussé plus loin la destruction de la comédie — y compris littéraire. Le cheval de retour des bons sentiments réalistes éleva sur la fin sa fantaisie au fantastique et l'égocentrisme à la perte d'identité. Le risque-tout corrosif voltigeait sous nos yeux sans filet, et l'on disait : « Tiens, il fait encore son numéro. » Un nom d'emprunt lui avait rendu la folle liberté des poètes. Elle culminera dans *Pseudo*, machine infernale bourrée d'explosifs, un triple saut périlleux par phrase, l'angoisse faite chef-d'œuvre (*Le Miroir des limbes*, à côté, fait raplapla). Féal et marginal, diplomate et bouffon : le grand écart. Gary aura été le seul trapéziste de notre cirque national à réussir le saut de Boris Vian à Charles de Gaulle, en se raccrochant non à Barrès, mais à Henri Michaux. Cet anar patriote, ce loubard décoré alla-t-il trop loin dans l'audace ? C'était un jeu entre la vie et la mort plus qu'entre le vrai et le faux. Trop subversif pour la République des lettres, qui rétrécit aussitôt la prouesse en pirouette de vieux singe grimé. « Roman pas mort » : ce fut la dédicace d'Émile Ajar à Malraux, pour *Gros-Câlin*. Ne disait-on pas qu'après Auschwitz, les marquises ne peuvent plus sortir à cinq heures ? Gary releva le gant jusqu'à la fin, entre le gag et le songe, au bord du précipice.

L'imagination, qui rend fou, recèle une sagesse profonde. Malraux et Gary, qui ont fini par trouver une éthique dans l'esthétique, ont rencontré en chemin un envoûté de première grandeur. Un toqué de la princesse des contes, de la madone des fresques et autres fariboles. Un homme de théâtre qui tînt tête, pour cela même, au monde entier — Allemagne de Hitler, Amérique de Roosevelt, Russie de Staline, nains de Zurich et de Bruxelles. Écrivains, nos deux flambeurs n'avaient sculpté que des chimères en papier. De Gaulle, une chimère dans la carte : la France libre. Car ce don Quichotte aussi a rêvé la réalité, et la réalité française s'est élevée, un court moment, au-dessus d'elle-même et de ses moyens. Avant de retomber sur la « mini-France », celle qui « ne peut plus rien toute seule », celle qui est fatiguée de paraître plus grande qu'elle n'est et dont, dès 1970, l'ancien consul de France dresse un portrait à pleurer : le nôtre.

Le retour au réel, direz-vous. Attention. Lorsqu'on soustrait la France imaginaire de la France réelle, reste le camembert. Or 1) le camembert n'est pas réformable par les moyens du camembert ; 2) il n'a même plus goût de camembert par « dissolution dans l'anonymat d'une production de masse soumise à l'uniformisation des règlements européens » (Gary, 1969). Nous en sommes exactement là. Quand des communicants appelés « gouvernants » brassent du vide sous les lambris pour avoir oublié le très sûr diagnostic romaingaresque : « L'homme sans mythologie de l'homme, c'est de la barbaque. »

La réalité, voyez-vous, se dit par la bouche des funambules.

Sartre le généreux

La moraline, qui n'est pas la morale, sert bien la cause des réducteurs de tête. Le règne simplificateur des Jivaros met Jean-Paul Sartre à quia : trop compliqué. Réduit au politique, l'écrivain disparaît. Claude Lanzmann, lui, ne cède rien. Voir Les Temps modernes *d'octobre-décembre 1990, « Témoins de Sartre ». Extrait d'un compte-rendu.*

Trop vivant pour une commémoration, trop compromettant pour une célébration, il lui fallait, dix ans après sa mort, cette autobiographie à plusieurs voix qui reste la sienne à travers nous. Ce diable de moraliste fait passer une génération à confesse sans rien forcer, et l'introspection rétrospective vaut pour une radioscopie du temps présent. *Témoins de Sartre* nous offre en premier lieu d'admirables trajets de pensée, trajets de vie : Alain Badiou, François George, Emmanuel Terray, François Maspero, Michel-Antoine Burnier, Jean Daniel, Robert Gallimard — pour ne citer qu'eux. En parlant de lui, ces hommes parlent d'eux, et ce n'est pas exhibitionnisme, mais fidélité, puisque Sartre, comme le dit si justement Claude Roy, « c'était une personne, un personnage et beaucoup de monde ».

Merleau-Ponty, face à l'Histoire et notamment au communisme, s'est sans doute montré plus pénétrant et moins gogo (*Les Aventures de la dialectique* tiennent fort bien la mer). Sartre, qui se documentait fort peu, n'a guère forgé de nouvelles références théoriques, et son essai de donner au marxisme une suite du côté de Husserl et de Descartes était dès le départ une impasse. Le premier Sartre, celui de *L'Être et le Néant*, tout pénétré qu'il fût de l'idéalisme classique français, nous parle plus et mieux que l'infortuné auteur de la *Critique de la raison dialectique*. Peut-être parce qu'il pensait avant les sciences humaines, et que nous avons à penser *après* elles.

Le philosophe en lui fut-il trop de son temps ? À l'instar du zazou 1945 qui congédie travail-famille-patrie et, dans la foulée, science-État-religion parce que sa famille était croyante et pétainiste. On ne fait pas disparaître magiquement les réalités par un coup de colère politique et névrotique.

Reste une tentative assez singulière, et qui n'a sans doute pas dit son dernier mot : réconcilier la totalité historique et la subjectivité constituante, deux races ennemies, l'hégélienne et la cartésienne, qui se tournaient le dos. L'honneur philosophique de notre homme est là, me semble-t-il. Et son originalité moins dans l'intention discursive (c'était celle de l'après-guerre) que dans le procédé. Il n'a peut-être pas révolutionné la philosophie, mais il a inventé un genre littéraire : la *description analytique*, ou l'art de saisir un concept universel à travers une situation singulière. De disséquer le sensoriel. La femme qui se rend à son premier rendez-vous ou le garçon de café dansant avec son plateau comme voie d'accès à la structure de conscience appelée « mauvaise foi ». L'ontologie absorbe le bistro du coin, l'arbre du square, les dessous féminins et ne s'y perd pas plus que le sucre dans l'eau. Au contraire, concept et situation se révèlent l'un l'autre. La métaphysique comme dramaturgie — ce fut la révolution existentialiste, dont nous restons tributaires. Les lourdeurs et les longueurs de l'autohypnose à la corydrane, qui ont suivi cela, ne peuvent faire oublier la divine alacrité de ces grands moments d'écriture.

Sartre, dit-on, ne relisait pas ses brouillons. C'est une forme de générosité, dont il a fini par être victime. Nous en avons, au début, bien profité. On ne sait jamais le visage que prennent les morts à distance, mais son intelligence du vécu survivra sans doute à sa pensée théorique. On avait enterré un cerveau, on découvre un regard. *Les Mots*, *Situations* et les *Carnets de la drôle de guerre* effacent le Hegel manqué sous le plus réussi de nos Stendhal. Feu l'intellectuel total, évacuée la synthèse, émerge le promeneur pathétique de Venise, l'éternel adolescent qui a rendu, comme personne depuis Proust, le sensible intelligible. L'hyperesthésie de l'intelligence qui donne du sens à une racine, un galet, une éponge, qui fait parler le moite, le visqueux et le granulé nous a aidés à sortir du puits des sensations intimes, des états du corps, des non-dits ineffables et minuscules. Les grands événements et les grandes bascules historiques n'étaient sans doute pas son tropisme premier, son vrai plaisir — c'est par devoir qu'il lisait les journaux.

Au fond, le génie de Sartre ce n'est pas la théorie de l'angoisse ni une énième philosophie de la liberté. C'est une langue, plus une éthique. On a rarement les deux ensemble (Aragon, son égal en *maestria*, avait la virtuosité, mais non l'intégrité). Une langue, plus qu'un style, car ce Picasso de la littérature pouvait épouser tous les styles, jouer tous les rôles, depuis Sacha Guitry jusqu'à Martin Heidegger. Qui a eu depuis cette polyvalence ? Sartre à son meilleur, c'est l'impeccable spontanéité du trait, l'écriture-bonheur : qui respire aujourd'hui en français comme lui ? Cet esprit formé par le macabre des années 1930 et dont les années noires de la guerre froide ont fait le succès était la gaieté même. Drôlerie, vivacité, vitalité à fleur de peau. Marcel Aymé, à côté, fait pisse-froid et croque-mort : voir *Uranus*.

Sa morale, il ne l'a pas écrite, il l'a fait vivre autour de lui. Mieux que ses concepts, grevés d'un idéalisme préscientifique, c'est la générosité de Sartre qui est devenue « opératoire ». Les partis pris sont derrière, le vivant est devant nous. Le triomphe planétaire de l'arrogance occidentale et, pire, le triste embourgeoisement de ce qui fut une dissidence donnent une nouvelle actualité à l'inconfort, à la conduite de celui qui osait penser contre soi et son milieu, non sans forcer la note : « Je voue à la bourgeoisie une haine qui ne finira qu'avec moi. » En un temps où les intellectuels se mettent en rang pour recevoir la Légion d'honneur ; où, de subversif et critique, on redevient décoratif ; où chacun parraine, parade et pontifie, préside, inaugure et s'emplume ; en ces temps de démission où plus personne ne donne sa démission, ne refuse un prix, une invitation, une place ; où l'on se gave de bonne conscience pour se replier sur son privé et son profil, en prêchant le contraire de ses pratiques, on trouvera quelque vertu au rebelle qui donnait vie, sa vie, à quelques idées simples et explosives comme celles d'authenticité, de cohérence, de projet et de refus.

La mauvaise conscience, qui est la conscience tout court, n'a rien de triste. Amusez-vous un peu. Lisez ces vieux ringards de sartriens. Vous prendrez au moins un temps d'avance sur l'époque du postiche, qui semble arriver heureusement à son terme.

Gilles Perrault, le secret

Les agents du SOE britannique qu'hébergeaient ses parents en 1942, à Paris, ont initié dès l'enfance Gilles Perrault aux arts de la clandestinité. Motus et bouche cousue. Son Orchestre rouge, *publié en 1967, a enchanté nos années militantes. Sa longue plongée dans les archives du Quai d'Orsay lui a fait découvrir, vingt ans plus tard, un autre orchestre, royal celui-là, et tout aussi silencieux — de quoi enchanter les simples amateurs.*

Quand un homme de droiture s'intéresse aux retors et aux tordus, on peut craindre le pire : la censure feu et flamme. Le jugement abrupt. Surtout quand les fils de l'écheveau, *Le Secret du Roi*, se nouent à Versailles, entre perruques et dentelles, au milieu du XVIIIe siècle (entre 1745 et 1774, de la candidature du prince de Conti au trône de Pologne jusqu'à la mort de Louis, son cousin). Les militants des bonnes causes n'entrent dans les sérails que rapière à la main, et ne lorgnent les anti-

Le Monde, 28 janvier 1994.

chambres que pour fouetter les courtisans ? Détrompez-vous : Gilles Perrault n'est pas un justicier, mais un romancier. La monarchie absolue lui semble plaidable en soi, et si Hassan II l'exaspère, Louis XV l'attendrit presque.

D'un siècle compliqué, il nous est revenu sans idées simples. Et des cinq cents pages tourbillonnantes de *L'Ombre de la Bastille* (l'action du tome II reprend en 1763, après la guerre de Sept Ans), alerte récit d'un service inutile, on émerge tout étourdi d'ambiguïtés. Qui est bon, qui est méchant ? De Broglie, l'âme du secret ? Admirable de dévouement et de lucidité géopolitique. Le chevalier d'Éon, posté à Londres ? Un gaillard qui n'a pas froid aux yeux. Louis XV lui-même, le mal-aimé, qui a bricolé cette cellule de fortes têtes, entre service de renseignement et diplomatie parallèle, devient un complice. On plaint le pauvre bougre qui finit par se prendre les pieds dans ses fils, mais témoigne si souvent de cette méticuleuse attention aux détails matériels, opérationnels, psychologiques qui distingue les grands chefs d'État des autres. Rien de plus faux que le fameux : *de minimis non curat praetor*. Voyez la correspondance de Napoléon et de Charles de Gaulle : ils sont au four, au moulin et dans les cuisines.

Cette enquête sur dossier (qui ne mériterait, à la limite, qu'un seul reproche : trop exacte et trop exhaustive) est autant une descente dans les caves que dans l'âme d'un siècle. Elle en a la lucidité sèche, le sens du trait et du coup d'œil. Les magouilles sont de tous les pouvoirs — celles-là se distinguant des nôtres par le style, comme il sied à une époque où l'on écrivait à merveille, où le mot règne en maître. Et où une réplique, déjà, vous mouche un grand seigneur. Cette longue séquence de déboires et de dépits — coups ratés, honneurs bafoués, espoirs trompés et j'en passe — aurait pu inspirer aux acteurs une certaine amertume. Il n'en est rien : la misère des résultats et des hommes respire ici une belle gaieté cynique. Il y a eu osmose entre le peintre et ses modèles. Cette société méchante avait la conscience heureuse, incurablement. De la rosserie, elle fit un art, l'épigramme, comme de ses déboires, des sonates pour clavecin. Dans le monde des Chérubin et des Figaro, les chagrins ne rendent pas malheureux, l'amour ne rend pas bavard. Extases interdites. Politique d'abord — à tous les échelons. On est ambitieux à vingt, à quarante et à soixante ans. Avec des pauses-boudoir, et des jalons d'écriture. Passions, vocations, mystiques — cela fut d'avant et d'après. Entre Pascal et Rousseau, ces deux rabat-joie, l'esprit européen connut ainsi un petit siècle d'euphorie, plus ou moins frelatée, mais somme toute méritée.

C'est ce merveilleux courant d'air entre cour et jardin qui traverse ces pages. Cet air de liberté, si l'on préfère, mais c'est la même bougeotte. Car la grâce de cette Europe cosmopolite et française (les deux mots ne s'opposent pas), où tous les hommes d'esprit, de Frédéric II à Casanova, écrivaient notre langue, vient sans doute d'une facilité de circulation sans équivalent depuis, entre les sphères, les pays et les métiers. Ce qui sidère les cloisonnés que nous sommes devenus, c'est l'absence de frontières. Non seulement entre la Pologne et la France ou entre l'Angleterre et l'Autriche, mais entre les amours et les traités, les canailles et les princes, le frivole et le féroce, les amateurs et les professionnels. Le roi de

Prusse philosophe, Voltaire espionne. Beaumarchais est trafiquant, Casanova, bibliothécaire. Tout le monde fait de la musique. Bref : chacun touche à tout, à la diable, et chaque domaine de l'esprit touche à la perfection. Il n'y avait alors que des amateurs, mais rien ne fut plus soigné, plus « professionnel » que la fugue, la langue, la guerre, la science, les amours. C'était avant la naissance des professions, des rubriques spécialisées et des cartes d'identité. Le meilleur écrivain du monde pouvait faire du renseignement, et le plus obscur agent secret cultiver l'art épistolaire. On pouvait être ministre sans être bête, censeur attitré en composant des libelles. On comprend que Gilles Perrault ait mêlé un brin de nostalgie à sa dévorante curiosité. Et que cette belle chronique de moraliste, trop bien informé pour nous faire la morale, nous donne un goût de revenez-y.

La surprise Nourissier

L'ancien mentor du Figaro *et président de l'Académie Goncourt, pour qui ne le connaissait pas, était un important, à grande surface sociale. Tout ce qu'il faut pour qu'on se détourne de l'écrivain. La découverte trop tardive d'une confession terminale me fit venir à résipiscence. D'où ce* mea culpa *sous la forme d'une contribution à l'ouvrage collectif* Nourissier autobiographe *(Gallimard, 2002).*

L'auteur n'est pas de ma paroisse, et je ne raffole pas du genre autobiographique. Par quelle inconséquence cet *À défaut de génie* m'a-t-il fait tressaillir de la tête aux pieds ? Clamer au chef-d'œuvre ? Brandir l'oriflamme ? Il serait temps que je me tire de ce mauvais pas.

L'espèce est sans surprises. Zoologie par trop française, et lassante à la longue. Tous faits au moule. Cadre noir, crottin et pissat, en avant calme et droit. Cuir et tweed. Fringant, sec, caustique. À vingt ans, cela vous a de la verve et un brin de plume. Cela prend pour astres Montherlant, Chardonne, Morand, Nimier. Entre trente et quarante, voilà notre frère et confrère à la torture : ira-t-on faire la loi au *Monde des livres* ou bien au *Figaro littéraire* ? Visera-t-on l'Académie Goncourt ou la française ? Signer, en veille d'élection, pour tartemuche ou tartemolle ? Ces choix sont cornéliens. Cela engrange, roman après roman, et à la soixantaine, cela préside. Chacun son tour. Réglé comme papier à musique. Ah ! S'ils savaient comme ils sont convenus, nos capricants de métier ; suant l'idéologie par tous leurs pores, nos hussards qui-se-méfient-des-idées ; si classiquement politiques, nos inclassables apolitiques. L'élégance réactionnaire, caste hautaine et vulgaire, remet en vitrine chaque décennie ses bottillons Bata regriffés Berluti, et l'on achète de bon cœur, parce qu'on vit à Paris, client captif, acteur ou comparse, dans ce cosmos intra-muros dont les étoiles s'éteignent passé la porte de Saint-Cloud. Nos chroniqueurs en titre s'entre-louent chaque semaine, s'entre-priment chaque automne, s'entre-griffent à chaque dîner. C'est le milieu qui le veut. Le soyeux entre-soi fait mourir à feu doux la littérature maison, le cocon n'est plus à l'échelle, ni du monde ni des temps. On a envie de leur dire, à nos vieux gamins solennels, blanchis à la rhubarbe et au séné : « Allez, détendez-vous, les gars, tout cela n'a aucune importance. Ce n'est plus chez nous que les choses se passent. »

Aurais-je commis une erreur d'attribution ou étais-je victime de mes préjugés ? Oublions ce venin. François Nourissier vaut mieux que sa classe. C'est pourtant vrai qu'il n'a pas eu de chance, le malheureux. Il a eu toutes les chances. Richesse, bagnoles, maisons sublimes, amis surtitrés, grands prix, jolies femmes, bons tirages. Fatal. Perdu pour le maudit, la perversion, la névrose.

Pas de légende, mais une réputation : la guigne. On guérit de son enfance plus facilement que de son image. Quand une belle situation n'est pas rachetée par des épreuves de jeunesse, en temps de guerre — Gary ou Malraux — ou bien par une foi coriace et bébête, mystère extraterritorial — Julien Green, si l'on veut —, elle se referme comme un piège sur le notable qui aura mis trop d'atouts dans son jeu pour susciter l'envie d'aller y voir de près. Il faut se méfier des gens qui font partie du décor, ils se cachent mieux que les autres. Leur fonction parle à leur place, et sous prétexte qu'ils ont la même gueule et qu'on n'ouvre pas les livres des consacrés que la télé reconsacre chaque mois, on prend le sosie pour l'original. Avec son côté bar du Grand Hôtel, Aston Martin, Guy-et-Marie-Hélène, l'ancien président du jury Goncourt renchérissait sur les risques. Les directeurs du goût public sont presque aussi éphémères que les directeurs de conscience nationale. Connaissez-vous, depuis cent cinquante ans, un seul « prélat des lettres », un seul garde des Sceaux du beau style, un seul secrétaire général de l'édition française, régnant sur deux revues, trois arrondissements, quatre journaux et dix mille auteurs-quémandeurs, qui ne soit tombé dans la trappe en descendant dans la fosse ? Le soir de l'enterrement, pfft, plus rien. À tour de rôle. Vous voulez des noms ? Allons, ne faites pas la bête. Glissons immortels. Je vous épargnerai cette cruauté.

Quant au genre littéraire, pouah. Les Mémoires des grands hommes, passe encore, légitime est notre curiosité des coulisses, des ressorts secrets de l'action publique, cela servira à l'histoire du temps. Mais l'égographie des vaniteux du village, qui fait épopée du privé, prouesses de l'aube et chagrins du soir, non merci bien, on croule sous le nombre. La contemplostate du nombril, le mécontentement de soi, inusable ficelle, la vacherie joliment décochée, l'ennui des honneurs, le « tout ça pour ça », stylé, bien sûr, au petit trot, bien cambré, on connaît, on connaît... Si notre grand officier était resté dans sa case, on aurait tiré son chapeau par politesse, la tête ailleurs et le cœur distrait.

Il y va ici d'autre chose. Je dirais plutôt qu'il y a quelque chose en moins, et donc en plus. Une soustraction s'est opérée, un bémol, une sourdine. Le cri à bouche fermée. L'amenuisement sied à l'authenticité. Celui que l'on prenait pour un décoré décoratif devient un complice parce qu'il est diminué, et se grandit en le disant. Avec ce qu'il suggère de résignation gaie, ou d'entrain fataliste, le titre, il est vrai, prédispose à une certaine fraternité. *À défaut de génie*, l'expression se trouve chez Yourcenar (« À défaut de génie, une pareille carrière demande des soins, et même des stratagèmes pour lesquels je me sentais peu fait »). Ce n'est donc pas une trouvaille, mais c'est un joli signe de reconnaissance, qui met de plain-pied. Et permet de jouer franc-jeu. « Je suis condamné, note-t-il au passage, à cet impressionnisme un peu affecté. » Non. Il était peut-être, mais il n'est plus ; adieu cliquetis et clinquant, adieu cloaques, ruelles, antichambres et labyrinthes. Voilà un littérateur qui connaît tous les trucs de l'esbroufe (mots nobles ou Nobel, citations d'autorité, épigraphes, etc.) et qui dépose humblement la frime et la fanfaronnade, comme d'autres leur épée, aux pieds de sa souffrance, simple et tranquille. Surgit une vie en rase campagne, intermittente et saugrenue (la vie écrit droit avec des lignes brisées). Les fils cassés de la mémoire, nul artifice ne vient les recoudre. Et soudain, il n'y a plus de personnage pour s'interposer entre nous et ce vieux monsieur que les mots fatiguent et qui n'a plus que les mots pour s'en sortir — notre condition commune. Il m'a toujours semblé qu'une haine de soi bien affichée était la forme la plus rusée de volonté de puissance. M'étais-je trompé ? On découvre ici un don d'attention humble aux congénères, notoires et inconnus. Cet intimiste ne veut pas imposer son moi aux autres, comme l'autiste ordinaire. Il propose à un moi hésitant, plus ou moins engrisaillé, une galerie d'autres éclatants, admirables et admirés. Au lieu d'« entretenir la postérité du détail de ses faiblesses », le pseudo-narcisse vient nous apprendre l'amitié, sans gloriole, en portraitiste deux fois fidèle. Il nous entraîne à mieux regarder, à mieux écouter. « La meilleure part de notre mémoire est hors de moi », nous avait prévenus Proust. La meilleure part de la sienne s'appellera dorénavant Louis Aragon, Jean Paulhan, Edmonde Charles-Roux, Clara Malraux, et d'autres plus confidentiels, comme Marc Soriano ou un certain Mgr Chollet, restitués en pied et *in vivo*, ombres et soleil. Ces excursions intimes, sans dentelle ni récrimination, sont les meilleures de ces morceaux de bravoure entre chien et loup, qui auraient pu être « bien écrits », comme tous, et qui sont mieux que cela : véridiques. Et c'est la surprise — l'exactitude dans la mélancolie — qui saisit. En général, le crépuscule pousse à la pose, au nappé romantique. Ici, le spleen est en pointe sèche. Sur un fond Chateaubriand, le trait Jules Renard. En poussant le bouchon : Dürer chez Boldini.

On devine que Miss P. (chacun ses alchimistes, Mister C. ou Miss S.) a été pour beaucoup dans cette transmutation. Cette fée ténébreuse aura métamorphosé un faux fiasco, cette existence, en vraie réussite, ce livre. Encore fallait-il s'agripper à sa baguette magique — et travailler, jour après jour, pour relever le défi. Prendre sur sa vie le point de vue de sa mort — cela peut parfois susciter, ressusciter chemin faisant une troisième personne — qui n'est plus la personne physique de l'auteur, accident biologique, ni son personnage social, son masque menteur. Ce tiers universel, c'est le premier venu, vous et moi. Et qu'une bonne vue sur son néant futur convie à faire ce qu'il doit, aux autres et à lui-même, rien de plus, rien de moins. Ce troisième homme qu'une sorte d'abnégation fait advenir, chez un auteur qui se déprend de ses tics, se faufile chez le lecteur lui-même. Et, paradoxe, loin de rester avec un goût de cendres dans la bouche, voilà le quidam pris à témoin, saisi d'une toute nouvelle gourmandise de vie, âpre et plutôt drôle.

Les gens chics vous font horreur ? Soit. Ce n'est là qu'un sentiment convenu. Restez-en à l'écart, mais lisez en silence. L'honneur est un vice solitaire, comme la lecture, et ces pages de survie feront demain honneur à n'importe quel être humain.

Le mystère Fumaroli

Allocution prononcée au château de Combourg le 23 octobre 2004 lors de la remise du prix Combourg à Marc Fumaroli pour son ouvrage Chateaubriand, Poésie et Terreur *(De Fallois, 2003).*

Vous voilà donc à la maison, cher Maître. De retour, au château, chez vous. Non que vous songiez à exproprier Sonia et Guy de La Tour du Pin, ce n'est pas dans vos manières. Après deux siècles ou plus de réticences et de tribulations diverses, vous êtes revenu en Bretagne retrouver votre époque. Retrouver vos bois, vos bruyères, le sifflement de la grive sur la plus haute branche, l'immuable horloge cosmique, et l'écho des pas du paternel arpentant en silence la grande salle voûtée. Votre sœur Lucile n'est pas loin, et vos malheureux aînés. Oh ! certes ! Des maisons, vous en avez beaucoup. Vous avez la Vallée-aux-Loups, le palais Simonetti à Rome, votre hôtel de la rue du Bac, où vous avez fini vos jours. Mais Combourg, pour vous, c'est plus qu'un souvenir protégé et mieux qu'une crypte bien conservée. C'est plus qu'un donjon entouré d'arbres, c'est votre couveuse. C'est la forge du petit René, le creuset de vos songes d'adulte, le laboratoire de votre moi profond, le théâtre de votre intimité, dont votre livre a si bien montré l'émergence chez Rousseau et la culmination chez Proust.

Oui, la pervenche bleue de Mme de Warens dans *Les Confessions* ; la brise fleurant le réséda et la célèbre madeleine — cette dynastie, ce fil convecteur de la mémoire involontaire, c'est à vous que nous devons de pouvoir aujourd'hui en recoudre les bribes. L'entremêlement de l'imaginaire et du réel, des forêts d'Amérique et des salons d'Europe, ce mélange insolite de genres jusqu'alors cloisonnés, c'est ce qu'on peut appeler « l'équation Chateaubriand ». La formule magique des *Mémoires d'outre-tombe*, nous en avons enfin, grâce à vous, la genèse et les arrière-plans. Il y avait eu, avant René, l'Histoire des mémorialistes avec « une grande Hache », la majestueuse qui roule carrosse, avec Retz, Saint-Simon et Talleyrand, le vice au bras du crime. Il y avait eu, avec Rousseau, les déambulations d'un rêveur adulte, les aveux d'un solitaire muet sur son enfance et sa famille. Et voilà d'un coup l'incursion du rêve intime dans l'espace public, de l'enfantin dans l'épopée, des affaires de cœur dans les grandes affaires, rupture sans précédent qui vaut bien l'intrusion du roman policier dans la tragédie grecque. Je dirais pour ma part : des grives du petit garçon dans les griefs du vieil homme. Ce qu'il fallut de travail et de souffrances, de lectures et de peine, pour en arriver là, à cette voix brisée des dernières années — nous en avons pris, nous vos lecteurs, toute la mesure.

Cher Marc Fumaroli, vous m'êtes un mystère. Un mystère, je le dis tout de suite, suprêmement agaçant. Comme peut l'être un cavalier pour un piéton, ou un magicien pour un notaire. Aucune époque ne vous échappe. Comment peut-on passer de Montaigne au mirage baroque ? Du XVIe au XVIIe pour devenir, avec votre *Âge de l'éloquence*, l'incarnation du « dix-septiémiste » ? Dont votre *La Fontaine* fut le chef-d'œuvre. Comment peut-on sauter ensuite de Poussin et Corneille, à David et Chateaubriand, et devenir *dix-neuviémiste* ? Après un passage par le XVIIIe et la querelle des Anciens et des Modernes ? Mais *vingtiémiste* aussi vous êtes, si j'en crois votre charge fort instruite et précise contre notre culture administrée, et mieux encore, vos savoureuses critiques théâtrales, qui se lisent comme une chronique au quotidien, un bulletin météo des années 1960 du dernier siècle. Si l'on ajoute à cette omnicompétence critique votre talent pour voyager dans les arts, de Rome à New York et de Paris à Los Angeles, l'agacement frisera la crise de jalousie. Mais vous me direz que les pouvoirs de l'image étant à vos yeux inséparables des puissances de la parole, entrer dans la plastique par la rhétorique et dans la peinture par les lettres, ce n'est pas une excursion fantaisiste ni un mélange des genres, mais encore une autre façon pour vous de creuser le sujet, en grand professionnel de l'histoire symbolique.

Aussi peu banale que soit cette ouverture de compas, jusqu'ici on peut se dire : beaucoup de travail, beaucoup de lectures, beaucoup de fiches. Et l'on vous cherchera aussitôt, si l'on est mesquin et un peu envieux, comme je le suis, une excuse d'ordre physiologique. Voilà un de ces hommes gâtés par la providence, qui leur a fait le plus précieux des cadeaux : quatre à cinq heures de sommeil par nuit, au lieu de huit ou neuf. Dormir vite, cela change tout. Le propos reste court, et je prends la tangente. Car pour élucider le mystère Fumaroli, la simple capacité de travail jour et nuit ne sera jamais la bonne clé.

Elle réside à mes yeux dans l'alliance de la science et du style, du savoir et du charme, qui fait de vous un Centaure deux fois académique, puisque vous appartenez à deux compagnies : les Inscriptions et Belles-Lettres, et l'Académie française. Si l'on y réfléchit bien, cette combinaison heurte le sens commun. L'érudit enchanteur est un animal rare. D'ordinaire, le puits de science universitaire produit du fastidieux et du lourdingue, et à l'autre extrémité, le beau style produit des élégances, des virevoltes vite oubliées. Le cuistre nous instruit, mais nous enquiquine ; le prestidigitateur nous séduit, mais nous n'engrangeons rien. Vous, vous avez la double vocation — celle de Clio et celle d'Orphée. Je devrais dire la triple, pour ne pas oublier Cassandre. « Nageur entre deux rives », vous nous divertissez et vous nous enseignez, avec une grâce courtoise, parfois féroce, traversée d'éclairs de moraliste. Car tout littéraire que vous soyez, vous ne cédez pas au bel esprit. Un philosophe ne perd pas son temps en vous lisant, tant il est vrai que le jargon néogermanique qui berce nos établissements spécialisés finit par endormir, quand une sentence insolite et bien cuivrée nous réveille en sursaut.

Je vous ai confondu, en commençant ma petite apostrophe, avec votre héros. J'ai même failli vous remercier d'avoir donné à cette informelle et valeureuse académie Chateaubriand le prix Fumaroli. Mon égarement n'était pas seulement dû à l'empathie communicative qui imprègne votre hommage polygonal, *Poésie et Terreur*, au gentilhomme de ces lieux. Il me semble en effet que vous appartenez à la même race imprévisible et incommode que le vicomte — celle des réactionnaires de progrès. Vous nous mettez comme lui à l'écoute des fantômes, mais avec allant et sans morosité. Je verrais volontiers en vous le Chateaubriand du monde néolibéral, qui ne cesse de lui faire remontrance de ce qu'il est devenu, au nom d'un libéralisme qui n'existe plus, et n'a peut-être jamais existé, hormis dans vos regrets. De là vos combats de presse, et ces bordées que vous lâchez périodiquement contre notre société intestinale, dont vous aimeriez relever le plafond. Mentor élégiaque et acide de notre centre droit, vous plaidez pour l'esprit des salons contre l'esprit de cour, et l'on ne vous devine pas plus heureux du retour de vos amis modérés dans les ministères que ne le furent les frères de Saint Louis devant les banquiers de l'orléanisme, et les palinodies des anciens émigrés, vos compagnons d'hier. Vous entrez dans l'arène, je crois, pour placer vos contemporains devant leurs responsabilités : « Voilà une longue histoire à continuer, et qui nous fait à tous obligation d'avancer. » Après tout, le légitimiste féodal qui grandit ici admirait la République américaine et s'allia à la fin de sa vie avec les libéraux, pour défendre la liberté de la presse. Vous êtes un libéral à l'ancienne, un homme du siècle des Lumières qui n'admet pas qu'il ait glissé dans le sang, après 1789, et s'obstine à chercher le juste milieu entre la licence et l'oppression, triste alternative dont notre histoire n'a que trop l'habitude. Votre idéal : les Lumières moins la Révolution. Chacun son rêve. Républicain bon teint, je m'en voudrais de sacrifier en pensée égalité et fraternité à liberté. Je prends les deux — souveraineté du peuple et liberté de conscience —, réfractaire que je suis à l'empire américain et toujours jacobin de cœur. L'étatisme plébéien est votre bête noire, ce n'est pas la mienne, au contraire. On en étonnerait plus d'un si l'on faisait alliance, mais il faut de l'audace pour sauver l'essentiel. L'audace, par exemple, d'une poignée de main entre un lecteur du *Figaro* et un lecteur de *L'Humanité*. Pour que ne disparaisse pas un certain espace de civilité, qui fait une place décente à l'instruction publique, aux lumières et au bon goût, sans oublier l'indépendance d'esprit, bref, une société où le sondage et le supermarché n'auraient pas le dernier mot.

Mais quoi ! Un conditionnel ? Ils *n'auraient* pas ? Il suffit de vous lire pour retrouver la belle humeur et sauter au futur : ils n'*auront* pas le dernier mot. Et quand on fera l'histoire, dans un siècle ou deux, du naufrage d'un certain classicisme européen, à la fois pudique, sociable et savant, et qu'on fera la liste des sauveteurs *in extremis*, de ceux qui auront empêché le pire, votre nom sera l'un des tout premiers.

C'est du moins ce que je souhaite et c'est pourquoi nous vous disons : merci, et bon travail.

Semprun en spirale

Préface à Exercices de survie, *de Jorge Semprun, Gallimard, 2012 (publication posthume).*

Aime-t-on Jorge Semprun pour ce qu'il a été ou pour ce qu'il a fait de ce qu'il fut ? Il peut sembler absurde, encore plus pour lui que pour d'autres, de vouloir dissocier l'œuvre de la vie, mais devant l'avalanche des hommages posthumes à l'individu, on se prend à penser que le témoin a fini par faire de l'ombre au poète. On avait toutes les raisons de se laisser éblouir : cette ombre personnelle est un habit de lumière. L'homme portait les cicatrices d'un XXe siècle d'épouvante. Il en a épousé les ensorcellements et les désillusions, à bras-le-corps. Pareille densité de destin, peu de nos aînés auraient pu y prétendre.

Sans doute, parmi ces élus de l'Histoire, cette aristocratie du malheur, n'aurait-il pas manqué lui-même de placer son grand frère, Malraux, qu'il admirait et dont le mot d'ordre « transformer l'expérience en conscience » aurait pu être le sien. Plus mondial peut-être, mais moins européen, le Français monolingue est passé par Shanghai, mais non par Buchenwald. Notre homme-frontière polyglotte, hispano-germano-français, est, lui, un feuilleté d'Europe, un concentré de ses plus hauts lignages. Il a fait se rencontrer le courage et le panache du Castillan, le souci métaphysique de l'Allemand, et la sèche lucidité du Français. Résistant à Paris, déporté près de Weimar, clandestin à Madrid — puis ministre au même lieu —, la légende avait de quoi faire. Il en résulta un écrasant prestige. Ce que le Hongrois Imre Kertész, ancien déporté lui aussi et prix Nobel de littérature, a appelé, avec un léger sourire, « une sorte de héros officiel » dans l'Union européenne (qui en avait peu de cette consistance). Mais quoi ? D'autres ont survécu aux camps, y compris d'extermination — Antelme, Rousset, Primo Levi. D'autres furent résistants et des plus braves, de Roger Vailland à Daniel Cordier. D'autres, plus jeunes et sous d'autres latitudes, furent des militants clandestins confrontés à leur tour à la torture et à la mort, et tous ceux-là aussi ont fait œuvre de mémoire. Oui, mais aucun ne l'a fait comme notre grand d'Espagne. Son accent est inimitable. L'autorité morale est une chose. La qualité d'un timbre en est une autre. Oublions un instant la première pour tenter de comprendre la seconde.

Le récit que voici y prédispose mieux que tout autre. Ce soliloque peuplé de jaillissements fantomatiques, ce laisser-courre du songe chez un vieil homme affronté à des retours de flamme, comme à autant d'énigmes baroques, incompréhensibles, c'est à la fois un blason et un transparent. La griffe, la marque Semprun s'y trouve à l'état pur, et tout entier.

Mais encore ? Qu'est-ce qui n'est qu'à lui ?

Cette façon de marier l'intime avec le bruit et la fureur. Mémorialistes et chroniqueurs n'ont pas coutume d'entremêler tendresses, confidences et débâcles du corps à l'évocation de leurs hauts faits. Les romanciers, eux, c'est leur travail, depuis Fabrice à Waterloo. Semprun croise les rubriques et donne une dimension romanesque à l'événement réel. Il privatise l'Histoire tout en historisant sa vie. La mémoire, on le sait, est un drôle de réfrigérateur : elle fait fondre les grandes lignes et conserve les détails au frais. L'histoire-récit s'en distingue par son goût des synthèses et des équilibres. Elle brosse à grands traits panoramas et perspectives. Avec sa mosaïque en pointillé, Semprun annexe l'histoire à la mémoire — ce qui le distingue de Malraux, qui fait l'inverse. Pour le Conquérant adepte des voies royales et des fastueux survols, qui le prend de haut avec les faits, l'expérience vécue sert de tremplin à l'imaginaire. Pour le méticuleux qui creuse et fouille son vécu, *sa vivencia*, l'imagination est au service de la réalité, qu'elle reconstitue par bribes. Malraux tient son passé pour un acquis, Semprun, pour une question. Le premier transfigure, le second recompose. Et nous voyons un puzzle se mettre en place, par un interminable jeu de correspondances et de coïncidences. Qu'on pardonne le parallèle. Goûter, c'est comparer.

Cette façon aussi d'aller et venir entre le Lutétia d'aujourd'hui et le Lutétia de 1945. Entre le présent et l'imparfait de l'indicatif. Comme si rien n'était joué, comme si sa vie elle-même se rejouait à chaque inopiné retour de flamme, à chaque nouvelle résurgence de hasard, qui vient compléter le puzzle avec une pièce manquante. Comme si c'était toujours à la fin qu'on découvrait son début. « Soixante ans plus tard, je me suis souvenu… » Comme si, mais n'est-ce pas ainsi que les choses se passent, réellement, chez nous tous, l'on ne cessait d'arriver en retard dans sa propre vie. Ce tremblement perpétuel, inquiet, obstiné du souvenir confère un rare accent d'authenticité à l'inlassable quête d'exactitude.

Ce détachement ironique, cette façon un peu distante d'être à soi-même son Sphinx, sans *lamento* ni pathos. Le sujet s'interroge en tant qu'objet, sur un ton qui n'est pas celui du procureur ou de l'avocat, mais du juge d'instruction raboutant les pièces, reprenant le dossier (JS, matricule 44904). Nous n'avons pas ici un document ni un témoignage. (Le document serait monocorde, brut de décoffrage, sans relief, et le témoignage linéaire, trop sagement ordonné.) Nous avons une enquête. Et sous un apparent désordre, un dur travail de reconquête. Du souvenir sur l'oubli. D'un sens possible sur des incohérences. De la vie sur la mort.

Cette façon enfin qu'a le récit de tourner en rond dans le brouillard, de se faire litanie et mélopée en repassant par les mêmes lieux et les mêmes personnages, de tirer et retirer les mêmes tiroirs. C'est en fait une spirale parce que chaque digression fore plus profond, en vrillant. Au centre du tourbillon, Semprun, toujours lui. Oui, d'aucuns ont parlé d'obsession et de narcissisme. Mais regardons-y à deux fois. Si Semprun, la plupart du temps, reste le centre des histoires racontées par Semprun, ce centre est un carrefour d'anonymes ou d'inconnus, un rond-point qui nous fait rayonner, lui l'auteur et nous lecteurs avec lui, dans tous les azimuts.

Comme si celui qui se cherche ne pouvait se trouver qu'en tombant sur d'autres, si l'enquêteur courant après lui-même devait, à peine parti dans ses souvenirs, bifurquer sur l'un, puis sur l'autre et un troisième arrive, sans coup férir, au point qu'il en viendrait presque à s'égarer en route. On dirait un monologue que les interférences viendraient sans cesse interrompre et relancer, où chaque coupure, bizarrement, fait avancer. Sur cette mémoire-miroir, en somme, un vieil homme se penche à la recherche de son vrai visage, net et définitif, et voilà que d'autres, des dizaines de visages se bousculent dans le champ, le tirant à hue et à dia, jusqu'à le faire douter de lui-même. Cet orgueilleux, ce solitaire avait une foule d'hommes et de femmes derrière lui, en lui. Et nous la fait découvrir en se découvrant à nous. Quelle vie est en ligne droite ? Aucune, mais la sienne, plus qu'aucune autre, a tant zigzagué à travers les époques, les pays, l'Europe, les pires souffrances humaines et nos plus insubmersibles rêves qu'à en suivre le trajet, plein d'à-coups et de surprises, c'est comme si l'on recueillait, l'espace d'une lecture, le meilleur de nous-mêmes.

La longue survie des absents

Julien Gracq est mort et fut enterré, en décembre 2007, comme il a vécu : sur la pointe des pieds. Il m'avait évoqué sa fin au mois d'octobre, au cours de ma dernière visite chez lui, avec une ironie distante. D'où cette courte méditation sur la postérité des écrivains discrets, en manière d'hommage posthume.

Sans fleurs ni couronnes ni photos. Pas de cérémonie. Cercueil au feu, et cendres au caveau de famille. « Notre plus grand écrivain vivant » avait stipulé par écrit que sa mort soit un non-événement, et ainsi fut fait, après Noël. Nous en avions ri de bon cœur, quelques semaines auparavant, dans sa maison de Saint-Florent (personne de plus imprévisiblement drolatique, et disert, et sociable que ce faux ronchon) :

« Quand la mort viendra, disait un prudent, j'aimerais mieux être absent. Moi aussi, je crois bien.

— Le fait de disparaître ne vous effraie pas ?

Le Monde, 11 janvier 2008.

— Non. On ne disparaît pas complètement, on peut se souvenir de vous. Et puis, je suis géographe. Le mot de passe en géographie, c'est l'érosion. On s'éteint comme les plantes. »

L'homme du oui à la nature voyait venir sa fin avec la lucidité impeccable et enjouée du stoïcien. Pas important. « Mon corps, ma vie, vous savez, je n'y suis pas ou si peu. » Julien Gracq fuyait trop l'emphase et la posture pour se vouloir, tel Saint-John Perse, « la mauvaise conscience de son temps ». Ce fondu au noir logique chez un furtif sans carrière ni biographie, pose néanmoins une question gênante à une époque pour laquelle c'est son niveau de visibilité sociale qui fixe à chacun son degré d'existence. Par-delà la place faite à la littérature dans la cité du *show-biz*, naguère à l'estomac, bientôt à la poubelle, il s'agit de savoir si survie et postérité font encore sens.

Notre civilisation est sans doute la première qui, refusant de se laisser interroger par la mort, n'a cure des épitaphes et des tombeaux. Soit. La gloire aujourd'hui est anthume ou n'est pas, pixel et décibel obligent. Nos rituels funéraires sont des lapsus, ou des aveux. Ils racontent l'histoire intime de nos modèles d'excellence et de nos machines à rêves. Le complice d'André Breton, qui ne se prenait pas pour un mage et tenait à rester n'importe qui, n'était certes pas l'ami des hommages officiels. Simplement indifférent, ou goguenard. Les funérailles nationales depuis 1920, quand les trois couleurs recouvrirent la bière d'Anatole France, ne portent pas spécialement bonheur aux écrivains. Proust se porte mieux que Barrès. Et Mallarmé que France. Mais les honneurs décernés ou non aux dépouilles de ceux qu'il est convenu d'appeler des grands hommes en disent long sur notre type idéal d'humanité. Le président Sarkozy pourrait accorder sans doute demain des funérailles nationales à Johnny Hallyday, comme de Gaulle l'a fait, en 1945, pour Paul Valéry. Au nom d'une certaine idée de la réussite. Les totems de la Bibliothèque nationale ne sont pas ceux de Disneyland, mais la Star Ac' aussi a son merveilleux (inverser une hiérarchie n'est pas verser dans le nihilisme). À chaque époque ses incomparables, qu'on voudrait contagieux. L'accompli d'après guerre écrivait ; le nôtre chante. Il rêvait en français ; le nôtre se rêve américain. La vidéosphère a changé son héros d'épaule. Affaire de générations.

On jugera candide ou ringarde l'idée, héritée de la Renaissance, que les arts et les lettres sont les seules aptes à triompher de la mort. Se déduisait de cette honorable présomption que l'œuvre d'un artiste, qui fera lever, telle une ligne de fuite, un jeu d'échos infini, importe plus que son carnet d'adresses, sa bobine ou ses vices. Qui connaît la gueule de Lautréamont ? Il alla longtemps de soi qu'il y avait un hiatus entre une fugitive personne physique et son *alter ego* qui nous lègue un monde, ou un nouvel accent. Les deux ne relèvent pas du même univers. Une photo et un tableau, le nu et son modèle, non plus.

C'était le privilège des souverains et des présidents, oints par l'huile sainte ou le suffrage universel, d'avoir *deux* corps. La carcasse précaire d'un individu inhumé dans son village, Colombey ou Jarnac, et son double sublimé, abstrait, immortel et symbolique, qu'on dépose dans la nef de Notre-Dame. Le double enterrement était de rigueur quand on savait distinguer entre le *nous* d'une nation et le *moi-je* d'un champion de passage, en charge d'une communauté qui le précède, l'excède et lui succède. Maintenant que les rock stars ont annexé les chefs d'État à leur univers survolté et volatil, la chanson politique ne survivra pas au chanteur. Le chacun pour soi ne fait pas l'affaire du développement durable. C'est désormais aux écrivains, aux artistes qui souhaitent échapper au temps par la forme, qu'il incombe de réhabiliter la tradition en péril du dédoublement des corps. Pour que l'œuvre survive à l'ouvrier. Louis Poirier s'est éteint comme le protagoniste du *Balcon en forêt*, l'aspirant Grange, à l'état civil évasif : « Il tira la couverture sur sa tête et s'endormit. » Julien Gracq, lui, n'a pas dit son dernier mot en s'endormant. Qui sera le plus fantomatique en 2108 ? L'omniprésent du jour ou l'hyperabsent d'hier ? Le premier vit dans la prunelle de millions d'éberlués, et s'éclipsera avec eux. Le second hantera longtemps encore l'imaginaire de dix mille liseurs, puisque tel est, en France, l'effectif mystérieusement stable des envoûtés du style. La secte littéraire est mal vue, mais elle voit plus loin que les hypnotisés de l'image. Le temps a ses vaincus, ceux qui lui courent après, sur les *covers*, au hit-parade. Et ses vainqueurs, ceux qui lui tournent le dos, les gris artisans du mot juste. À eux le rebond des renaissances posthumes, à eux la belle vie, la vraie. Un pari encore assez plausible pour sauver de l'écœurement les déprimés du Nouvel An.

Gracq géo-graphe

Chaque année, au début d'octobre, sous l'égide de son maire Hervé de Charette, se tient à Saint-Florent-le-Vieil, lieu de naissance de l'écrivain, les « Rencontres Julien Gracq ». La quatrième édition portait sur son rapport à la géographie, science que j'ai commencé bien tard à déchiffrer. C'est dans ce cadre que je me suis permis une incursion sur cette terra ignota.

Faut-il le rappeler, Louis Poirier, reçu cinquième en 1934 à l'agrégation d'histoire *et* de géographie, fut ensuite, après 1947, et jusqu'en 1970, professeur d'« histoire-géo » au lycée Claude-Bernard. Insistons sur le trait d'union avant d'évoquer la singulière dilection du disciple d'Emmanuel de Martonne, du lecteur ébloui de Vidal de La Blache, pour « cette discipline encore assez jeune » qu'était à son époque la géographie, et plus précisément la géomorphologie (et qui l'amena, en 1942, à occuper le poste d'assistant de géographie à l'université

Médium, n° 31, avril-juin 2012.

de Caen, jusqu'en 1946). C'est une étrange charnière que le *et* intérieur à cette paire, instaurant le couple de l'espace et du temps, conjonction scellée sur les bancs du lycée — « le vrai contenu émouvant, le seul qui, inépuisablement, m'apprêtait à rêver ». Il en a vanté l'inextricable union dans son très perspicace et prophétique article de la revue *Critique*, en 1947, intitulé « L'évolution de la géographie humaine », où il parle expressément d'une *écologie de l'homme* et même d'une écologie dynamique. « L'histoire d'un peuple, disait Vidal, est inséparable de la contrée qu'il habite » — oui, et la contrée qu'habite un peuple est inséparable de son histoire, répond en substance Louis Poirier. « Bien loin que l'histoire de l'homme se lise sur la carte, on pourrait dire [...] que la carte du globe ne se lit vraiment, pour tout ce qui concerne les problèmes de la vie concrète, qu'à travers les verres déformants de l'histoire » ; et d'évoquer « une nature continûment colmatée par le sédiment historique ». Chez Gracq, Michelet ou plutôt Spengler et Vidal de La Blache vont de conserve, épaule contre épaule.

À preuve son expression devenue canonique de « paysage-histoire » — le paysage validé, contresigné par l'événement majeur, tel que la Vendée et les Ardennes, où la catastrophe nationale rôde dans les sous-bois, avec quelque chose de dramatique ou de maléfique, mais aussi, par là même, d'attirant. Et chacun sait que dans *Le Rivage des Syrtes*, « drame géopolitique », et dans *Un balcon en forêt* l'extérieur est à l'intérieur, promu en protagoniste de tous les dangers. Le paysage chez Gracq, où un virement dans la couleur du ciel fait virer de bord un personnage, suggère moins un spectacle qu'une empathie. Il n'a pas rang d'objet, mais de sujet. C'est l'englobant, qui déteint et imprègne, non un supplément d'âme ni un complément d'information.

S'il est peut-être regrettable que le trait d'union ne figure pas au programme de nos rencontres, honorer en Gracq le locataire reconnaissant de la terre, prendre pour fil rouge son écriture des lieux nourriciers, c'est réparer sans doute une injustice et tordre le bâton pour le remettre droit. La discipline que Lucien Febvre voulait « modeste », parce que rivée à la glèbe et non à l'État, reste le parent pauvre de la culture francophone. L'historien a table ouverte à *France Culture*, dans les colonnes des quotidiens, à l'École des hautes études, dans les cours d'assises, les maisons d'édition et les remises de Légion d'honneur. Si chaque année le festival de Saint-Dié — admirable exploit — donne la réplique aux *Rendez-vous de l'histoire* de Blois, les historiens mènent le bal ès qualités sur le forum, comme ils le font, dans les amphis, sous le nom d'historiographes ou d'historiens de l'histoire. En témoigne cette remarque de Pierre Nora : « Si l'on réécrivait aujourd'hui l'histoire de France de Lavisse, ce monument irremplacé de la mémoire nationale positiviste, elle ne commencerait pas par un volume sur la géographie de la France, comme celui de Vidal de La Blache, mais par un volume sur l'historiographie de la France, sur les versions successives de l'image de la France. On voit bien le chemin parcouru, on voit bien la relativisation. » Comme si la France avait cessé d'être un « être géographique », création charnelle et singularité signifiante. Mais pourquoi dire *comme si* ? Dans les nouveaux programmes de géographie de première, la France a purement et simplement disparu. Le niveau national a sauté. Il y a l'Europe d'un côté, de l'autre, les « territoires de proximité ». Rien de très intéressant dans l'entre-deux...

L'autodestruction de l'État par ce qu'il reste de pouvoirs publics, le détricotage du tissu républicain et la phagocytose de « l'embêteuse du monde » par l'entité Occident (dont notre réintégration dans les structures de commandement de l'Otan est un avatar entre autres avanies) ne suffisent pas à expliquer cette condescendance générale. D'autant que Michelet n'a pas gagné ce que Vidal a perdu : l'« histoire-géo » n'est pas un jeu à somme nulle. En France, la personne ne se porte pas beaucoup mieux que l'Hexagone. « Un État ne meurt pas. C'est une forme qui se défait, dit Danielo à la fin du *Rivage des Syrtes*. Il vient un moment où ce qui a été lié aspire à se délier, et la forme trop précise à rentrer dans l'indistinction. » Sans doute goûtons-nous à présent, nous Français, les délices de ce délavement aux couleurs du monde et de tout le monde, gris sur gris. Plus besoin de contours.

Il y a plus embêtant. La science du stable et du lent, sinon de l'immobile, n'est pas *excitante*, et moins encore lorsque l'*info* impose son rythme et ses filtres à notre faculté d'attention (une info est l'inverse d'une probabilité d'apparition). La géographie au sens traditionnel — avant la dramatisation écologique, qui peut transformer la donne —, ça manque de coups de théâtre et de suspense. Valéry : « Nous ne pensons que par hasard aux circonstances *permanentes* de notre vie ; nous ne les percevons qu'au moment qu'elles *s'altèrent* tout à coup, de par notre inconscience à l'égard des conditions les plus *simples* et les plus *constantes* de notre existence. » Malheur à ce qui ne fait pas événement. Quand la terre tremble, glisse ou s'assèche, évidemment, notre conscience sursaute, on ouvre les yeux, on sort le dossier du tiroir. Les paysages, les arbres, les livres, les nations, comme les Indiens d'Amazonie, ne deviennent objets d'étude qu'au moment de leur disparition. La somnolence, alors, n'est plus de mise. Ce tocsin sonne l'heure de la géographie. Notre anxiété nouvelle lui a fait gagner des places au tableau d'honneur des sciences sociales, en raison du changement de paradigme (comme dit l'Université), qui ne vient plus de la mécanique, mais de la biologie. Depuis qu'il est question de *biosphère*, l'aura salvatrice s'est reportée de l'ingénieur sur le jardinier, et le film des années 1950, Gérard Philipe en vedette, sur la construction héroïque du barrage qui dompte le fleuve sauvage cède la place au reportage télévisé sur la croisade pour le salut du saumon de Loire. Les enrochements et les épis jadis construits le long du fleuve ne sont plus vus d'un très bon œil. Comment sauvegarder les frayères en perdition pour cause d'envasement et de pollutions chimiques ? C'est le genre de mobilisation qui nous rappelle que l'urgence n'est plus à la domestication, mais à l'ensauvagement de l'écosystème.

« Pas de géographie sans drame », prévient Yves Lacoste. À cet égard, les désastres environnementaux, nuisances industrielles et risques nucléaires — *felix culpa !* — servent la bonne cause. Ils ont fait revenir en grâce le végétal et l'animal, et sur la planète qui est passée en cinquante ans de trois à sept milliards d'humains, le déchet, l'autoroute, le pétrole, le mitage et le reste redonnent toute sa verdeur à la verdure engrisaillée. L'intrusion du suspense dans le tableau, et d'un compte à rebours dans le bloc-diagramme, ce n'est pas seulement le passage, dans la discipline, de la description des formes à l'analyse des processus ou du statique au dynamique : c'est l'entrée de Mme Michu dans le labo des thésards, l'irruption du tribun dans la salle des profs. Saisie par le bio, comme Monsieur Le Trouhadec par la débauche, le géo- devient excitant. On en cause. On s'indigne. On tremble, de colère ou de peur. C'est un *must*. Tous écolos. On regrette *Les Géorgiques* quand le plancher des vaches ressemble au *Titanic*. L'angoisse du lendemain, c'est le défibrillateur dont on avait besoin pour faire repartir une vieille dame quelque peu négligée.

Il n'en reste pas moins que l'âge de la peinture, ou plus largement de l'image fixe, s'accordait spontanément à la forme du *tableau* chère à Vidal de La Blache (mieux que la carte, un espace quadrillé de tabulation), tandis que l'âge du cinéma s'accorde au récit historique, avec son dramatisme et ses fondus enchaînés. (Raison de plus, dirai-je, pour que ce soit à l'écriture de reprendre à sa charge le plan fixe.) Ajoutons, au chapitre excitation, que « les classes délirantes » ou intellectuelles trouvent difficilement matière à polémique, pétition, lettre ouverte ou échange de noms d'oiseaux, dans une carte géologique ou un réseau hydrographique. Comparée au métier d'historien, où le croche-pied va bon train, ou, pis encore, à la sociologie, « sport de combat », la géographie semble être une science calme, sinon sédative, où l'explorateur des couverts végétaux peut au moins se dire (mais je vois peut-être les choses de trop loin, n'étant pas de la partie) : voilà un domaine de recherche où les intellos ne vont pas venir nous embêter et où les journalistes ne nous chercheront pas les poux dans la tête. Si vous parlez de la Révolution française, vous aurez du bruit en ligne ; si vous parlez des schistes cambriens du socle ardennais, vous vous évitez les lettres de lecteurs indignés. On peut se demander si l'auteur du célèbre « Tant de mains pour transformer ce monde, et si peu de regards pour le contempler » n'a pas trouvé, dans son goût de l'observation naturaliste du terrain, une aide à la placidité ou au dégagement, au recul narquois sur l'actualité, à sa façon assez singulière, passée sa jeunesse communiste, de se faire porter absent dans la chronique politico-intellectuelle de son époque. Ce n'est pas la pire des façons de tirer sa révérence.

Ne serait-ce pas, cette minoration du savoir géographique, la faute à Prométhée, le porte-feu qui veut transformer le monde pour délivrer les hommes ? Or l'âge prométhéen, qui a pris du plomb dans l'aile avec la couche d'ozone trouée et les marées noires, Tchernobyl et Fukushima, appartient au passé, du moins en Occident. Sans doute a-t-on vu naître, après guerre et à l'ombre du marxisme, une géographie humaine tendant à l'épopée, qui privilégiait le barrage hydroélectrique plutôt que le régime des eaux. Mais enfin, le problème de Prométhée, enchaîné sur son rocher par Zeus, ce n'est pas le Caucase où il est cloué, c'est le vautour. Le mythe ne nous dit pas s'il se fait boulotter le foie en plein hiver ou en été, ni si le rocher est siliceux ou granitique. La partie engagée se joue entre l'homme et les dieux, à la verticale, non entre l'homme et son milieu, à l'horizontale. Notre héros ne regarde pas par terre. Il lève la tête. Prométhée voyait rouge et ne votait pas vert. Chaque souci en son temps.

Et puisque j'approche les saumâtres contrées politiques, mettons nos gros sabots, et cartes sur table. Si je me remémore des réflexes plus ou moins inconscients et lointains, force m'est d'avouer que pour les hommes de mon genre, et de ma génération, malgré le souvenir, bien estompé, d'Élisée Reclus, communard et socialiste anarchisant, et avant les efforts méritoires d'*Hérodote*, revue de géographie et de géopolitique publiée chez Maspero, l'histoire portait à gauche et la géographie à droite. Je ne parle pas de la « petite histoire », l'histoire anecdotique des grands de ce monde, affriolante et distrayante, façon André Castelot ou Sacha Guitry, apanage traditionnel de la culture de droite, mais de la grande histoire, l'histoire problème et non récit, l'histoire rive gauche, en plan large, l'explication en profondeur et rationnelle des sociétés. De là une sorte de division du travail à laquelle n'ont pas peu contribué ce qu'on a longtemps appelé une « science boche », la géopolitique, l'exaltation maurrassienne des régions et cultures du terroir, la colline inspirée de Barrès, le retour à la terre de Vichy et « la terre ne ment pas » de Berl-Pétain, notre *Si Versailles m'était conté* et nos « Vie quotidienne à l'Élysée », etc. Est-ce un hasard si l'agrégation de géographie est née en 1942, sous l'Occupation (décret Carcopino) ?

Chaque sensibilité avait son lyrisme. La droite d'antan était agricole et chantait la charrue. La gauche était urbaine et urbaniste, et vantait le HLM et le haut fourneau. Mais à quel prix ? L'esprit de système, ou l'*esprit d'orthodoxie*, comme se nomme en grec la névrose de l'angle droit, tient la route en lacets, le chemin creux ou l'embroussaillement capricieux pour des entorses de mauvais goût, aux limites de l'immoralité. Jean-Louis Tissier nous rappelait récemment que Le Corbusier, prophète de la ligne droite, qualifiait certains chemins au tracé sinueux de « chemins d'ânes ». Autant dire que la géographie, au fond, c'était fait pour les ânes (ou pour faire la guerre, ce qui revient peut-être au même), le propre de l'homme étant d'éliminer le hasard, la contingence, l'accident de terrain. De rationaliser. Bien sûr, le propos peut se retourner contre l'esprit de géométrie, qui, pour magnifier l'histoire grandiose et créatrice du travail et arracher « la plante humaine » aux ornières du terreau, aux engluements dans l'humus, minimise la donne géographique, réduite au *Das ist* de Hegel face au panorama des Alpes — « c'est ainsi ». Contingence et facticité. Un mauvais coup porté par l'empirisme à la raison, puisque dans ce *Das ist* gît tout ce qui ne se déduit pas d'un principe et tient tête à la loi (la même pour tous, quelle que soit la latitude). Le donné naturel, c'est le triomphe du particulier sur le général, du fait sur le droit, de l'exception sur la règle, du folklorique sur le centralisé, du vieux sur le jeune. J'aurais pu dire du Sénat sur la Chambre des députés, il y a peu. Mais c'est aussi, sol et sous-sol, un obstacle au volontarisme, puisque là repose tout ce qui ne dépend pas d'une volonté ni ne répond à une consigne. Certes, le granit n'est pas voué pour l'éternité à servir monsieur le curé et monsieur le marquis, la Bretagne a changé son vote, et le schiste cévenol n'est pas l'apanage du protestant ni du républicain, même si ce fut pour eux un bon refuge. Mais enfin, on peut changer un régime politique par une prise de la Bastille ou un coup d'État, on ne change pas par un vote à main levée un profil de pénéplaine ou un régime de mousson. Il y a là, on le voit, des motifs, sinon des excuses, au *benign neglect* du progressiste à l'ancienne, du révolutionnaire classique pour l'observation raisonnée de la face de la terre, et son peu de goût pour les succulences naturelles. Si le géographe (au sens de Febvre) tendait à exclure le politique, ce dernier le lui rendait bien — ce qui a longtemps fait de notre conscience politique une inconscience géographique, et accessoirement de l'intellectuel-géographe un mouton à cinq pattes. Cet aveuglement a peut-être pour racine ultime la matrice judéo-chrétienne propre à l'Occident, qui a fondé, *via* l'histoire du salut, une civilisation du temps et donc du récit — ce qui n'apparaît jamais mieux que lorsqu'on la confronte à la matrice chinoise, qui fonde une civilisation de l'espace, où le paysage est né bien plus tôt qu'en Europe (où il attendra la Renaissance) et où la géomancie continue de l'emporter sur le prophétisme. Ni Lao-Tseu ni Confucius n'ont dit à leurs disciples d'aller « enseigner à toutes les nations » — sans considération des climats, sans distinguer entre montagne et littoral, comme le firent Jésus-Christ et Karl Marx. Il va de soi, quand on détient un message de vérité, qu'on est partout chez soi et à pied d'œuvre, qu'on soit sur des terres froides à seigle et à châtaigne ou sur des terres « chaudes » frumentaires. Les pensées universalistes ne prêtent guère d'attention à la singularité déviante et contraignante des lieux et milieux, comme aux questions d'espace. Quand on parle de *situation*, lisez Sartre, on désigne par là un moment particulier dans le temps, non sur la mappemonde, par latitude et longitude. Utopie = *ou-topos*. Il y a du funèbre dans cette dénégation. Je crois pouvoir parler de ce travers professionnel en connaissance de cause, et tiens de mon passé qu'il peut être mortifère. En Bolivie, en 1967, c'est le dédain des coordonnées géographiques qui a conduit la guérilla à sa perte, le Che ayant remplacé à la dernière minute et sans examen préalable un théâtre d'opérations que j'avais déjà bien exploré par un autre, pratiquement inconnu. Sa seule exploration par la guérilla, obligée de se frayer un chemin à coups de machette, de le jalonner par des brisées, a épuisé ses forces. On n'avait simplement pas de relevé cartographique sérieux du Sud-Est bolivien, et notamment d'une jungle dantesque. Par quel chemin prendre ? Où y a-t-il un gué pour traverser le Rio Grande ? Où peut-on se ravitailler ? Il n'y a peut-être pas de *fatum* géographique, mais son refus a toujours des conséquences fatales. La géographie, ça sert peut-être à faire la guerre, comme dit Yves Lacoste, mais son oubli, ça conduit très certainement à la perdre (surtout quand les combattants sont de nationalité étrangère, ou étrangers au terrain, ce que ne sont pas les talibans en Afghanistan, face à des Martiens absurdement parachutés). Cela dit, cette ignorance n'est peut-être pas spirituellement rédhibitoire pour l'itinérant-né, le marcheur ascétique et sacrificiel auquel le point d'arrivée importe moins que le fait de ne pas s'arrêter en route. Qu'il soit chrétien ou communiste, le militant est un *homme-vers*, non un *homme-dans*. Il quête le Graal ou la Justice. La Jérusalem céleste ou le paradis sur terre. C'est l'insurpassable mérite des pays où l'on n'arrive jamais que d'inciter mieux que les autres à prendre la route, et à convaincre le trimardeur que le plus important est d'être sur la voie, en bonne voie. *Caminante, no hay camino.*

Randonneur casanier, itinérant hexagonal, Gracq, qui a peu voyagé et beaucoup regardé, s'est limité à faire et refaire le tour du propriétaire de son bocage natal, des pays de l'Ouest et de Loire — compte non tenu de quelques raids au Farghestan occidental, Angleterre, Espagne, États-Unis. Tout campé qu'il ait pu être sur son schiste précambrien, adepte du « laissez-moi tranquille dans mon coin et passez au large », l'auteur de *La Route* et des *Carnets des grands chemins* a distillé sa vie durant non l'esprit-de-vin mais l'esprit-du-chemin comme appareillage vers l'inconnu. Avec ce qu'il implique de « valeurs d'exil » et d'arrachement aux mythologies médusantes de la terre et des morts. Cette éthique subliminale affectionne les chemins de crête, les belvédères, les promontoires d'où le regard peut embrasser large, et notre fervent des mises en route au petit matin se classait lui-même du côté des presbytes, vibrant au panorama, et non des myopes, comme André Breton, plus sensible au galet qu'à la plage, au bois flotté qu'au littoral. Combinant longue-vue et microscope, il affectionnait le poste de guet haut perché, comme le mont Glonne, qui déplie à larges traits la frontière entre la Bretagne et la Vendée, comme tous les endroits d'où le paysage vu à l'horizontale, avec ses espaces masqués, s'assimile le mieux à la vue verticale de la carte. Mais le chemin chez lui vaut promesse, ouverture à l'incertain, ébranlement d'énergie, gage de désincarcération passablement, possiblement surréaliste. La *liberté* grande *via* le *grand* chemin. Faut-il accepter son *dedans*, mieux : l'épouser par toutes ses fibres, pour faire chanter le point de fuite et lever toute la magie du *vers* ? C'est probable. Les pistes, les sentiers et les routes ont envoûté le sédentaire. Comme s'ils avaient incarné, chez qui sut vanter comme personne le *sentiment du oui*, toute la puissance d'un non, telle une sorte de non-lieu opposée par l'envie de partir à l'empâtement du terroir. Par l'histoire comme surprise à la géographie comme fatalité.

FLAMBEAUX

De Gaulle,
requiem pour un alléluia

Préface aux Grands Discours de guerre *de Charles de Gaulle (Perrin, 2010) réunis en un seul volume par les soins de Benoît Yvert.*

Il arrive aux légendes de devenir avec le temps plus réelles que la réalité, quand celle-ci s'avère par trop défaillante, voire nuisible au tonus et à l'idée qu'on se fait de soi-même. La chanson de geste gaullienne est à inscrire au nombre de ces sauvetages rétroactifs. Elle fusionne le héros et le récitant, Achille et Homère. N'allez pas chercher qui a fait quoi sous les murs de Troie. Ils sont tombés, l'acteur l'a fait, l'aède l'a dit, c'est le même, et c'est bon pour la santé. Gardons-nous donc de confondre, à la lecture de ces miracles de bravoure et de lucidité, l'*histoire* mondiale avec notre *mémoire* nationale — la guerre contre l'Axe telle qu'elle s'est déroulée sur trois continents, et celle qu'en France nous trouvons toujours avantage à commémorer. Ces grands discours, n'en déplaise à notre amour-propre, ne sont pas de ceux « qui ont fait l'histoire du siècle ». Leur vertu singulière est même de l'avoir gommée, et d'en réécrire entre les lignes une autre, que nous avons faite nôtre puisque nous y jouons un grand et beau rôle. Le palimpseste fut jugé assez lisible par l'opinion mondiale pour nous valoir en 1945 une chaise à la table de la capitulation nazie, et pour nous éviter après coup, à nous, les enfants et petits-enfants *volens nolens* de la déculottée, la connaissance exacte du gigantesque système de forces humaines et matérielles qui ont permis d'abattre le IIIe Reich. Si ces mots n'avaient pas été prononcés, les dés auraient roulé dans le même sens sur la planète, le XXe siècle aurait gardé ses grands traits. Mais notre petit pays ne serait pas un membre permanent du Conseil de sécurité, avec droit de veto, comme la Chine et les États-Unis. Et de la catastrophe, nous n'aurions pas le même souvenir. Celui que nous nous ingénions à en conserver, nous les héritiers ab intestat d'un dégonflage éclair, d'une dégradation à claire-voie, le grand nettoyage de printemps de l'an 40 liquidant en six semaines un siècle d'illusions. La débâcle aurait dû nous reléguer pour longtemps dans les coulisses, avec les flanchards et les recalés. Que restait-il de la grande nation, dont on ne savait pas, et qui ne s'en doutait d'ailleurs pas elle-même, combien la saignée de la Grande Guerre l'avait épuisée ? Un moignon de territoire, un gouvernement de guignols en zinc vénéré par un peuple quasi unanime. Des remises du compteur à zéro aussi radicales, aussi soudaines, aussi incontestables, je ne vois pas que des nations renommées en aient connu de telles. Je n'en vois pas non plus qui se soient relevées de la honte avec si peu d'hommes et de moyens, par la vertu de quelques mots. Sans eux, la face de la planète n'aurait pas changé, certes, mais le Français aurait perdu la sienne, et avec lui, un peu de notre douillette et grasse Europe. En tout cas, nos soixante dernières années ne ressembleraient pas à cette resquille anachronique : une traversée en première classe avec un ticket de seconde.

Changer par des mots le cours des choses, à brève échéance, c'est un privilège réservé aux tribuns qui ont les moyens de leurs fins. Churchill, Staline, Roosevelt, comme Napoléon jadis, avaient un empire, des usines, des savants, une flotte, des millions d'hommes prêts à se battre. Leurs phrases faisaient mouche. Ils discouraient à balles réelles. De Gaulle, l'été 1940, quel impact ? En clair : combien de divisions ? Guère plus qu'un régiment : 2400 volontaires au 14 juillet, dont 1800 de la Légion étrangère. Bien moins que le gouvernement polonais en exil, qui en a 30000, ou même que les Tchèques expatriés. Sur les 30000 soldats français présents alors sur le sol britannique (les rescapés de Dunkerque et de Narwik), 58 décident de rester, tous les autres demandant à rentrer chez eux, discipline et lassitude obligent. Quel tonnage, les forces navales de la dissidence (où va naître bientôt, avec Muselier, l'inventeur de la croix de Lorraine, une rébellion dans la rébellion) ? Deux croiseurs hors d'âge et un contre-torpilleur avarié. Combien d'escadrilles, les aviateurs à croix de Lorraine ? Effectifs squelettiques. Pénurie d'hommes et de cadres. D'où l'importance des ralliements africains : quand je n'ai pas de blanc, je mets du noir. On a rarement vu prophète à la fois plus perspicace et plus désarmé. *Vox clamantis in deserto*. Dont les mots donnaient dans le mille, tout en se perdant dans le vide. Il est toujours douloureux de frapper juste quand on ne fait pas le poids.

« Les Forces françaises libres et la Résistance, nées toutes les deux du même appel... » C'est Malraux qui reprend en 1965 cette généalogie du peuple de la nuit — dans son ode magnifique à Jean Moulin, soudain tiré de l'anonymat par la cérémonie du Panthéon. C'est beau et c'est faux. Paternité symbolique, oui. Acte de naissance, non. Que ce soit le très jeune Daniel Cordier parti en bateau de Bayonne le 21 juin 1940 avec seize compagnons (sur la centaine qui s'était annoncée la veille), ou le déjà adulte Henri Frenay, le futur chef de *Combat*, le plus important mouvement de la Résistance intérieure, ni l'un ni l'autre n'auront eu vent, en larguant les amarres, de ce qu'on appellera plus tard « le non du premier jour ». L'allocution du 18 juin, dont il n'existe pas d'enregistrement, fut un non-événement, objet d'un tardif et fécond malentendu. Ceux qui ont entendu l'Appel n'y ont guère répondu. Ceux qui lui ont répondu ne l'ont pas entendu. Entre le 19 et le 30 juin 1940, cinq réponses sont arrivées sur le bureau londonien du général, sous forme de télégrammes venant de France. Pour le champion toutes catégories du *speech-act*, l'entrée en scène ne fut rien moins que prometteuse. En termes d'audimat, un four. Le vrai discours de 1940, performant, et on ne peut plus performatif, qui fut d'emblée un tournant en conquérant les esprits et les cœurs, c'est celui dont nul aujourd'hui ne se souvient, du 17 juin, par lequel le maréchal Pétain chevrotait l'ordre de mettre bas les armes. Celui-là, tout le pays l'a entendu, et la grande majorité s'est mise à genou, un chapelet à la main. C'est le vainqueur de Verdun qui a résonné, et marqué l'Hexagone de quelle durable empreinte. Il comblait tous nos vœux. Arrêtons le bain de sang. Retrouvons notre million et demi de prisonniers. Recrachons les mensonges qui nous ont fait tant de mal. Allons du côté du manche. Maréchal nous voilà... Les jeux de la mémoire et de l'histoire ont de ces quiproquos. Si la première gardait quelque rapport avec la seconde, nous serions tenus d'avancer d'un jour les flonflons du souvenir.

Le simple rappel de cet hiatus objectif, documenté, incontestable, seul un petit malin imbécile et dupe de rien y verra une raison de hausser les épaules, un moyen de rapetisser le grand Charles en criant à l'esbroufe, à l'illusionniste, au trompe-l'œil. Le magicien du verbe : air connu. Comme si l'Histoire pouvait se passer de comme si. Comme si ce n'était rien que de laver chez un peuple « la honte de mourir sans avoir combattu », quand, dans les faits, il s'est, sinon déshonoré, disons déconsidéré, en acceptant que fussent rayés d'un trait de plume, dans le wagon de Rethondes, ses alliances militaires, ses engagements d'honneur, et jusqu'au respect de soi. On s'abuse chaque fois qu'on pose sur la cheminée, en chiens de faïence, les réalistes et les imaginatifs, la prose et la poésie de l'action. « Le monde ne sera pas demain aux réalistes, écrivait Bernanos en 1939, le monde sera aux mythes. » Il n'avait pas tort. Il aurait seulement dû ajouter que les réalistes qui, par un autre tour d'illusion, ne prennent pas le mythe en compte finissent eux-mêmes en chimériques. Dans le mur. Les Américains en 1944 entendaient sitôt après le Débarquement administrer la France en direct. L'AMGOT (Allied Military Government of Occupied Territories) en faisait une « zone d'occupation », comme l'Allemagne ou l'Italie. Une « zone », économique ou militaire, c'est ce qui advient quand une nation ou un continent se dépouillent de leur mythe irrationnel et fondateur, sans en trouver un autre. Le plan américain n'a pas marché. Prenant ses désirs pour la réalité, Roosevelt n'avait pas fait entrer « l'homme du 18 juin » dans ses plans. Il est vrai qu'il avait jusque-là tout fait pour l'éliminer, jusqu'à s'entendre avec Vichy, où il eut pendant deux ans un ambassadeur bien en cour, puis, en Algérie, avec Darlan l'antisémite, et enfin, plutôt une marionnette qu'un enquiquineur, avec le brav'général Giraud. Rendre à une population sa ferveur la plus exigeante, fût-elle un peu utopique, c'est en faire ou en refaire un peuple. C'est lui rendre la station debout et lui permettre, quatre ans plus tard, de ne pas fuir son regard dans la glace.

La Résistance intérieure ne voulait pas être commandée du dehors, encore moins par un « général émigré », assez antipathique et, de surcroît, suspect d'arrière-pensées peu républicaines et de visées dictatoriales. Le contraire eût été étonnant. Jusqu'au 2 janvier 1942, jusqu'au parachutage de Moulin dans les Alpilles, ses mouvements, composés à la base de civils insoumis et décentralisés, éclatés en petites tribus gauloises, avaient grandi par leurs propres moyens, sans lien organique avec Londres, dans le « désordre du courage », méfiants, on peut les comprendre, envers tout ce qui portait uniforme et badine. Ces citoyens armés, qui ne se considéraient pas comme des soldats, se jugeaient seuls habilités à définir la conduite à tenir sur le terrain. Que les gens de Londres leur donnent de l'argent et des armes, à la bonne heure. Mais ils en feraient ce qu'ils voudraient, à l'heure et dans les lieux par eux choisis. Ils eussent accepté sans trop rechigner un de Gaulle réduit à l'état d'ambassadeur en gants blancs, de symbole, de porte-voix — bref, un homme de belles péroraisons et de bonne posture, mais non un commandant en chef. Qu'il règne, soit, mais qu'il ne gouverne pas. Comme bougonnait Muselier, rival des premiers jours, qui commandait la minuscule flotte des *Free French* (vice-amiral en titre, supérieur hiérarchique d'un général de brigade à titre provisoire), « de Gaulle, c'est un drapeau... Il doit rester très haut, là-haut, dans les nuages ». Or ces discours ne sont pas des vaticinations, des envolées sur l'avenir de la France et de la liberté. Ce sont à la fois des relevés de position et des ordres de mission. Ils n'étaient pas faits pour consoler, mais pour mordre. Ce ne sont pas de nobles et pieuses exhortations, mais des directives liées aux opérations en cours et revêtant, comme telles, le caractère de la contingence. Terre à terre, répondant aux circonstances et pour maîtriser l'imprévu. Pis que le hasard : l'inconnu. Pendant deux ans, de Gaulle en son île ne sait à peu près rien de la Résistance en métropole. Il donne leur feuille de route à des gens improbables qu'il n'a pas rencontrés, dont il salue le courage, mais ignore jusqu'au nom. Le résistant français qui fait ses premiers pas s'engage à l'instinct, à l'aveugle, au pif. L'ordre de marche gaullien le réinsère dans une histoire structurée, une mappemonde, un raisonnement d'ensemble. Bergson n'aurait pas rougi de ce disciple sans licence, mais qui suivait sa devise : « penser en homme d'action, agir en homme de pensée ». Il était ambitieux, oui, mais comme un homme d'action plus que de pouvoir. Il devait d'ailleurs par deux fois quitter le pouvoir, 1946 et 1969, dès lors que s'y maintenir l'empêchait à ses yeux d'agir comme il voulait. Encore faut-il que la volonté ne tourne pas à l'incantation. Gouverner, on le sait, ce n'est pas prier pour que le meilleur arrive, c'est vouloir les conséquences de ce que l'on veut, pour des résultats qui sont inattendus et le plus souvent saumâtres. Les oraisons funèbres de Malraux transfigurent un passé. Les messages qui suivent ouvrent un avenir. Ils ne s'enivrent pas d'une tradition, ils précipitent une révolution, mentale à tout le moins, et qui ne met en jeu rien de moins que la vie de ceux et celles à qui ils s'adressent. En quoi le prédécesseur du Connétable, homme d'État longtemps sans État, architecte sans maçons ni bétonnière, c'est tout de même plus Clemenceau que Victor Hugo.

Avec une différence, liée au primat voulu de l'exécutif sur le législatif. Les ténors du Parlement — ceux de la IIIe ou de la IVe République — connaissaient la force des mots, mais qu'il s'agisse d'Édouard Herriot, Edgar Faure ou du premier François Mitterrand, ces grands pros s'en servaient plus pour biaiser que pour trancher, pour négocier que pour rompre. Le « dire, c'est faire » est une chose ; le dire pour faire en est une autre. Comment fédérer gauche et droite sans entrer dans le petit jeu des buvettes et des barbichettes ? En haussant le point de mire et en faisant de la guerre sa seule ligne de conduite. « Jusqu'au dernier soir de la dernière bataille. » On connaît l'aversion de l'auteur pour les palabres et les régimes d'Assemblée. De Gaulle ne parlemente pas, même s'il sait respecter les formes devant les tout nouveaux parlementaires de l'Assemblée consultative provisoire de 1943. Il sera infiniment plus froid, et moins ému, durant sa courte apparition devant les députés, en 1958. Pour ce républicain consulaire, tribun réticent, la politique de la France ne se fait pas à la corbeille, ni dans l'hémicycle, ni sur un plateau de télévision, mais à Bir Hakeim, à Koufra, à Damas, au Monte Cassino, à coups de canon. Le politicien de profession n'est pas homme à brûler ses vaisseaux ; quand il a du talent, c'est en général pour le Nègre blanc et la fausse sortie. On fait semblant ou diversion, et le roublard n'engage qu'une moitié de lui-même. L'adepte du « penser haut et du parler net » se lance, lui, à corps perdu : ses prises de position sont des prises de gage. Cet orateur-ci a sa rhétorique, mais n'est pas un rhéteur. Il loge à vif dans ses mots, pour maîtrisés qu'ils soient, et joue, à chaque début de partie, son va-tout. Ce qu'il proclame, il l'incarne. Il *est* ce qu'il dit. Et, partant, on peut, on doit, on devrait, on aurait dû le croire.

Peu l'ont cru sur parole, cependant, et ce fut son crève-cœur. Proust remarque quelque part que « les œuvres, comme les puits artésiens, montent d'autant plus haut que la souffrance a plus profondément creusé le cœur ». Ce qui vaut pour les œuvres d'art vaut aussi pour les cris de révolte et la portée d'une harangue. La parole gaullienne doit, pour une bonne part, sa hauteur, sa raideur, à ce principe d'Archimède moral. Elle est altière, portée par un orgueil frisant parfois le ridicule, parce qu'elle jaillit d'un fond de dénuement, d'impécuniosité et d'humiliation que la légende a pudiquement recouvert, mais dont tous les proches alors sur place ont pu témoigner. Surtout après Mers el-Kébir (1300 marins français tués par la flotte anglaise), qui en découragea beaucoup chez ses propres recrues, les Bretons notamment. Et sur quoi il lève, en novembre 1941, un coin de voile pudique. « Je ne commettrai pas l'indélicatesse d'insister sur ce que cela représente, au total, de souffrances et de sacrifices. Chacun de nous est seul à connaître dans le secret de son cœur ce qu'il lui en a coûté. » Nous qui lisons l'histoire à partir de la fin, une fois certifiée épique et destinale, nous oublions sur quel fond de chagrin s'arrachent ces SOS inversés en coups de clairon. Nous manquons le brumeux, le tremblé, le bricolé de cette aventure, qui en ont fait, pour les acteurs, la saveur affective, la couleur des jours et son irremplaçable. *L'aventure incertaine* : Claude Bourdet, dans ses Mémoires, appelle ainsi la Résistance. La formule peut s'appliquer à cette France libre faite de bric et de broc, pari extravagant comme son paria de chef. La statue du Commandeur qu'est devenu l'aventurier à la Libération, pour ne rien dire de la sacralisation posthume, nous masque les doutes et les vertiges d'un solitaire condamné à mort par les siens pour désertion, brocardé par ses alliés anglo-saxons et dénoncé jusque dans son camp, à Londres, chez les ralliés. L'homme rétrospectivement providentiel escamote le funambule cheminant, trois années durant, sur une corde raide, au-dessus d'un précipice où nombre de ses appuis et parfois de ses partisans s'ingénient par mille chicanes et intrigues à le précipiter. Tiraillé, comme on le voit à Beyrouth, entre la nécessité de ménager ses hôtes anglais, qui lui donnent le gîte et le couvert, sans qui il n'existerait pas, et le désir qui le taraude, inflexible, de ne rien leur céder d'essentiel. De même, l'image du rassembleur au-dessus de la mêlée nous voile les luttes intestines qui ont manqué de le faire trébucher, et dont seuls les premiers apôtres nous restituent la férocité. Souvenons-nous que, pour Downing Street, de Gaulle, en 1940, est un pis-aller. Churchill attendait mieux de la France qu'un sous-secrétaire d'État pour ranimer la flamme, et il ne cessa de solliciter ou de guetter des ralliements infiniment plus significatifs. Les avions qu'il envoya à cette fin sur notre territoire au début de juin revenaient désespérément vides : aucun ponte de la IIIe République, aucun membre du haut commandement ne pensa à y monter, tous jugeant scellé le sort de la Grande-Bretagne face au rouleau compresseur nazi. De Gaulle lui-même passa des mois à tirer par la manche de plus hautes et représentatives figures : en vain. Seul Catroux, général cinq étoiles, répondit présent et se rangea derrière lui, qui n'en avait que deux. Un pays tétanisé, des élites rentrant sous terre. Ne souhaitant plus qu'une petite place dans l'Europe allemande de demain. Les patriotes les plus estimables, les vedettes de ce qu'on appelle aujourd'hui la société civile se défilent presque tous. Londres, en 1940, n'est pas une ville où l'on arrive, disait Élisabeth de Miribel, sa secrétaire qui tapa l'Appel avec deux doigts, mais une ville d'où l'on part, vers les États-Unis et le Canada, le refuge des pessimistes. *Exit* le dessus du panier, les noms connus qui eussent été les plus utiles à la cause, y compris chez les antinazis réfugiés en Angleterre : Alexis Léger, André Maurois, Jules Romains, Philippe Barrès, Jean Monnet, Henry Laugier et beaucoup d'autres décampent outre-Atlantique. Sans parler, bien sûr, des 800 hauts fonctionnaires et officiers généraux ni des 12000 Français présents sur le sol britannique, qui demandaient leur rapatriement immédiat pour la France légale et légitime, celle de Pétain.

Cet homme du meilleur monde, lâché par son propre milieu, ne se démonte pas. C'est l'avantage de la particule : on n'aime pas les bourgeois, on peut s'entendre avec le peuple. La trahison des élites est peut-être devenue un cliché. En 1940, c'est une photo noir et blanc. Sans bavures. « N'attendons plus rien des académies », confiera l'aristocrate à Maritain, bien résolu — tel le bohème d'antan banni des grands salons et qui décide de les snober, lui — à transformer les refus essuyés en refus infligés, et l'humiliation en orgueil. Le procès en illégitimité, qui n'a cessé qu'à sa mort, en 1969, s'est ouvert pour lui dès le 18 juin 1940. Une ganache qui ne connaît rien à la politique, et que personne n'a élue, chuchotent les importants. Un apprenti dictateur, murmure Raymond Aron, directeur de *La France libre*. Un aventurier, un traître, un vaniteux, proclame à voix haute, de l'autre côté de la Manche, la haute hiérarchie militaire. Un monarchiste otage de la Cagoule, dit-on du côté gauche. Un jouet dans la main des juifs et des communistes, répond-on côté droit. Relire les articles et documents de l'époque. Le dissident qui rejoint de Gaulle, c'est un *desperado* qui doit se boucher les yeux et les oreilles pour ne pas tourner casaque.

Les tirs croisés, en définitive, n'ont pas peu contribué au mystère, à la construction du mythe. Ils l'enveloppaient d'une brume déroutante, d'un manteau protecteur d'ambiguïtés — dont on ne sort, c'est bien connu, qu'à son détriment. Ce brouillage ne lui déplaisait pas. « Il est plaisant d'observer que les Français libres sont jugés, le même jour, à la même heure, comme inclinant vers le fascisme, ou préparant la restauration d'une monarchie constitutionnelle, ou poursuivant le rétablissement intégral de la monarchie parlementaire... » Il a attendu dix-huit mois pour dissiper le doute, pour répondre à la question que tout le monde se posait —

qui sommes-nous, nous les Français libres ? — dans son adresse aux Français du 15 novembre 1941. Par l'exposé non d'une doctrine, mais d'une fidélité à la République selon Carnot, et d'une décision de salut public : « L'article 1er de notre politique consiste à faire la guerre. » La propagande par le fait.

Jusqu'au début de 1943, quand il s'installe à Alger et neutralise à son profit ce qui reste de l'armée d'armistice, l'escogriffe reste un point d'interrogation que les gens sérieux ayant part au conflit, en dehors du premier cercle des fidèles, ne prennent pas trop au sérieux. Un emmerdeur. Une épée de bois. Un don Quichotte plutôt gênant. Sans Churchill, incurable francophile, qui, faute de mieux, a jeté son dévolu sur lui vingt jours après le 18 juin, non sans quelques appuis singuliers au sein de l'appareil d'État britannique, comme Anthony Eden et Edward Spears, l'outsider se serait retrouvé en 1940 à la tête d'une chevaleresque et peu significative légion française annexée aux armées britanniques. Il eût en ce cas fini en héros, non en grand homme. Ce dévoiement eût gâché ses talents. Le héros meurt à la guerre ; il la fait en première ligne. C'est par convention un type épatant, un baroudeur, un seul-contre-tous auquel on ne demande pas d'être particulièrement rusé, prévoyant ni éloquent. Leclerc est un héros. Il entraîne, donne l'exemple. De Gaulle n'a mérité ce nom que sur la base d'un malentendu induit par le kaki et le képi. Ses exploits guerriers n'ont pas défrayé la chronique. Si c'est un héros, ce le serait par défaut, ou plutôt par excès : il est polyvalent. Tankiste et métaphysicien. Son discours à Oxford, en 1941, est une méditation de moraliste, voire une leçon de philosophie de bon aloi, en Sorbonne, sur l'évolution de l'espèce, des âmes et des choses. Il n'est pas courant qu'un stratège s'attarde sur le pourquoi d'une guerre, et mette le pourquoi en amont du comment. Lui voit et décrit la France d'après, avec sérénité, sans se défausser sur un bouc émissaire, Vichy en l'occurrence. Ce militaire a fait mieux qu'une belle guerre. Il nous a fait une belle paix.

Lorsque, en juin 1943, à Alger, le Comité français de libération nationale devient un centre de pouvoir incontesté, la reconnaissance ne lui est toujours pas acquise. Malgré son titre laborieusement gagné de chef du gouvernement, il est payé pour savoir ce qu'on pense alors de lui chez les maîtres du jeu, au moment où Londres, épuisé par l'effort, passe le flambeau à Washington. Roosevelt, pour qui la France a cessé d'exister le 17 juin 1940, l'appelle en privé « Lady de Gaulle », le dindon, la pimbêche, bref un grotesque. « Les États-Unis, écrira de Gaulle dans ses *Mémoires de guerre,* apportent aux grandes affaires des sentiments élémentaires et une politique compliquée. » Et le sentiment qui prévaut en haut lieu (a-t-il vraiment changé ?) est que les Français comptent pour du beurre. On a beau voir par-dessus l'horizon, prendre chaque fois le risque du paradoxe parce qu'on a quelques longueurs d'avance sur le cours des choses, pas facile de se faire entendre quand on a besoin de demander au plus puissant ses avions, ses radios, et jusqu'à ses uniformes. Non que l'optimiste Cassandre fût infaillible. Sa seule faille fut sa vertu : tout subordonner à l'effort de guerre et à la place qu'aurait la France dans le monde après la victoire. Mais enfin, on aurait pu penser qu'un visionnaire, qui déclarait à un proche en juin 1940 que la Russie serait bientôt en guerre contre son allié germanique, que les *Panzerdivisionen* ne pourraient pas grand-chose contre les deux fossés antichars que sont la Méditerranée et la Manche, et que l'Amérique finirait par entrer dans le jeu, pouvait être écouté avec quelque intérêt par ses pairs. Lu cinquante ans après, le discours de Brazzaville nous semble un peu paternaliste et plan-plan — dans son contexte, il ne manquait pas d'audace. Une amorce d'anticolonialisme, même si l'obsédante reconquête d'une place à la table des grands, laquelle avait l'Empire pour support, devait lui faire dédaigner, bien à tort, les mouvements naissants d'indépendance nationale dans les colonies (avec pour conséquence la terrible bévue indochinoise, en 1945). N'en reste pas moins un prospectiviste rarement démenti qui pressentait, sous le front uni des Alliés, une troisième guerre mondiale en gestation (ce sera la guerre froide), mais qui se retrouva exclu sans phrases des grandes conférences interalliées — Téhéran, Moscou, Yalta. Pas même tenu informé du débarquement américain en Afrique du Nord. Ni même consulté pour le Débarquement en Normandie. La cinquième roue du carrosse.

Ces discours avancent vers nous tête haute — parce que l'abaissement était tous azimuts. Ce sont, oui, les étapes d'une reconquête, mais pas seulement sur l'ennemi, sur les « amis » aussi. N'oublions pas ce sous-texte, il éclatera au grand jour vingt ans plus tard, à Mexico, à Phnom Penh, face à l'Otan. Quand il sera devenu évident, malgré sa taille, que son seul rival international était Tintin : le petit contre les grands. Sous la noblesse de ton, une saga de la guenille : une épopée, oui, mais de la faiblesse.

Ces défis raisonnés sont trop liés à l'action et à son jour-le-jour pour ressortir à la littérature. Ils n'étaient pas faits pour être lus sous la lampe à tête reposée, mais entendus par d'indécis auditoires, radiodiffusés le plus souvent, signés d'un ton et d'un timbre sans visage. La voix supposée de bronze parvenait à ses destinataires en tremblotant, déformée par le grésillement des brouillages, l'oreille collée au poste. Le théâtre politique était alors une scène sonore. Elle est devenue visuelle avec la télévision, ce qui ne l'a pas grandie. La présence vocale a précédé de quatre longues années le longiligne de chair et d'os qui descendit les Champs-Élysées le 27 août 1944 ; la grande perche fut d'abord un accent, déphasé. Cela dit, le général-micro écrivait ses discours en personne, à la main, raturait, fignolait, réécrivait, tirait la langue, sans jamais assujettir les contraintes de la parole littéraire aux diktats simplistes de la communication. « Pendant la guerre, j'avais tiré beaucoup de la radio. Ce que je pouvais dire et répondre de cette façon avait certainement compté dans le resserrement de l'unité nationale contre l'ennemi » (*Mémoires d'espoir*). Mais chez un militaire qui méprisait les militaires et ne vénérait que les écrivains, le médium n'avait pas le dernier mot. On n'était pas encore son domestique. On en tirait parti, comme d'un violoncelle. De Gaulle fait long, au besoin. Comme s'il écrivait pour *La Revue des Deux Mondes* — plus qu'un édito, moins qu'un livre : un article. Aussi ces *verbatim* ont-ils un style très travaillé. Celui-là même dont se gaussera plus tard un Jean-François Revel dans le style *du général*, ineffable échantillon de ce qu'on appelle sans rire un « esprit pénétrant et lucide » et qui, dans une postface à un libelle daté de

1988, accuse le passéiste de s'obstiner à dire Russie pour URSS, sans voir, dit-il, l'inexorable triomphe du communisme soviétique. C'était un an avant la chute du Mur. Au royaume des borgnes, l'aveugle-roi faisait la leçon au clairvoyant. « L'intellectuel, remarque Bernanos, est si souvent imbécile que nous devrions le tenir pour tel jusqu'à ce qu'il nous ait prouvé le contraire. » Un style affecté, nous assure Revel, archaïsant, pompeux, imitant la langue du XVIIe. Trop proche de La Bruyère, trop loin de *L'Express* de 1980, pour ne pas apitoyer un directeur de magazine, fût-il en habit vert. De fait, la langue est tenue, la période ample, la citation, du meilleur aloi. Corneille, Péguy, Chamfort, Shakespeare... Cela sent la version latine, le collège jésuite, le rythme ternaire ? Eh bien, oui. L'âge en est clos, le petit écran, les SMS, les avocats d'affaires — et le « casse-toi pauv' con » — ont mis un demi-millénaire entre cette langue et nous. Les amateurs d'histoire des mentalités, s'ils ne s'intéressent pas aux péripéties de la Seconde Guerre mondiale, pourront trouver dans ces textes un vestige assez touchant du dernier moment littéraire de notre histoire politique ou, si l'on préfère, de l'ultime moment politique de notre histoire littéraire, puisque la médaille nationale est à deux faces : la dignité du politique et l'imparfait du subjonctif font naufrage de concert, main dans la main. Ce registre de langue nous en dit tout autant sur l'éducation du petit Charles que sur l'époque (y compris ses clivages de classe, ses lycées élitistes, son latin-grec dévolu aux petits messieurs de bonne famille...). Pour avoir mis au pouvoir les enfants de *Télé 7 jours*, qui ont désormais, à l'américaine, leur *speech-writer* attitré, nous oublions que la Résistance a porté au premier rang les enfants de *La NRF*. Au premier rang du risque, entendons-nous, et non des journaux et des honneurs. *La NRF* de Schlumberger et de Paulhan, pas celle de Drieu (avec lequel Malraux ne coupa jamais les ponts). Est-ce un hasard si le Débarquement fut annoncé sur les ondes de la BBC — message n° 27 — par Verlaine — « Les sanglots longs des violons de l'automne » ? Si Pascal Copeau, le fils de Jacques, celui du Vieux-Colombier, et Claude Bourdet, le fils d'Édouard, le dramaturge, ont joué, dans les mouvements de la zone sud, un rôle prééminent ? Si Desnos, si Jean Prévost, si Cavaillès, si Marc Bloch et tant d'autres... Jean Moulin, le sait-on, avait une grande ambition : devenir, après la Libération, ministre des Beaux-Arts. Il était d'avis qu'il faudrait confier la présidence de la République à Paul Valéry — dont il savait par cœur *Le Cimetière marin*. Il a fait approcher Gide et Valéry, qu'il savait intouchables, comme l'était Picasso, pour qu'ils manifestent ouvertement, d'une façon plus ou moins feutrée, leur sympathie envers la Résistance. C'était après Stalingrad et le débarquement en Sicile, en 1943, quand les choses prenaient meilleure tournure. Les rebuffades de ses idoles n'ont pas entamé sa foi. Gide s'est défaussé sur son grand âge, Valéry, sur sa dette personnelle de reconnaissance envers Pétain, qui l'avait reçu sous la Coupole. Le don littéraire, c'est connu, ne fait pas bon ménage avec le courage (pensons à Saint-John Perse et à Morand), mais, pour les héritiers du culte dix-neuviémiste, sauf cas d'intelligence patente avec l'ennemi, la littérature absolvait les défaillances de l'homme de lettres, comme la fonction transcende l'organe. Il est déjà assez singulier que de Gaulle, quatre jours après son installation à Paris, au ministère de la Guerre, ait invité à sa table l'auteur de *Genitrix* et du *Cahier noir*. Non pour parler des affaires en cours, à quoi s'attendait Mauriac, mais pour voir comment remettre sur pied l'Académie française, que d'autres auraient dissoute — vu ce qu'elle abritait, et n'avait pas fait. Il télégraphie à Bernanos au Brésil pour l'atteler à la tâche, sollicite Claudel, songe à Aragon. Il est somme toute étonnant qu'il n'en ait pas voulu à Gide, auquel il donna de son temps et du « Maître ». Tout comme à Valéry, auquel il accorda les funérailles nationales. « Le patron était décidément bien généreux », ai-je dit un jour à un compagnon de la Libération, grand gidien devant l'Éternel. « Non, pas généreux, politique », m'a-t-il répondu.

L'art politique, de tout temps, est question d'unité. Platon, qui a vu le fond des choses, lui assigne pour fonction ultime de contrecarrer tout ce qui peut désunir, délier et dissoudre une cité. Comment ? En rendant compatibles les contraires, fougueux et modérés, faucons et colombes, rouges et blancs, sans chercher à mélanger l'huile et l'eau. Il y avait deux France dans l'entre-deux-guerres prêtes à en venir aux mains — « partage sacrilège », disait l'auteur des *Grands Cimetières sous la lune* (labadens de De Gaulle au collège jésuite de la rue de Vaugirard). Et celle de l'exil, de 1940 à 1944, miroir réfléchissant, héritait de cette fêlure, portée par le malheur à un point de rupture. Comment en faire une seule ? Rassembler, contre le Boche, nom commun du nazi, à l'époque, les lecteurs de *Marianne* et ceux de *Gringoire*, encadrer dans une même urgence de fieffés maurrassiens et de parfaits bolcheviks, exigeait de faire flèche de tout bois, poésie comprise. Le maître politique est un tisserand royal, il doit entrelacer chaîne et trame, les superposer sans les confondre, pour un dessin unique. Sans doute de Gaulle est-il, par tempérament, plus proche du style berger autoritaire — le modèle pastoral et pyramidal de gouvernement — que du style dentellière en chambre, combines et compromis. Mais il sent d'instinct que seul ce qui nous dépasse peut nous rassembler, et le saint langage à ses yeux est un outil de fraternité, propre à sceller l'unité, par le haut, d'une nation divisée, tendue aux extrêmes. C'est le sang versé, en amont, qui cimente une communauté. L'encre vient tout de suite après. À vrai dire, le rouge et le noir s'appellent l'un l'autre. Le sang « prend » par l'encre, qui seule sacralise le sacrifice. Les héros ont besoin de poètes, pour réverbérer au loin. « Ils étaient vingt et trois quand les fusils fleurirent… »

Ne disons plus *la* Résistance. Pieux mensonge. Le fait est qu'il y eut *des* Résistances. Tout n'allait pas pour le mieux, et c'est une litote, entre les mouvements eux-mêmes, Combat, Libération, Franc-Tireur, pour s'en tenir aux principaux ; entre les gens des mouvements, cherchant à recruter, sur place, et les agents de renseignements, devant se cacher entre zone nord et zone sud ; entre les gaullistes du BCRA qui voulaient militariser les politiques et les communistes du maquis qui voulaient politiser la guerre ; entre les FFL et les FTP. Et de quel œil les hommes de Leclerc pouvaient-ils regarder, en Afrique du Nord, les ralliés pétainistes de l'armée d'armistice ? La Résistance française est une guerre civile qui n'a pas eu lieu — et il faut faire crédit à de Gaulle de nous avoir évité le sort de la Yougoslavie, la mortelle scission entre maquis rouges et maquis blancs.

Peut-être eut-il l'intuition que la langue française avait pour ce crucial tissage une sorte d'efficace, comme un surmoi commun aux frères ennemis. C'est en platonicien qu'on doit parler d'une politique de la langue et de la nation des mots. Quel autre facteur commun entre Bernanos et Aragon, Claudel et Vercors, Éluard et Malraux, le sacristain et le franc-maçon ? La princesse de Clèves. D'autres pays, au bord de la rupture, réparent leurs accrocs avec une navette appelée Dieu, Sa Majesté ou l'usage de l'hébreu. Notre métier à tisser à nous, Gaulois horripilants, ce fut jusqu'à ce matin, *via* l'école de la République, Mme de Lafayette. On appelait cela naguère un génie national, chaque peuple le sien, avant que ne s'ouvre le temps du deuil.

Et puis, et puis, la paix revenue, cette centrifugeuse, tout revient à la niche, chacun chez soi, chacun pour soi. Les requins croquent les anges. C'est la règle, chaque fois que le tocsin cesse de sonner par-dessus les toits de Paris, quand les dociles et bons fonctionnaires, les sondeurs et les économistes reviennent en force, et que l'ivresse des chiffres remplace celle des mots. *Le* politique s'efface alors derrière *la* politique. Le spécialiste du *passer-entre-les-gouttes*, l'immortel radsoc aux tournantes étiquettes reprend du poil de la bête, s'impose sous les préaux et dame le pion aux naïfs, aux jeunots bêtement portés à *rentrer dans le chou*. Les blancs-becs qui menèrent cette guerre et cette Résistance, et que la IVe République a refoulés dans les bas-côtés, avec une médaille, n'étaient pas des bêtes politiques. La plupart de ces amateurs doivent rentrer à la maison et se faire oublier. Churchill et de Gaulle eux-mêmes furent sommés, le premier par les électeurs, le second par les élus, d'aller tailler au loin leurs roses et d'envoyer la guerre au diable. Le félon mal-pensant redevient un monsieur bien, retrouve son milieu social dont la guerre et l'exil l'avaient soulagé (le milieu est le grand absent des sciences politiques), arbore un chapeau Willoughby et fonde le RPF. Le voilà chef de parti. Un parti gaulliste, cet oxymore... Le cercle carré. Échec, et pour cause. Retraite devant la forêt mérovingienne. Tant mieux. La mélancolie refait surface chez l'auteur des *Mémoires de guerre*. C'est un trait d'écrivain. On lui propose de faire un discours, chaque année, le 18 juin, au mont Valérien. Il refuse. Il arrive, serre des mains, descend dans la crypte et repart sans un mot. Il y aura toujours chez ce praticien dévoré par le songe, même après qu'une deuxième menace de guerre civile l'eut sorti du désert et chargé à nouveau de la « mission décisive », en 1958, la tentation de la fuite, du renoncement, de l'à-quoi-bon. Deux lignes pour annoncer sa démission. Pas de bavardage. On disparaît. Plus de micro, plus d'écran. Une dédicace en passant : « Rien ne vaut rien. Il ne se passe rien et cependant tout arrive, mais cela est indifférent. » La dépression de l'Irlande, non de Venise, qui est triviale. Le couronnement par la brume. Un mythe continue d'agir en se promenant sur la grève, en s'abstenant d'explication, en s'effaçant dans les confins. Ce stoïcien aura mis son talent dans ses discours, et son génie dans ses silences. Le mutisme, dans certains cas, devient une forme épurée d'éloquence — comme le silence après du Mozart est encore du Mozart, comme l'éclipse de Lune est la lune en mieux.

Et aujourd'hui ? Que peut-on trouver d'impérissable dans cette prose fatalement circonstancielle, à un moment où Auschwitz a gommé la France libre, où plus aucun enfant, à l'école secondaire, ne côtoie ces dates, ces lieux, ces noms propres ?

Les blindés de Leclerc ont libéré Paris — avec le feu vert d'Eisenhower et des équipages de républicains espagnols en échelons précurseurs. Le vieux pays a retrouvé son corps, avec l'intégrité territoriale. De Gaulle a-t-il pour autant gagné son pari, qui était de lui rendre une âme ? « Au fond, tout le problème est là, notera plus tard dans son *Bloc-notes* ce grand intuitif de Mauriac : de Gaulle se trompe-t-il sur les possibilités de la France ? Les Français le sauront après de Gaulle. » Eh bien, le doute est levé, nous savons qu'il y a eu, non pas tromperie, mais erreur sur la personne France. Son champion nous en demandait trop. « Il rôdera encore quelque part un vague 18 juin, une vague France », pressentait le reclus de Colombey, avant de nous quitter. Ce vague n'est pas sans charme, celui de la médiocrité. Le grand rêve européen fondant sous nos yeux comme neige au printemps, devenu simple alibi, demeure une province d'Occident à la fois déboussolée et remise aux normes, mollement conservatrice, à l'image de l'Union européenne, où il fait bon vivre, où les touristes accourent, où le taux de fécondité rassure, avec une grosse gendarmerie en guise d'armée, repassée sous commandement américain, pour faire supplétif dans des guerres idiotes et perdues d'avance, où nous n'avons d'ailleurs pas notre mot à dire. Roosevelt et Staline en sourient sous la dalle. « On vous l'avait bien dit, la France est morte le 17 juin 1940. »

À quoi un simple amateur, esthète par défaut, objectera deux choses. La première : l'âme des personnes collectives, de nature capricieuse, a ses intermittences, qui valent bien celles du cœur. Le roman national, comme les autres, a des passages à vide. Ce n'est pas plus mal. L'âme d'un pays deviendrait fort ennuyeuse si elle passait en boucle. Les entractes relancent l'intérêt, et rehaussent par contraste les séquences écoulées. Les bas recolorisent les hauts, le déjà-vu soudain étonne. La seconde : que l'histoire de France ait eu pour point d'orgue un tel caractère offre une sorte de satisfaction artistique, tant s'harmonisent dans son cas l'individu conclusif et le livre d'heures par lui refermé, le profil psychologique de l'homme et la teneur légendaire de l'histoire : le baptême de Clovis et la bataille de Valmy, en un seul être récapitulés. L'affaire France s'est donc bien terminée. Gardons nos mouchoirs au sec. Égayons le *Requiem*. Sortir un jour ou l'autre de l'histoire est un sort banal auquel aucune communauté humaine n'échappe, s'appelât-elle l'Égypte, la Grèce, l'Autriche-Hongrie ou la République française ; en sortir par le haut n'était pas donné à tout le monde. Alléluia.

La folie Malraux

Vingt ans après sa mort, le 23 novembre 1996, les cendres de Malraux furent transférées au Panthéon. « Hommage solennel de la nation », branle-bas de plumes, micros et caméras, auquel le quotidien L'Humanité *me permit de participer brièvement. Deux années plus tard, un colloque se tenait à Paris sur «* Le Miroir des Limbes *d'André Malraux et la modernité littéraire », auquel Jorge Semprun et moi fûmes conviés. L'occasion de réfléchir plus longuement au destin posthume de l'œuvre méconnue d'une figure illustre. Intervention en pièce jointe.*

On est tous cyclothymiques sur ce mythe fait homme. Nous voilà aujourd'hui en phase « excitation » ; cela retombera demain. Point besoin d'être grand clerc pour prévoir qu'après l'exaltation pompière (fatalement pompière, solennités funèbres et tambours républicains obligent) du maquisard, du ministre et du chaman confondus en une seule figure, gaulliste par chance,

L'*Humanité*, 22 novembre 1996.

reviendront bientôt nous accabler l'indélicat, le bluffeur, l'ampoulé, et j'en passe. Ce yo-yo est dans chaque tête. Systole, diastole. Dithyrambe, diatribe. Personnellement, l'œil du grand reporter me fait frissonner, l'aspect « chant des constellations » me fait sourire. Côté Rouletabille, je marche. Côté Pythie, je cale. Après tout, ce va-et-vient de la ferveur était dans le personnage lui-même, aussi dédoublé que nous le sommes à son égard. Le plus clivé, c'était encore lui, schizo superlatif : jouant chaque jour devant le parterre la comédie du grand homme — rôle de composition s'il en est — et dénonçant la comédie mieux que personne dans son œuvre. Le démaquillage n'est-il pas le premier devoir de l'intelligence, d'après ses propres dires ?

Pompeux et farceur. Somnambulique et pénétrant. Grand prêtre à emphase, humoriste à l'esbrouffe. Flingue et frac. Cosmopolite et patriote. Mystérieux et cabotin. De gauche et de droite. On comprend qu'il fasse l'unanimité, notre Fantômas national. Chaque Français en a sa part, et tous l'ont tout entier. Pour ma part, et tout compte fait, j'ai arrêté le pendule au « pour », et lui resterai acquis, quoi qu'il arrive. Malraux fut un violent du début à la fin : non qu'il ait beaucoup tâté de la gâchette, mais excentrique et insoumis, il l'est resté jusqu'au bout. Y compris dans son gaullisme, acte de résistance au monde tel qu'il va.

Je ne prêche pas pour mon saint, car — tant pis tant mieux — je ne fais pas partie de cette lignée. À la poésie des énigmes, je préfère, vulgairement, la prose des explications ; aux transfigurations du mont Thabor, l'inventaire raisonné des pâquerettes. Les chamans me paraissent toujours un peu louches. On ne mange pas de cette brioche, mais comment ne pas chérir un lyrisme de l'intelligence qui tranche sur les cautèles ordinaires de l'« intellectuel » ? L'idée qu'une pensée conséquente doive se nourrir d'expériences et non de doctrines fut, reste et demeurera, dans notre Landerneau, un exotisme rafraîchissant. Ses confrères prêtaient l'oreille au Café de Flore, il s'en foutait royalement (cela se paye).

Un intellectuel, c'est quelqu'un de trop avisé pour troquer sur le tard un magistère contre un ministère. Il a osé. Ce fut la folie Malraux, la même qui l'avait poussé, jadis, à piquer des statues en Indochine et à voler au secours des républicains d'Espagne. Un genre de fredaines que le *Who's Who* n'aime pas. Le repoussoir des prudences humanistes. Incontrôlable. Inadaptable. Ne joue pas le jeu. Encarté ou franc-tireur, peu importe : c'est le décalage par rapport au juste milieu (et aux us et coutumes de la République des lettres) qui mérite le respect. Même si une époque en manque vous panthéonise un réfractaire en deux coups de cuillère à pot, ne lui tenons pas rigueur de nos banalités déclamatoires. Pensons à l'oraison funèbre que Malraux aurait faite de Malraux : désespérée et drolatique, comme il sied aux farfelus grand teint.

Ne nous leurrons pas. Il y a dans notre microcosme lettré une sourde résistance à l'œuvre de Malraux, son Musée imaginaire inclus, d'autant plus insistante qu'inconsciente ou semi-consciente. Il est curieux qu'un homme aussi étranger au dénigrement et qui n'a jamais pris la plume que pour exalter et louer, ait été lui-même aussi débiné. On pense au mot de Matisse sur Picasso : « Il n'y a que lui qui ait le droit de dire du mal de moi. » Avec Malraux, pas de barbouilleur qui ne se prenne pour Picasso.

Passons sur la gêne politique. Sur le coup sévère porté au romantisme par l'emploi prosaïque de ministre. La cantine chez Lasserre, le smoking chez les Kennedy, les Champs-Élysées en 68, ces stigmates en ont découragé plus d'un. Pour un chat égyptien à tu et à toi avec les déesses-mères, le vulgaire lambris était suicidaire. On peut voir au contraire dans cette faute de goût un acte de courage, de rupture avec les grandes consciences suédoises. Lâcher sa tour d'ivoire pour une DS noire avec motards, c'est chez un nobélisable un très mauvais calcul, question profil. Sans doute son souci non pas d'être roi, mais de faire des royaumes, en gardant une certaine prise sur le cours des choses, ainsi qu'une authentique démangeaison patriotique lui ont-ils fait préférer la cabine de pilotage au pont des premières. Ce n'est pas déshonorant. Serait-il interdit de devenir ministre quand on était écrivain et de le redevenir quand on a été ministre ? Qu'en pense notre ami Jorge Semprun ici présent ?

Maison de la Recherche, Paris, 26 juin 2008.

Cette résistance-là fut mienne jusqu'il y a peu, et je ne m'étendrai pas sur le divan, non plus que sur une rencontre avec le châtelain de Verrières, à mon retour d'Amérique latine, un peu cocasse et tout à fait ratée. Venons-en à plus sérieux. Le mythomane ? Sujet rebattu. Il n'y a pas de grand homme pour son ex, pas plus que pour son valet de chambre, formule connue. Le hasard a voulu que j'acquière, au début des années 1970, une petite maison à Vert, un village près de Mantes-la-Jolie où Clara Malraux avait la sienne, qu'elle partageait avec François Fejtö. C'était une merveille de l'écouter, elle parlait comme Malraux rédige (on sous-estime beaucoup l'apport du ton Clara aux écrits d'André). L'escadrille España : « Vous parlez, quelle blague ! Il n'avait pas son permis de conduire, c'est moi qui le transbahutais. » Alors la grève générale à Canton ? « Oui, oui, on a fait une escale de vingt-quatre heures à Shanghai, c'était pas mal, on a fait un peu de tourisme, c'est à la BN qu'il a écrit ça, au bureau des périodiques... Important, le bureau des périodiques. » Et alors ? La transfiguration du banal, c'est le culot du génie. Voir l'entretien à Pékin avec Mao Tsé-toung dans les *Antimémoires*, et le *verbatim* du preneur de notes, lequel observe que Mao au beau milieu de l'entrevue s'assoupit. Éternelle platitude des conversations au sommet. Certes, mais faire du vrai avec du faux, n'est-ce pas le métier du poète ? Aragon n'a pas fait d'autobiographie. Pour l'adepte du mentir-vrai, une vie est toujours un trucage, et il a sauté à pieds joints dans l'autofiction. Les enfants sont des fabulateurs, les écrivains aussi. Tous les Mémoires sont postiches, alors allons-y gaiement. Saluons plutôt chez Malraux l'art d'habiller le symbole en trace, le monument en document. Et pour produire du brut, chacun sait qu'il faut manigancer. Cette technique du bluff avait un temps d'avance sur son époque : à l'ère de la photo, le nouveau régime de vérité serait bientôt celui de la trace, du symptôme, de l'empreinte. Peu importe l'inexact pourvu que ce soit du précis. Malraux a injecté du romanesque dans sa biographie parce qu'il a su injecter du brut dans ses romans. Syncope, ellipse, collage, toute la panoplie du discontinu annonçait le flash et le clip. C'est l'irruption des *news* dans la métaphysique. Il y a là du cinéma en puissance — on pense à Orson Welles, parfois à Jean-Christophe Averty. Il anticipait.

Deuxième résistance, le style. Emberlificoté et nébuleux. Tarabiscoté, fumeux. Je dirais plutôt goyesque, plein de brisures, cassures, griffures. « Levez-vous, orages désirés... » À la bonne heure, mais surtout qu'ils ne nous éclatent pas sur la tête. Ce n'est pas dans le goût local. Et la lecture de Malraux, notamment de ses écrits sur l'art, met hors d'haleine. Trop de télescopages, de tête-à-queue et d'anacoluthes : à consommer par petites doses. Le halètement prophétique quand on est en vacances, ou à son marché, cela dérange. Malraux ne veut pas savoir que « la guerre est finie ». Il fait de la température à contretemps. Bernanos souffrait du même mal. Nous trouvons plus sage de vivre avec 37,3 °C. Le Marais n'a pas la fièvre.

Troisième type d'objection : trop français. Un Italien, le raffiné Maurizio Serra, vient de signer un bon livre sur Drieu la Rochelle, Aragon et Malraux. Le cas Malraux, dit-il, est intéressant parce qu'à partir d'un certain moment, c'est devenu un phénomène strictement hexagonal, enfermé dans le gaullisme. Et il oppose le Malraux d'avant-guerre, qui fait de lui un des grands noms de l'intelligentsia internationale, à celui de l'après-guerre, qui a perdu ce statut, le sait et en souffre. Son œuvre s'en serait ressentie. Je ne le pense pas et doute qu'on ait été, à son époque, plus xénophile que ce grand nomade. Il a pratiqué la mondialisation trente ans avant nous ! Il évoque le réveil de l'Orient en 1925 ! Un globe-trotter qui n'a cessé de se confronter au Japon, à l'Inde, à la Chine ne mérite pas ce procès-là. Il suffit de suivre ses chevauchées dans l'univers des formes. Je n'ignore pas toutes les objections des universitaires sur telle ou telle erreur factuelle ; il y a chez les spécialistes de la note en bas de page un côté commandant de garnison en rogne contre le franc-tireur dépenaillé qui vient faire le malin dans la caserne. Élie Faure mis à part, cet autre autodidacte, c'est tout de même le mieux oxygéné de nos critiques d'art (si l'appellation peut lui convenir). D'un de ses personnages, il disait que « ses idées couraient mal en terrain plat » ! Les siennes également. D'où un lancinant besoin de gravir les sommets et de frôler les précipices. D'où son divorce d'avec la plaine. Il y a, chez ce combattant, l'implicite omniprésent de deux générations, celle qui a fait la Première Guerre mondiale et celle qui a fait la Seconde : la guerre disant la vérité de l'humain, la vérité passe par les hommes, non par les femmes. Peu de personnages féminins dans ses romans. Il y a May dans *La Condition humaine*, mais la femme reste celle qui attendrit, qui amollit, qui ramène à la nature, à la répétition cosmique, à la fatalité du ventre. Simone de Beauvoir a dit parfois des bêtises, dont l'une pourrait faire médaille : « La vérité est une, l'erreur est multiple : il n'est pas étonnant que la droite professe le pluralisme... » Mais elle a écrit *Le Deuxième Sexe*, et c'est elle qui fait aujourd'hui les couvertures de magazines, ce que Malraux ne fera pas avant longtemps.

Dernière résistance, celle que j'ai entendue souvent chez nombre d'écrivains de droite, et notamment dans la bouche de François Mitterrand, qui le détestait et qui lui préférait Chardonne : le vaticinateur, l'orateur incantatoire, plein d'à-peu-près et de généralités creuses. Qu'il ait pu parfois frôler le pompier, admettons-le. Mais quand on lit *Le Miroir des limbes*, avec ses méditations à deux, antithétiques, comme celles de *L'Espoir*, et notamment le passage où Max Torres (Max Aub) et lui réfléchissent en direct sur mai 1968, on n'a pas l'impression qu'ils battent la campagne. « On appelle aujourd'hui révolutionnaire un protestataire qui se regarde protester... » Pas mal vu ! Ou encore : « Constater la bêtise de la gauche n'est pas une raison pour trouver la droite intelligente. » Ainsi soit-il. Ou celle-ci : « On ne parle plus que de sexe, nous sommes amputés des sentiments. » Dix ans après, Roland Barthes allait étonner le Tout-Paris avec ses *Fragments d'un discours amoureux*, judicieux plaidoyer pour un retour aux sentiments. Notre augure national avait eu la vue perçante. Sa façon de replacer l'actu dans la longue durée lui a permis d'échapper aux bévues de l'inouï qui ne trompe que les myopes.

Reste une raison de fond qui peut expliquer une certaine sensation d'outre-tombe. Il me semble avoir été le dernier porte-drapeau de l'histoire-destin, qui est à la politique ce que la passion amoureuse est au rapport sexuel. Sa vision de l'histoire s'apparente à celle d'un

Chateaubriand, sauf que, chez ce dernier, c'est une poésie de réverbération, un jeu d'échos entre le présent et le passé qui tient d'abord à l'état des communications. Le vicomte apprend la mort de Napoléon six semaines après le 5 mai 1821. Quand la nouvelle arrive en France, elle porte déjà en elle son amplification épique. Son violoncelle *maestoso*. Chez Malraux, on est passé de l'*adagio* au *staccato,* de l'événementiel avec quelque chose de cubiste dans le rendu. La fièvre des *Conquérants* ou de la *Condition humaine*, c'est celle, au fond, du Vendredi saint, pas du samedi soir. C'est l'Apocalypse moins cinq, le surnaturel au bout du fusil. C'est le ton hypertendu du trois fois non : au féminin, au bonheur et à la nature. Beaucoup d'aphorismes et peu de paysages.

Il n'avait pas prévu l'écologie. Ni le culte de Gaïa, la Terre-Matrie. Ni que nous allions, en Europe, quitter le temps pour l'espace, l'avenir pour le patrimoine, la grande promesse pour la peur du risque. Il relevait encore de ce continent histoire, héritage judéo-chrétien, dont nous sommes en train de sortir pour revenir à l'ordinaire des gestions au jour le jour.

Je ne voudrais pas terminer sur un lamento nostalgique. Jorge Semprun nous en ayant donné l'exemple, permettez-moi de citer ce que j'écrivais il y a trente ans d'ici dans une préface aux *Conquérants* réédités par le Club français du livre, intitulée « Le visiteur de l'aube » : « L'esbroufeur faisait-il de l'ombre au romancier, les transes du recteur au clinicien du réel ou bien avions-nous pour dégonfler l'enflure trop négligé ce souffle ? Nous, ses débiteurs, ses détracteurs, tout farauds d'avoir laissé l'ancêtre sur le bord de route, seul avec ses fantasmes, loin derrière et qui le retrouvons maintenant au détour de tant de pages, devant nous. Le fantôme de Malraux n'a pas fini de nous précéder sur les brisées de notre histoire, sur les brisures de notre espoir. Malraux n'a pas toujours été du bon côté, mais aux croisements de l'âme et du siècle, il est toujours arrivé avec vingt ans d'avance sur les autres. »

Somme toute, nous avons encore motif à lui courir aux trousses, mieux vaut tard que jamais.

Au revoir, Madame de Sévigné

Le village de Grignan, dans la Drôme, où résida la fille de Mme de Sévigné (1626-1696), organise chaque été, à l'initiative de son maire, Bruno Durieux, le Festival de la correspondance. En 2012, la correspondance des philosophes en fut le thème principal. L'occasion d'un aperçu sur l'inquiétant avenir d'un blason en péril.

Qu'est l'art épistolaire devenu ? Et d'abord, que mettre exactement sous ce mot ? Le sort encouru par le plus ancien commerce des esprits et des cœurs à l'ère du *tweet* et du *retweet*, des *followers* et du *trolling*, du *buzz* et des *clashs*, à un moment où le sieur Paulo Coelho se flatte d'avoir quatre millions de correspondants, concerne les deux variantes de la missive : l'épanchement intime et l'apostrophe solennelle. La lettre passe pour une tranche de vie, l'épître pour un produit de l'art. La première est personnelle et non reproductible, la seconde, plus apprêtée, vise un public. On ne confondra donc pas un faire-part par la poste avec une oraison funèbre en chaire, mais notre crépuscule ne fait plus trop la différence entre les Belles-Lettres et la boîte aux lettres.

Remontons aux fondamentaux. De quoi s'agit-il, au départ ? D'un véhicule physique et singulier : la feuille recto verso, manuscrite, adressée à un particulier, affranchie, déposée sous enveloppe cachetée dans une boîte jaune et dûment signée à la main. Une lettre qui, contrairement au document numérique, peut faire preuve devant un tribunal ou un notaire (le cachet de la poste faisant foi). Celle qui doit s'assimiler à une œuvre de l'esprit, sujette à droits d'auteur et droit patrimonial. Celle qui suscite une réciprocité, et qui fera bientôt de son auteur un lecteur. Je ne parlerai donc pas de la lettre contrat, de change, de démission, de créance ou de félicitations. Ni, rigueur oblige, de la carte postale, signe d'une attention portée à l'autre, mais qui n'est pas prise dans l'échange et n'appelle pas de réponse : qui oserait annoncer une mauvaise nouvelle ou déclarerait son amour sur une carte-vue, la fille paresseuse, mais toujours optimiste de la célébration photographique du territoire ?

Quiconque s'intéresse aux coulisses matérielles de la vie spirituelle, et partant aux sous-sols de la relation épistolaire, ne manquera pas de saluer bien bas les facteurs et leurs lourdes sacoches. Nous avons une dette à payer aux Ponts et Chaussées, aux camionnettes jaunes de La Poste, à Michel Strogoff, l'envoyé du tsar, et à Tati sur son vélo dans *Jour de fête*. Pas de signes sans support, tablette d'argile, papyrus ou papier, et pas de messages sans messager.

Pourquoi Pline, Sénèque et Mme de Sévigné ? Parce qu'il y avait derrière eux empire et royaume, avec sous leurs pieds des voies frayées et balisées, voies de terre et voies d'eau. Soit des chevaux, des routes, et un service de courriers. Donc un État centralisé, leveur d'impôts et donneur d'ordres. Pas de chevaux sans haras, et pourquoi des haras ? Pour entretenir une cavalerie, et donc une force armée. Pourquoi des routes pavées par monts et par vaux et des coches d'eau sur le Tibre et le Rhône ? Pour y faire transiter des marchandises et trottiner des soldats. Quand l'Empire romain s'est effondré, avec ses relais de poste, ses dépôts de vivres et ses légions, les routes ont disparu sous les ronces faute d'entretien, les services de messagerie se sont disloqués, et la correspondance privée, faute de puissance publique, s'est interrompue. Quand il n'y a plus de grands chemins, il n'y a plus de belles lettres. Advient un blanc dans la correspondance, un millénaire durant. Mais laissons là ces considérations élémentaires, sans doute trop triviales pour un auditoire cultivé.

Il faut des routes dans la campagne et du loisir à la maison, autant pour l'art de la conversation à la française que pour la correspondance qui la fait rebondir par écrit. Nos cellulaires et nos prothèses nous livrent à l'affairement du canard décapité — tandis qu'une correspondance à l'ancienne prolongeait l'entretien policé, dont elle a le piquant, le primesaut, voire l'imprudence, ainsi qu'un certain caractère aristocratique. Il ne fallait pas seulement, pour se livrer à cette prodigalité désintéressée, être fluide à l'écrit ; il fallait avoir un lieu à soi et du temps libre. En clair : des esclaves — comme en avaient Cicéron ou Sénèque — ou des domestiques, comme les grands épistoliers de chez nous, les stakhanovistes de la lettre, Romain Rolland (trente volumes),

Martin du Gard (dix) ou George Sand. La bonne dame de Nohant a écrit à peu près vingt mille missives au cours de sa vie, et elle avait dans son manoir berrichon une dizaine de gens de maison à son service. Ceci n'est pas sans rapport avec cela. La relation épistolaire exige 1) de ne pas être trop dérangé du matin au soir, 2) d'avoir de quoi boucler ses fins de mois. On reçoit de son éditeur un à-valoir pour une idée de scénario, d'essai ou de roman, mais pour une lettre de quatre pages à un ami, macache. L'exercice est bénévole. Flaubert, le veinard (quatre cents lettres entre lui et George Sand), avait une cuisinière et des rentes. La fin des « bonnes » à domicile, dans la moyenne bourgeoisie intellectuelle, n'est pas étrangère à l'épuisement de cette générosité de cœur et d'esprit qui consiste à prendre son temps et une feuille blanche pour prendre des nouvelles d'un tiers. Quand il faut faire chaque matin ses courses et son frichti, soutenir une longue correspondance relève d'une sorte de sainteté, aux limites de la névrose.

N'oublions pas de saluer en passant l'administration pénitentiaire. Car il est un lieu où la graphomanie peut devenir planche de salut : la captivité, bouillon de culture où fermente depuis deux mille ans, de Paul de Tarse à Gramsci, le virus épistolaire. On y vit au calme (du moins quand le prisonnier est en régime politique, et non pas bagnard ou en préventive), nourri, blanchi et pas dérangé. Sans note de gaz ou d'électricité à payer, sans avoir à faire la queue au supermarché. C'est, malgré la censure (souvent relâchée ou trompée), la serre chaude idéale du SOS amoureux, comme de la lettre de direction morale. La maison d'arrêt fait du détenu, bien plus que du moine trappiste ou bénédictin, enchaîné jour et nuit à ses travaux et liturgies, et sans une heure à lui, l'heureux rival du rentier à gentilhommière et de l'âme tendre en son boudoir. Pensons à Albertine et Julien Sarrazin, ou plus durement aux lettres de Benjamin Fondane à sa femme depuis Drancy. Les décourageantes facilités de la rencontre privent malheureusement les individus en liberté de leurs capacités d'attention, de concentration et d'introspection, en raison des urgences qui remplissent l'agenda et désolent l'existence. Ces affairements inutiles, la drôle de guerre en a débarrassé Sartre troufion bayant aux corneilles dans sa section météo et attendant le vaguemestre entre deux lâchers de petits ballons rouges.

La relation épistolaire est là pour abolir la distance entre deux esprits fraternels ou deux cœurs épris. Autant dire que la lettre vit d'absence et meurt de proximité. Quand Pline le Jeune écrit à l'empereur depuis la Cilicie, il sait qu'il faudra six semaines à sa lettre pour qu'elle parvienne à Rome (d'où l'emploi fréquent chez les Romains de l'imparfait épistolaire, qui fait du présent un déjà passé — *nihil habebam quod scriberem*). Son premier ressort est l'éloignement géographique, et son coup de grâce, le SMS transcontinental et la téléconférence. Comme saint Paul peaufine ses épîtres aux Galates et aux Romains, faute de pouvoir faire acte de présence en Asie mineure ou à Rome, pour y projeter *in absentia* son autorité ; comme Napoléon à Moscou n'a plus que l'exprès et l'estafette pour continuer de régner à Paris ; et Simone de Beauvoir que la plume pour rattraper Nelson Algren par-dessus l'Atlantique... La lettre, ce pis-aller, sert à faire la guerre et l'amour, mais de loin et faute de mieux. Rosalie Vetch, l'Ysé du *Partage de midi*, a fait une meilleure correspondante que Mme Paul Claudel, et Juliette Drouet a ouvert plus d'enveloppes que Mme Victor Hugo. On ne peut que bénir, d'un point de vue littéraire, les séparations de corps et les longues déconnexions ! Qu'il s'agisse d'exercer un commandement ou de préparer un accouplement, elles donnent de l'inspiration à l'esseulé comme à l'exilé. Qui dira les traits de génie que nous devons aux interminables et fades traversées de l'Atlantique et du Pacifique ? Aux huit jours d'intervalle entre Paris et Grignan, aux arrachements polynésiens et chinois de Segalen au bonheur domestique, aux errances dans les dunes d'Arabie du colonel Lawrence, inlassable épistolier sans radioémetteur ni téléphone de campagne ? Quand la conquête de l'ubiquité dressera son bilan, sans doute verra-t-on dans la colonne passif, à côté des faillites du papier à lettres, la diminution de nos facultés lyriques. C'est un grand bonheur que d'être partout *relié*, par le satellite, le GPS et la radio à bord, et un confort enviable, quand on est sur la banquise, du côté du pôle Nord, de pouvoir appeler sa maman et parler en direct sur France Inter, mais ces miraculeuses familiarités ont un prix : une moindre magie des mots, voire une plus grande sécheresse de cœur. Vincent et Théo Van Gogh n'ont plus grand-chose à se dire quand ils se retrouvent à Paris, Picasso et Gertrude Stein cessent de s'écrire quand celle-ci déménage rue Christine, et que lui est aux Grands-Augustins, avec un téléphone. Tant mieux pour la sécurité des naufragés et l'espérance moyenne de vie, tant pis pour les chants les plus désespérés, qui restent les plus beaux.

Plus qu'aux demoiselles du téléphone, c'est au séisme

numérique que nous devons le fait que l'être humain n'a jamais autant communiqué avec ses semblables qu'aujourd'hui — et aussi peu transmis. Le rythme des échanges entre proches, pairs ou inconnus s'est convulsivement accéléré. Ils sont plus fréquents et plus superficiels. Nous vivons tous sous l'impératif du *just-in-time.* Le télégramme décacheté qu'est un *tweet* de 140 signes peut avoir la vivacité d'une brève de blog ou de comptoir, mais la repartie à la va-vite ajoute au stress des « surbookés » qui cherchent plus à parer les coups qu'à mûrir le mot juste. Or tout dans la lettre est retard à la détente, depuis les difficultés d'envoi — trouver une enveloppe, un timbre, sortir de chez soi, dénicher une boîte aux lettres — jusqu'au plaisir masochiste de l'attente — le guet matinal du facteur et de la réponse qui tarde à venir, l'anxieuse ouverture de l'enveloppe, la relecture inquiète du trop vite parcouru. L'épistolaire par construction enjambe le présent et mise sur la durée (« à publier *après* ma mort »), voire sur la postérité, par destinataire interposé. Il tire la langue au flux, parce qu'il est côté stock. Une lettre papier est un événement, et donc une émotion, bonne ou mauvaise ; mais c'est aussi un monument à protéger, ou à détruire, dans un geste sacrilège, celui de Madeleine Gide, parce qu'elle pourrait faire procès, sait-on jamais. On peut toujours l'avoir devant soi. Un particulier ne conserve pas ordinairement ses courriels, mais il garde les lettres qu'il reçoit — pour ses archives. Une lettre d'amour, avec son parfum, ses petits dessins, son papier de couleur, cela peut même devenir un fétiche, un talisman, une mèche de cheveux. La religieuse portugaise la plaçait sous son corsage, chair contre chair.

Au fond, l'épistolaire, c'est plus qu'une marque sensuelle d'attention : c'est la civilité mêmc, puisqu'en définitive celle-ci consiste dans l'art de compliquer le plaisir. Comment ? En retardant le passage à l'acte, en se détournant du but pour mieux l'atteindre. Le butor saute les préliminaires et obéit à ses pulsions illico, sans le savant dégradé des formules de politesse. Vous savez la différence entre le *Bien à vous* désinvolte, le *Je vous prie d'agréer l'expression...*, neutre et froid, et le *de mon plus profond respect ou de ma haute considération.* L'équivalent moderne du *Subev* latin (*si vales bene ego valeo* : si ça va bien pour toi, ça vient bien pour moi), c'est le HYF (*I hope you're fine*), et les Américains sont nos Romains à nous. On ne sait que trop, aujourd'hui, à quels troubles de comportement (harcèlement, agressivité, volatilité), à quelle sauvagerie sentimentale, politique et sexuelle une société s'expose quand un homme d'argent et de pouvoir ne tolère plus d'attendre parce que « maintenant tout est maintenant ». Le transport des images et des signes à la vitesse de l'éclair court-circuite les délais de décence — que ce soient ceux du deuil ou du désir. Il y a du pousse-au-crime dans la dématérialisation de toutes choses. De même que le présentisme ambiant fait régresser le protestataire de la Révolution comme construction au terrorisme comme apocalypse (ou plus trivialement les syndiqués du chou-fleur du défilé revendicatif à l'invasion de la préfecture), le direct nous fait régresser du poétique à l'hystérique, ou du délicat haïku à la main au cul. Un peu d'inertie dans l'acheminement des signaux aide au travail de civilisation, toujours précaire et de plus en plus mal récompensé. Il est devenu de salubrité publique, dans les relations entre les sexes comme entre tous les citoyens, de rétablir le tempérament dit secondaire et l'esprit de l'escalier dans leurs anciens droits et devoirs.

Nous avons quelques motifs d'espérer en des retours de courtoisie. Le premier me semble être la féminisation des mœurs, et la nouvelle hégémonie conquise par nos compagnes, disons même de nos *first ladies* sur nos présidents, plus portées que leur conjoint à l'épanchement, fût-il contre-indiqué. La tyrannie de l'intimité, à cet égard, peut avoir du bon, et ce n'est pas d'aujourd'hui.

Pénélope, la tapisserie et le chant aidant, étant toujours mieux armée pour tromper l'absence qu'Ulysse, son coureur de mari, il n'est pas étonnant que nos belles délaissées aient eu la vocation du roman par lettres. Sur les quatorze « romans de femmes du XVIIIe siècle » regroupés dans la collection « Bouquins », onze sont épistolaires, et eurent un lectorat essentiellement féminin. Axées sur le malheur de s'être éprise d'un mufle ou d'un indifférent (et l'auteur masculin des *Lettres de la religieuse portugaise* s'est rendu plus crédible en se féminisant), elles mettent le chagrin en musique. S'il est vrai que les romans par lettres, au dire de Mme de Staël qui en a fait l'éloge, « supposent toujours plus de sentiments que de faits », il y a une grâce proprement féminine (laquelle, comme il faut l'espérer, peut visiter de temps à autre le sexe mâle) dans le camouflage épistolaire du journal intime, où la subjectivité est reine, et la psychologie. « La vie d'un homme tient dans ses lettres », disait Voltaire — c'est exact pour la sienne, mais encore plus pour celle d'une femme, fût-elle philosophe, comme Simone Weil. On aurait presque pu mettre en regard, dans les siècles écoulés, hommes du livre (pas de femmes chez les typos) et femmes de lettres, mais cet apartheid a cessé ce matin puisque la chaîne du livre, écriture, études et lecture, glisse désormais sous l'apanage du nouveau sexe fort (deux lecteurs sur trois de romans sont des lectrices). On aurait pu, dès lors, avec la revanche du yin sur le yang, voir s'accumuler dans les sacoches du facteur ces « petits monuments de tendresse », comme les appelait Laclos. Le devenir-femme de l'homme occidental, allié à notre dilection pour les formats courts et à la prospérité du trou de serrure, devrait ou aurait dû souffler dans les voiles de l'art épistolaire. Mais force est de reconnaître que la numérosphère où nous venons d'entrer nous rend facile l'accès, *via* Google ou Gallica, aux échanges intimes de nos grands aînés, mais n'incite guère à ajouter un codicille à ce legs de mieux en mieux archivé de causeries sous le manteau, dont on peut craindre qu'il ne reste intestat. Nos amours étant devenues de type hussard — plus besoin de conter fleurette, on y va *straight* —, Diderot et Sophie Volland, c'est à craindre, se fileraient aujourd'hui des rancards par SMS.

Reste l'amitié, autre raison d'espérer. Car une correspondance suivie, ce face-à-face à distance, nous retrace neuf fois sur dix une trajectoire amicale. Et une amitié vraie sait devoir rester confidentielle : le secret de la correspondance lui va comme un gant. « Si je t'écris, c'est pour que cela reste entre nous, sinon je t'aurais fait passer le message par un tiers. » Sans doute se confier au papier comporte-t-il un risque. D'où le recours à des termes codés, des surnoms, des clins d'œil, des mises en garde en *post-scriptum* comme le « serment tombeau » ou le « brûlez cette lettre » chers à Marcel Proust, qui voyait dans la téléphonade un manquement au pacte de complicité cryptique que passent entre eux de vrais compères. « Vous ne m'envoyez jamais que des messages qui pourraient être téléphonés », reprocha-t-il un jour, par écrit, à son ami le prince Bibesco. Reste à savoir si le mot amitié a encore un sens quand la moindre opacité est suspecte et la transparence un gage de vertu, quand tout ce qui fuit l'exhibition en temps réel passe pour louche ou pour insignifiant. Quand un ministre de la Culture publie ses Mémoires de fonction avant même d'avoir quitté la rue de Valois. Quand un médiocrate supposé philosophe se fait filmer en *live* dans le désert de Libye, quand le but d'une action devient sa mise en scène, à livrer de suite à la jet-set. Quand il faut que ça rende et que ça paye et que ça se sache, *urbi et orbi*. Dans cette maison de fous, à la fois de commerce et de verre, que devient notre bonne société, creuser en langue française un tunnel sous la Manche, saison après saison, peut s'assimiler soit à un trouble à l'ordre public soit à un tempérament sadomaso. Affection et diffusion, sincérité et popularité, il faut choisir. Si on a deux mille amis sur Facebook, c'est qu'on n'en a aucun. Quand on va sur le Net pour se livrer à des centaines de milliers de personnes, on ne se livre à personne. On veille sur sa marionnette.

Le véritable obstacle, chacun le sait, est d'ordre technique. Il s'est passé avec le numérique un événement considérable : les protocoles de la publication tendent à absorber, pour la première fois dans l'histoire, les protocoles de la *correspondance*, soit deux usages de l'écriture distincts depuis Sumer et Babylone. Avec la *publication*, je m'adresse à des êtres flous et pour moi anonymes, *via* un véhicule tout-terrain qu'on appelle un article ou un livre. Je m'adresse à un nuage de fantômes. Dans une correspondance privée, je vise une personne identifiée et dont je connais au moins le nom. Pas de dommages collatéraux. Il est clair qu'on ne dit pas la même chose à bureau fermé, dans un tête-à-tête, que devant un micro ou un réseau tous azimuts. Le téléphone, cela n'a jamais été la radio, non plus que les PTT, service public d'échanges privés, ne sont des *mass-media*, services privatisés d'échanges publics. Voilà que l'unimédium de l'écran numérique va confondre les genres, le codage en 0/1 devenant l'unisexe de la communication, le véhicule commun au chuchotement et au hurlement. Un juge de la cour pénale de Manhattan a comparé l'envoi d'un message *via* Twitter au fait de « crier par la fenêtre ». Il n'est donc pas soumis à la garantie protégeant la vie privée. De même pour nos Rousseau des réseaux, porteurs de confessions ou de rêveries, la lettre à un ami, déversoir d'intimité sans précautions ni parapluie, se voit remplacée par l'interview de presse, où l'émule du promeneur solitaire se voit requis par un inquisiteur de se livrer, en vrac et sans détour, s'il vous plaît, à un public dont il ignore tout et qui a de fortes chances de comprendre tout de travers. Le murmurant postal, sur Internet, devient un boutefeu ; et les confessions, une exhibition.

Résultat : 97 % du courrier émis en France a trait à la vie économique, 3 % aux relations entre particuliers. Nous voilà revenus à des temps quasiment mérovingiens. Si l'on ne peut plus faire confiance à l'amour et à l'amitié pour raviver l'écritoire, il y a encore un ultime fétu de paille à quoi se raccrocher : le trucage littéraire. C'est pour l'écrivain un artifice éprouvé, quoique un peu défraîchi, qu'un échange de lettres entre ses personnages. Cela permet de faire vrai avec du faux, et je l'ai moi-même maintes fois utilisé (dans *L'Édit de Caracalla*, *Le Siècle et la Règle* ou *Le Plan vermeil*). On ne résiste pas au plaisir de faire de la littérature en se donnant l'air de ne pas en faire. L'apparent naturel de la lettre volée ou interceptée confère à un propos plus ou moins scandaleux — pensons aux *Lettres persanes* — un sceau d'authenticité, tout en déchargeant le metteur en scène de toute responsabilité dans l'opération. De plus, une missive soi-disant improvisée et imputable à un tiers escamote ce qu'il y a de calculé dans un récit ou un essai à la première personne. Une lettre garde l'innocence supposée d'un premier mouvement, un ouvrage tient du crime avec préméditation. Un recueil de lettres signé par un auteur, c'est une fable travestie en document, qui fait du signataire un semi-voleur et du lecteur un vrai voyeur. Un opprobre consenti contre un plaisir interdit : un modèle de bonne affaire.

L'incivilité, l'impudeur, l'élément de langage et les lucratives boîtes de pub auraient tort cependant de crier victoire. Nous avons plus d'un tour dans notre sac, et l'un de ceux-là est l'archaïsme. La calligraphie fait un beau retour dans la Chine des gratte-ciel, et il n'est pas exclu que nos automatismes d'extravertis esclaves du clavier suscitent à terme, chez une poignée d'esprits lents, précautionneux et incommodes, à titre de soupape ou de réparation de soi, l'envie de faire glisser à nouveau une plume introspective sur la page blanche que sa blancheur défend. Ce serait là un geste semblable à celui d'un photoreporter sortant sa boîte de fusains et son papier Canson, dimanche après le turbin.

Une envie de ralenti ne pourrait-elle renaître chez les Rastignac de demain, tout au bout d'un siècle d'internautes excédés de vitesse ?

La photo n'a pas tué le dessin, elle l'a, en le raréfiant, revalorisé. Comme l'autoroute a rendu des départementales plus attrayantes et l'asphyxie automobile donné des ailes au vélocipède. De même l'imprimé a-t-il fait du brouillon manuscrit, celui qu'on jetait négligemment au panier, un objet de collection et d'étude. Gageons que la lettre autographe aura un jour le prestige — et la cote — de l'incunable. À mesure qu'avec le passage du réseau postal au réseau électronique le genre épistolaire, réputé mineur, rejoint le magasin des antiques, avec le recueil de sonnets, le madrigal et l'épithalame, la librairie voit émerger des grandes profondeurs sous-marines des invertébrés jusqu'ici négligés par l'histoire et la critique littéraires. Ce sont les lettres d'auteurs et d'artistes, au moment même où glissent dans une ingrate pénombre leurs anciens titres de gloire — romans-fleuves, discours, traités et grandes machines. L'empreinte de la personne, qui n'était pas une œuvre au départ, mais en est devenue une, a gagné en prestige et visibilité et bat tous les records dans le commerce des nobles traces. Le 12 novembre 2008, des quatre cents lots et plus de l'héritage Julien Gracq mis en vente à Nantes, le numéro 108, estimé à 30 000 euros par le commissaire-priseur, est parti à 75 000 : il s'agissait de la correspondance Gracq-Breton — trente-deux lettres autographes, dont huit cartes postales. Les échanges avec Magritte, 120 000 euros, le peintre a sa plus-value. Dans la même vente aux enchères, on pouvait acquérir pour seulement 700 euros un autographe isolé d'André Breton.

Souvenons-nous de Truffaut, homme d'images s'il en fut, et délicieux épistolier. Souvenons-nous de Dubuffet, dont les lettres à Claude Simon valent bien son *Hourloupe*. Et rappelons-nous Henri Cartier-Bresson : « La photo est action immédiate, le dessin une méditation. » Écoutons bien le champion de l'instant décisif : « La photographie est l'impulsion spontanée d'une attention visuelle perpétuelle, qui saisit l'instant et son éternité. » Ainsi en va-t-il du *tweet*, impulsion spontanée d'une attention sociale inlassable, qui saisit l'instant et sa fugacité, et rien au-delà. La lettre, comme le dessin, « élabore ce que notre conscience a saisi de cet instant ». Il y a le fusil à un coup et le crayon à deux coups. Et à la fin de sa vie, lassé du tir photographique, Cartier-Bresson aimait de plus en plus aller planter son chevalet dans un pré.

Ne parlons pas seulement argent, mais désir. La lettre vieux jeu, presque aussi sinistrée que la poésie, a le vent patrimonial en poupe, à l'instar du daguerréotype dans une galerie de photos ou d'un Saxe chez l'antiquaire. On y prend d'autant plus intérêt, à ces pattes de mouche, à ces papiers jaunis, qu'on en saisit l'aspect luxe d'un autre âge, comme la promenade à cheval au bois de Boulogne, la traversée de l'Atlantique en paquebot ou le four à pain dans la cuisine. Ces rebuts deviendront trésors en raison même de leur rareté. L'Inventaire général, et le commissaire-priseur, c'est le revenant-bon des crépuscules. Lorsqu'un Voltaire s'exclame : « Je vous écrirai de longues lettres quand je ne ferai plus de tragédies », on serait tenté de lui répondre, « moins de tragédies, s'il vous plaît, et plus de lettres », s'il était possible d'ajouter encore à son déluge de missives expédiées chaque jour aux quatre coins de l'Europe. Ses péplums nous font bâiller, ses bafouilles nous émerveillent. Que d'auteurs aujourd'hui encore s'échinent à meubler leur salon de réception quand, après leur décès, nous n'aurons d'yeux que pour l'office, la cuisine et les fonds de tiroirs.

Ce serait folie de ma part, moi qui rechigne à la bafouille et que la moindre lettre de recommandation ou de condoléances à rédiger plonge dans un interminable désarroi, d'insinuer que le rang et le grade d'un écrivain au Parnasse puissent se mesurer au nombre d'enveloppes qu'il colle et ouvre chaque semaine. Mais si un dévot du numérique voulait me convaincre que le SMS va bientôt enrichir la littérature française, je ne serais pas sûr, quitte à faire une fois de plus le grincheux, de pouvoir lui emboîter le pas.

Cela dit, le respect qui vous est dû, Monsieur le maire, chers amis et militants de la lettre à la poste, n'est pas celui qu'on accorde, en passant, à de charmants antiquaires, mais le bonheur que l'on souhaite, en rêvant de le partager, à des gens avisés et qui voient loin.

Le « moment » Nora

Le Centre national du livre consacra, le 29 novembre 2011, sous l'impulsion de Jean-François Colosimo, son président, une journée entière à l'œuvre de l'historien Pierre Nora, célébrant ainsi son quatre-vingtième anniversaire. Il m'échut l'insigne honneur d'assumer un propos d'ouverture. Pour une réflexion de type météorologique sur le temps qu'il fait sous nos cieux.

Quel fatras font, après deux ou trois décennies, tant de pesants volumes se réclamant d'un *isme* ou d'une *logie* — nul ne s'en avise mieux qu'un vieil homme contraint, pour sauvegarder dans ses pénates un dernier carré d'espace vital, de « désherber » sa bibliothèque. Sa main sur les rayonnages engorgés va d'instinct au plus lourd, qui est aussi le plus mou, tous ces ouvrages prématurément fanés quoique théoriquement immarcescibles qui nous parlaient sémiologie, sociologie critique, linguisteries, politologie, psychologie sociale, anthropologie cognitive, etc. Comme si la rapidité avec laquelle, au début des années 1960, ces nouveaux évangiles avaient vampé les amphis, Saint-Germain-des-Prés et Cerisy-la-Salle, avec le vague espoir de voler son prestige à la littérature, s'était payée d'un jaunissement précoce ; comme si le feu d'artifice des Trente Glorieuses avait eu pour rançon une tombée de rideau anticipée. Si, de nos jours, deux de ces ouvrages didactiques sur trois se ramassent comme feuilles d'automne à la pelle chez les bouquinistes (qui n'en peuvent mais), le troisième relève en général de Clio. Sa progéniture résiste aux ménages de printemps domestiques. Moins faraude, assez sûre de ses arrières pour ne pas courir à tout bout de champ après des marqueurs volatils de scientificité, l'Histoire, se fût-elle, comme toute chose en ce temps-là, rebaptisée nouvelle, aura vu sans coup férir passer la caravane des jargons distingués. Et la voilà qui émerge, ô paradoxe, au cœur de notre culture comme la butte-témoin, dans un présent réduit aux acquêts, où le temps n'a jamais eu si peu de profondeur, où le programme d'histoire en classe terminale S commence en 1980, où les candidats à la présidentielle se gardent de faire mention à un quelconque passé. Et sur ce promontoire se profile Pierre Nora, contemporain crucial. Pour avoir résisté mieux que d'autres à la contagion lexicale des marxismes, structuralismes et lacanismes d'époque, ses anciens textes, fussent-ils de circonstance, n'exhibent pas de date de péremption.

Sans compétence pour me mêler du fond, qui me dépasse, je ne puis que m'en tenir à la forme de ses deux derniers ouvrages. Un front lisse et sans aspérités décourage de prime abord la prise critique. Le style en est amène. Garante d'un voyage au long cours, cette façon d'allier érudition et limpidité, le solide et le fluide lui permet de désenchevêtrer le complexe sans mettre le petit doigt en l'air. Ni vol-au-vent ni pudding. *Présent, nation, mémoire* : sur ces questions difficiles et assez douloureuses, qui en assombriraient plus d'un, notre historien public, force tranquille, fait la clarté posément, avec un courtois sourire, sans bomber le torse prophétique.

Modestie méritoire, car son autobiographie témoigne qu'il aurait pu s'illustrer du côté de l'art d'écrire. Comme Sartre dans *Les Mots* renonce à la littérature dans un style qu'aucun littérateur ne saurait égaler, Nora dans son « Khâgne 1950 » démonte le vain brio du normalien avec un brio superlatif d'hyperkhâgneux. À quoi s'ajoutent des reportages sur l'Algérie à vif, des articles au scalpel sur la Mutualité marxiste en 1963, bref, tout ce qu'il faut pour faire, passées ses premières armes, une plume alerte et omnidirectionnelle. Mais Nora s'est pincé et repris juste à temps : à la trentaine, il renonce aux épanchements déplacés comme au journalisme intellectuel et rentre dans les ordres : le chercheur met le phraseur au piquet et se fait éditeur, plongeant les mains dans les archives comme d'autres dans le cambouis. Il admire Michelet, l'envie dans ses envols, mais lui préfère l'artisanat, probe et méticuleux. La phrase artiste et l'effusion égotiste — attributs de l'historien romantique, toujours un peu cabot —, très peu pour lui. Chez cet expert en dégonflage, pas de tremblé ni de prose humide. Pas de précautions oratoires ni de restrictions mentales. Pas de fureurs polémiques non plus, ni d'exécutions capitales — sauf à l'encontre de l'amiral de Gaulle, qui en prend pour son grade, et de BHL, bouffon symptomal et de mauvais augure. Le ton peut se faire cinglant et même jubilatoire, mais la retenue domine. De là un magistère sans effets de manche, avec un zeste d'humour peu propice aux statues du Commandeur, et une sveltesse d'exposition insolite chez les maréchaux des Hautes Études. Celui-là va droit à l'idée, comme le détective au fait.

Sachons gré à l'inspecteur Columbo des signes des temps, d'en être un lui-même, et du meilleur aloi. Si une démarche originale peut sembler à tous normale, si le style d'une époque c'est l'homme de cette époque, alors il nous faut parler, au sens fort du mot, d'un *moment Nora*. C'est le nôtre. En son miroir, le pékin, vous et moi, peut se voir radiographier, très élégamment et sobrement mis à nu. « L'intelligence nationale », disait de lui un magazine, qui ne sait pas si bien dire. Ce déjà classique met en lumière le classicisme encore sous abat-jour d'un nouvel âge où chacun zigzague au milieu des décombres. À eux seuls, son art et sa manière nous en donnent l'intelligence, en pointillé.

Son trait le plus saillant : le discontinu. Dans le monde de Pierre Nora, il y a des *massifs* (la Révolution, 14-18, le gaullo-communisme), sur lesquels il faut *s'interroger* en se livrant à des *approches* pour en saisir la *dimension*. Ces massifs sont séparés par des *ruptures*, lesquelles permettent de *scander* le temps qui passe. Chacune d'elles indique un *moment*. C'est le mot carrefour. Moment trait d'union : -mémoire, -existence, -structure, -patrimoine, etc. (Nul ne pouvant sauter par-dessus son moment, je le lui ai d'ailleurs emprunté, dans un récent ouvrage, pour l'accoler à Fraternité.)

Plus qu'une trouvaille, une trouée. Le *moment,* c'est moins grave qu'une époque (ça passera) et plus prégnant qu'une actu (ce n'est pas anodin). L'observateur, à mi-chemin de l'histoire des structures et de la chronique des primaires, se retrouve dans un « mi-cuit » ou un « à point », à égale distance de la fresque et de l'aperçu. Le moment, c'est un pont suspendu entre Braudel et Elkabbach. Il donne de la présence au présent, chose évanescente et fuyante, victime de « l'accélération de l'histoire », mais cette manière d'historiser le présent et d'actualiser l'histoire ajoute du grave à de l'anecdotique, jugé digne d'être classé et archivé sans l'être encore tout à fait. Un quidam devient un important quand il peut représenter (à son insu, s'entend) un moment de l'histoire nationale, voire de la conscience universelle. Mais c'est juste un moment, bon ou mauvais, ne dramatisons pas : mémorable, pas tragique. C'est significatif, voire palpitant, mais ce n'est pas irrémédiable, allez, on s'en sortira. Il y a dans ce mot magique un mélange de fatalité (on ne choisit pas son moment, on en est *volens nolens*) et de suspense (personne n'a le dénouement en poche), un passif-actif qui fixe les idées sans embaumer les choses. Épingler et analyser cette enclave chronologique, cela évite aussi d'avoir à faire la morale aux protagonistes — nul n'étant responsable d'une situation météo — tout en conférant à leurs faits et gestes un lustre, une allonge, une légitimité, puisque le pari est pris qu'ils devront, plus tard, faire date.

On me dira que l'historien ne fait que son métier quand il découpe un continuum en tranches, séquences et périodes. Il est là pour ça. Mais jusqu'ici, on recousait les morceaux pour composer une histoire reconstruite après coup dans la continuité et la cohérence. Avec des bribes, jadis, s'égrenait une longue phrase, comme avec des blanches et des noires sur une portée, une mélodie. Michelet, Lavisse, Seignobos, enchaînaient les chapitres, fascicule après fascicule, d'où sortait à la fin une monumentale et majestueuse *Histoire de France*. Les fragments convergeaient vers une fin attendue ou du moins espérée, imposant une lecture d'une seule coulée, qui nous découvrait pas à pas une totalisation symphonique et souveraine. Nora, comme l'époque dont il est le portrait, pratique le bout à bout. Si son récapitulatif a la forme d'un puzzle d'articles, entretiens et conférences, ce n'est pas manque d'audace ou d'esprit de synthèse. C'est la loi du *Zeitgeist*. Le futur s'est lassé. L'attente n'a plus d'objet.

Nous avons tous quitté l'ère du monument et le fragment est notre élément. Le cours si peu mondialisé du monde, comme la mémoire collective et la France elle-même, refluent dans nos têtes en morceaux — choisis. Nos saisons n'ont plus d'axe, il s'est brisé en chemin. On tangue. Il allait de soi, depuis Bossuet jusqu'à ce matin, qu'il n'y a qu'une histoire qui compte, et mérite d'être contée — que ce soit celle de Dieu ou de la France. S'il y avait, certes, une économie du salut, qui distribuait les heurts et malheurs le long d'une ligne fléchée, le marcheur progressiste avait une garantie de bonne fin scellée par la clarté d'une origine. Il y avait certes des à-coups, des traités de Brétigny et des Mai 1940 — mais sous le trouble, une trajectoire. La fuite du point de fuite a brisé cette ligne directrice. Le temps n'est plus l'image mobile de l'éternité immobile, comme s'il l'était à l'époque où l'histoire était unifiée soit par ses lois propres, les universaux de la vie en société, soit par un profil singulier, le caractère national. Nos singuliers sont désormais tenus de se mettre au pluriel, le nouvel uniforme. Bibliothèque *des* histoires (Gallimard), *Les* France (*Lieux de mémoire*), *Histoires de* France (Dominique Borne) ; et les initiateurs de la Maison de l'histoire de France n'en finissent pas de nous expliquer qu'ils sont au-dessus de tout soupçon et n'ont pas quelque idée régulatrice cachée, quelque honteux projet de mise en perspective (ou, pire encore, en récit) de ses angles de vue dispersés. Suggérer qu'il puisse y avoir un air de famille entre les tesselles de cette mosaïque qu'on nous assure soigneusement éclatée, ce serait, nous dit-on ou quasiment, céder au roman national, à la Providence, à l'Histoire sainte. *Vade retro, Satanas*. Le Diable en l'an 2000 n'est plus légion, mais tunique sans couture. Le *mono*, c'est notre Mal. Le *multi*, notre Bien. On est multiculturel, multimédia et multicarte, sinon rien, ou pire, totalitaire. Ne dites plus : le peuple, mais, comme en préfecture, les populations. Ne parlez plus de la collectivité nationale, mais des minorités, visibles et invisibles. L'usage devenu réflexe chez nos idéologues de ce fourre-tout confusionnel, *le* totalitarisme, n'a pas peu contribué à cette phobie de l'organique, cette volonté d'exorciser tout ce qui pourrait ressembler à du cohérent, du convergent et de l'échelonné.

Devenir une référence majeure dans quelque champ que ce soit — histoire, beaux-arts, sociologie ou philosophie — c'est à présent destituer une majuscule, liquider un article singulier défini, et exalter des minuscules. Qui joue en mineur les partitions d'antan, le voilà virtuose. Désamour ontologique, qui a, dans l'affichage politique, « la diversité » pour contremarque, et pour le dessus du pavé, la « marginalité » comme posture idéale. Le magistrat du centrifuge, Michel Foucault, a donné son estampille d'anarchiste sans le nom à l'ordre nouveau, avec ses disjonctions épistémologiques (les *épistémês*), son anticommunisme passionnel, et la définition du minimum syndical subversif (d'où, dans notre milieu intellectuel, une certaine difficulté d'être — considéré, pour qui n'est ou ne fut ou ne sera pas détenu à Fresnes, homosexuel, parricide, schizophrène ou sadomaso). En tout domaine, le revers de la médaille en fait la gloire, et son avers, l'infamie. Le ministère de la Culture, dont on dit un peu vite qu'il ne sert plus à rien, a une raison d'être, une mission, une responsabilité éthique : veiller à l'épanouissement de la contre-culture, onéreux souci de chaque soir. Ce renversement des valeurs orthodoxes fait notre orthodoxie. Nietzsche en éclaterait de rire.

La nouvelle façon de rythmer l'Histoire, sans aller jusqu'à ces extrémités, subit de plein fouet l'évanouissement des horizons de sens. Agnosticisme ou aboulie, elle se retrouve comme abandonnée devant sa glace, livrée au jeu infini des introspections et aux plaisirs un peu moroses du deuxième degré. Triomphe de l'historiographie. Ce n'est plus la chose qui intéresse, mais notre rapport à la chose, non son déroulement, mais ses « soubassements et ses prolongements ». Plus le Napoléon réel, sujet naïf et saturé, mais les fous qui se prennent pour Napoléon. On se décale d'un cran, on retourne le gant. Invagination généralisée. Voici l'histoire de l'histoire, le roman du roman, la recherche sur la recherche, l'interrogation sur l'interrogation. Notre substance, c'est le mode. Et toutes les professions de foi s'étant dévalorisées, n'émergent plus des ruines du plan d'ensemble qu'une foi ouvrière dans sa profession, et l'auto-exaltation des déontologies de la remise à plat. Les parties ont eu raison du tout.

Le passage du grand récit aux menues mémoires débouche sur des ruelles labyrinthiques, comme le doute méthodique chez Descartes en l'absence du Bon Dieu. Notre condition archipélique nous condamne à une histoire sans *vibrato* ni *legato*, à une infinie patience, plus proche de Sisyphe que de Prométhée. Pierre Nora bâtit, mais en creux, sans prétention. L'invention se rebaptise chez lui inventaire. Ainsi se présente-t-il en quatrième de couverture : il « défriche ». Déconstruit. Décrypte. Décompose. Ses contributions ne sont que des « coups de sonde ». Son ambition : « ouvrir des pistes ». Son but ultime : « la constitution d'un chantier ». Cet ouvriérisme l'honore, et fait sourire, mais nous en sommes tous là, travailleurs du symbolique, unissez-vous. Un peintre, s'il en reste, évite d'avoir une *œuvre*. C'est son *travail* que nous devons inspecter et venir saluer dans son atelier, un *work in progress*. Les mains à plume et à pinceau sont calleuses, et la salopette du manœuvre, tenue recommandée. Créatifs et créateurs se prolétarisent pour être sûrs d'être appréciés à leur juste valeur, toute sueur méritant salaire. L'œuvre n'est admissible qu'à la condition d'être « ouverte ». Mais si nos chefs de file se doivent de poser en chefs de chantier, le BTP du chercheur est d'un genre particulier. C'est un travail inchoatif et sans terminus, où il serait vain d'attendre la cérémonie dite de remise d'ouvrage, quand l'impétrant peut pendre la crémaillère. La bêtise, disait Valéry, c'est de conclure. La science aussi s'en garde bien. Elle est incrédule, précautionneuse et béante. Seul l'essayiste a droit au mot *fin*. Il peut rouler des mécaniques et des formules qui claquent comme des portes, d'abord parce qu'il parle à la première personne et n'engage que lui, comme on dit, ensuite parce qu'il croit savoir ce dont il s'agit quand le vrai savant, informé du provisoire et du relatif de toutes choses, en sait trop pour ne pas savoir qu'il croit.

On permettra donc à un littéraire, un simple essayiste d'avancer une hypothèse sur un ton ferme et péremptoire qui ne laisse pas de place au doute. L'avènement à la proue de notre République des belles-lettres et des grandes consciences de cette « histoire de pointe », bel et bien taillée et pointue, mais désossée, démantelée, détimbrée et toute à l'écoute d'elle-même, marque une craqure dans notre façon de vivre le cours du temps, et la place qu'il assigne à nos petites personnes. J'y vois la fin du *sentiment de l'Histoire* dont Chateaubriand fut l'accoucheur et Malraux le croque-mort. L'exténuation de ce sentiment à la fois poétique et tragique, plus ou moins obsessionnel ou cauchemardesque, qui n'aura duré, somme toute, que deux siècles, auquel celui des Lumières fut étranger et dont rien n'indique qu'il peut revenir nous rendre visite : la sensation d'appartenir à quelque chose d'obligatoire, d'irrécusable et de plus grand que soi. « Ce temps coulant à pleins bords avec toute sa charge orageuse de destin » (Julien Gracq), transcendant les ruptures, lissant les bémols, liant les creux et les pleins, et qui nous tenait dans son poing, voilà qu'il ne nous transporte plus au-delà de nous-mêmes, pour le meilleur comme pour le pire. Le bréviaire du démocrate exige le gros plan et la vue courte, sans ligne de fuite.

Faut-il s'en plaindre ou s'en réjouir ? Enfance ou paradis ? Honnêtement, je n'en sais trop rien… Nous étions des otages, nous devenons responsables ? Clausule ouverte, avec point d'interrogation et trois petits points, comme sait en mettre, à la fin de presque tous les articles, non l'héritier, mais le successeur du vieux Lavisse. Que faire d'autre ? Moment Nora oblige, n'est-il pas vrai ? Et celui-là, croyez-moi, est parti pour durer.

COUTEAUX

JOURNAUX

TRÉTEAUX

CHAPEAU !

FLAMBEAUX

Composition Nord Compo
Achevé d'imprimer par
Normandie Roto Impression s.a.s.
61250 Lonrai, le 14 décembre 2012
Dépôt légal : décembre 2012
Numéro d'imprimeur : 124771
ISBN 978-2-07-013944-6 / Imprimé en France

247660